펼쳐 보면 느껴집니다

단 한 줄도 배움의 공백이 생기지 않도록
문장 한 줄마다 20년이 넘는
해커스의 영어교육 노하우를 담았음을

덮고 나면 확신합니다

수많은 선생님의 목소리와
정확한 출제 데이터 분석으로 꽉 찬
교재 한 권이면 충분함을

해커스북 중·고등
HackersBook.com

해커스보카 중학 시리즈가 특별한 이유

쉽고 빠르게 외울 수 있어요!

1 연상학습을 돕는 **주제별 구성**

2 이미지를 통해 저절로 외워지는 **Picture Review**

중학 기초

중학 필수

중학 고난도

오래 기억할 수 있어요!

3 **앞서 배운 단어가 포함된 예문**으로 자연스러운 반복학습

4 효과적인 복습이 가능한 **미니 암기장 &누적 테스트북**

해커스 어학연구소 자문위원단 3기

강원
박정선 잉글리쉬클럽
최현주 최샘영어

경기
강민정 김진성열정어학원
강상훈 평촌RTS학원
강지인 강지인영어학원
권계미 A&T+ 영어
김미아 김쌤영어학원
김설화 업라이트잉글리쉬
김성재 스윗스터디학원
김세훈 모두의학원
김수아 더스터디(The STUDY)
김영아 백송고등학교
김유경 벨트어학원
김유경 포시즌스어학원
김유동 이스턴영어학원
김지숙 위디벨럽학원
김지현 이지프레임영어학원
김해빈 해빛영어학원
김현지 지앤비영어학원
박가영 한민고등학교
박영서 스윗스터디학원
박은별 더킹영수학원
박재홍 록키어학원
성승민 SDH어학원 불당캠퍼스
신소연 Ashley English
오귀연 루나영어학원
유신애 에듀포커스학원
윤소정 ILP이화어학원
이동진 이룸학원
이상미 버밍엄영어교습소
이연경 명품M비욘드수학영어학원
이은수 광주세종학원
이지혜 리케이온
이진희 이엠원영수학원
이충기 영어나무
이효명 갈매리드앤톡영어독서학원
임한글 Apsun앞선영어학원
장광명 엠케이영어학원
전상호 평촌이지어학원
전성훈 훈선생영어교실
정선영 코어플러스영어학원
정준 고양외국어고등학교
조연아 카이트학원
채기림 고려대학교EIE영어학원
최지영 다른영어학원
최한나 석사영수전문
최희정 SJ클쌤영어학원
현지환 모두의학원
홍태경 공감국어영어전문학원

경남
강다훤 더(the)오르다영어학원
라승희 아이작잉글리쉬
박주언 유니크학원
배송현 두잇영어교습소
안윤서 어썸영어학원
임진희 어썸영어학원

경북
권현민 삼성영어석적우방교실
김으뜸 EIE영어학원 옥계캠퍼스
배세왕 비케이영수전문고등관학원
유영선 아이비티어학원

광주
김유희 김유희영어학원
서희연 SDL영어수학학원
송수일 아이리드영어학원
오진우 SLT어학원수학원
정영철 정영철영어전문학원
최경옥 봉선중학교

대구
권익재 제이슨영어
김명일 독학인학원
김보곤 베스트영어
김연정 달서고등학교
김혜란 김혜란영어학원
문애주 프렌즈입시학원
박정근 공부의힘pnk학원
박희숙 열공열강영어수학학원
신동기 신통외국어학원
위영선 위영선영어학원
윤창원 공터영어학원 상인센터
이승현 학문당입시학원
이주현 이주현영어학원
이헌욱 이헌욱영어학원
장준현 장쌤독해종결영어학원
주현아 민샘영어학원
최윤정 최강영어학원

대전
곽선영 위드유학원
김지운 더포스둔산학원
박미현 라시움영어대동학원
박세리 EM101학원

부산
김건희 레지나잉글리쉬 영어학원
김미나 위드중고등영어학원
박수진 정모클영어국어학원
박수진 지니잉글리쉬
박인숙 리더스영어전문학원
옥지윤 더센텀영어학원
윤진희 위니드영어전문교습소
이종혁 진수학원
정혜인 엠티엔영어학원
조정래 알파카의영어농장
주태양 솔라영어학원

서울
Erica Sull 하버드브레인영어학원
강고은 케이앤학원
강신아 교우학원
공현미 이은재어학원
권영진 경동고등학교
김나영 프라임클래스영어학원
김달수 대일외국어고등학교
김대니 채움학원
김문영 창문여자고등학교
김상백 강북세일학원
김정은 강북뉴스터디학원
김혜경 대동세무고등학교
남혜원 함영원입시전문학원
노시은 케이앤학원
박선정 강북세일학원
박수진 이은재어학원
박지수 이플러스영수학원
서승희 함영원입시전문학원
신지웅 강북세일학원
양세희 양세희수능영어학원
우정용 제임스영어앤드학원
이박원 이박원어학원
이승혜 스텔라영어
이정욱 이은재어학원
이지연 중계케이트영어학원
임예찬 학습컨설턴트
장지희 고려대학교사범대학부속고등학교
정미라 미라정영어학원
조민규 조민규영어
채가희 대성세그루영수학원

울산
김기태 그라티아어학원
이민주 로이아카데미
홍영민 더이안영어전문학원

인천
강재민 스터디위드제이쌤
고현순 정상학원
권효진 Genie's English
김솔 전문과외
김정아 밀턴영어학원
서상천 최정서학원
이윤주 트리플원
최예영 영웅아카데미

전남
강희진 강희진영어학원
김두환 해남맨체스터영수학원
송승연 송승연영수학원
윤세광 비상구영어학원

전북
김길자 맨투맨학원
김미영 링크영어학원
김효성 연세입시학원
노빈나 노빈나영어전문학원
라성남 하포드어학원
박재훈 위니드수학지앤비영어학원
박향숙 STA영어전문학원
서종원 서종원영어학원
이상훈 나는학원
장지원 링컨더글라스학원
지근영 한솔영어수학학원
최성령 연세입시학원
최혜영 이든영어수학학원

제주
김랑 KLS어학원
박자은 KLS어학원

충남
김예지 더배움프라임영수학원
김철홍 청경학원
노태겸 최상위학원

충북
라은경 이화윤스영어교습소
신유정 비타민영어클리닉학원

교과서 및 교육부 권장 어휘 완벽 반영

해커스 보카

중학 필수

해커스 어학연구소

목차

SECTION 1 People 사람

SECTION 2 Daily Life 일상 생활

SECTION 3 Leisure & Culture 여가와 문화

이 책의 구성과 특징

40일 만에 1,200단어 완성

중 1~ 중 2 필수 단어·숙어 1,200개를 40일 만에 완성할 수 있어요.

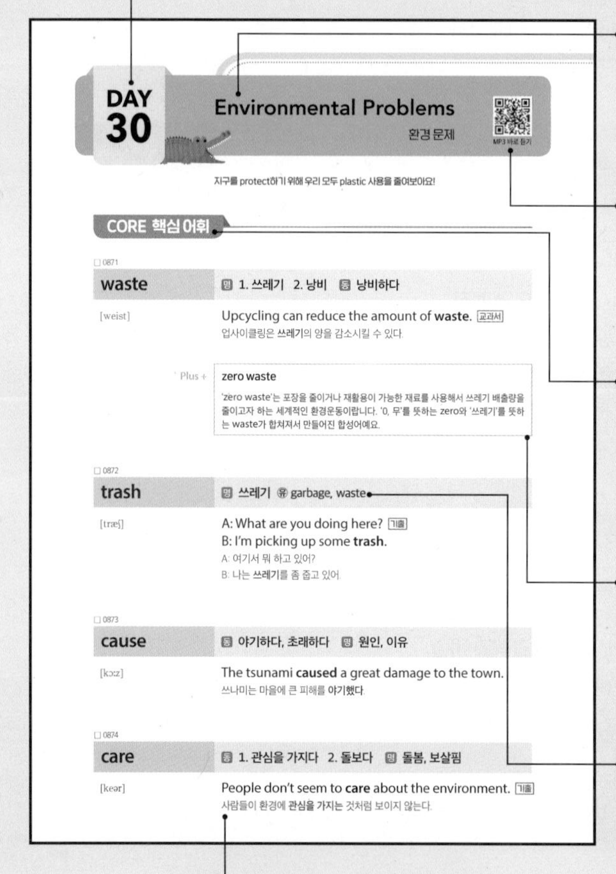
DAY 30

Environmental Problems

환경 문제

MP3 바로 듣기

지구를 protect하기 위해 우리 모두 plastic 사용을 줄여보아요!

CORE 핵심 어휘

□ 0871

waste [weist] 명 1. 쓰레기 2. 낭비 동 낭비하다

Upcycling can reduce the amount of **waste**. 교과서

업사이클링은 **쓰레기**의 양을 감소시킬 수 있다.

Plus + zero waste

'zero waste'는 포장을 줄이거나 재활용이 가능한 재료를 사용해서 쓰레기 배출량을 줄이고자 하는 세계적인 환경운동이랍니다. '0, 무'를 뜻하는 zero와 '쓰레기'를 뜻하는 waste가 합쳐져서 만들어진 합성어예요.

□ 0872

trash [træʃ] 명 쓰레기 유 garbage, waste

A: What are you doing here? 기출

B: I'm picking up some **trash**.

A: 여기서 뭐 하고 있어?

B: 나는 **쓰레기**를 좀 줍고 있어.

□ 0873

cause [kɔːz] 동 야기하다, 초래하다 명 원인, 이유

The tsunami **caused** a great damage to the town.

쓰나미는 마을에 큰 피해를 **야기했다**.

□ 0874

care [keər] 동 1. 관심을 가지다 2. 돌보다 명 돌봄, 보살핌

People don't seem to **care** about the environment. 기출

사람들이 환경에 **관심을 가지는** 것처럼 보이지 않는다.

연상 암기가 가능한 주제별 학습

연관된 단어끼리 모아 학습할 수 있는 주제별 구성으로 연상 작용을 통해 더욱 쉽게 암기할 수 있어요.

QR코드로 바로 듣는 MP3

단어와 뜻, 예문이 포함된 3가지 버전의 MP3를 QR코드를 통해 쉽게 들을 수 있어요.

체계적인 수준별 학습

한 Day 내에서 쉬운 단어부터 어려운 단어 순서대로 학습할 수 있도록 난이도별로 배치하여 수준별 학습이 가능해요.

어휘와 표현을 더해주는 Plus 코너

표제어와 관련된 어휘와 표현을 흥미로운 내용과 함께 제시해 확장된 어휘 학습을 재미있게 할 수 있어요.

어휘력을 높이는 추가 어휘

표제어와 관련된 유의어/반의어/파생어/핵심 표현을 통한 확장 학습으로 어휘력을 높일 수 있어요.

교과서와 시험에 나온 생생한 예문

교과서와 기출 문장을 활용한 예문을 통해 효과적인 학습이 가능해요.

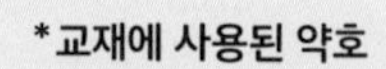

***교재에 사용된 약호**

명 명사 동 동사 형 형용사 부 부사 전 전치사 접 접속사 대 대명사

유 유의어 반 반의어 복 복수형 + 파생어 및 핵심 표현

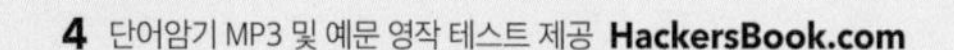

Daily Test

[01~05] 단어와 뜻을 알맞은 것끼리 연결하세요.

01 friendly • • ⓐ 성미, 침착
02 temper • • ⓑ 다정한
03 wise • • ⓒ 현명한
04 personality • • ⓓ 어리석은
05 stupid • • ⓔ 성격, 개성

[06~10] 영어는 우리말로, 우리말은 영어로 쓰세요.

06 foolish ______
07 cheerful ______
08 태도 ______
09 용감한 ______
10 수줍어하는 ______

[11~15] 우리말과 같은 뜻이 되도록 빈칸에 알맞은 단어를 쓰세요.

11 나는 행복한 척했다. I ______ to be happy.
12 그는 자신의 성공에 대해 겸손했다. He was ______ about his success.
13 나는 네가 반 친구들과 잘 지낼 것을 확신한다.
I'm sure you'll ______ well with your classmates.
14 Maria는 절망적인 상황 속에서도 낙천적이다.
Maria is ______, even in hopeless situations.
15 나는 너의 솔직함이 좋아. I like your ______.

[16~20] 단어와 영영 풀이를 알맞은 것끼리 연결하세요.

16 gentle • • ⓐ acting in a bad manner to other people
17 rude • • ⓑ without any help from others
18 on one's own • • ⓒ something that makes you laugh
19 humor • • ⓓ being soft, calm, or without anger
20 clever • • ⓔ being intelligent enough to find unusual solutions

Daily Test

내신 시험 유형을 반영한 Daily Test를 통해 단어 실력 향상은 물론 실전 감각을 키울 수 있어요.

Picture Review

이미지를 통해 앞서 배운 단어를 복습하면서 단어의 뜻을 확실하게 각인시킬 수 있어요.

추가 학습 자료로 어휘 실력 업그레이드!

반복 학습으로
단어를
더 오래 기억하게 해주는
누적 테스트북

간편하게
언제 어디서나
단어를 외울 수 있는
미니 암기장

성향별 맞춤 학습플랜

"난 꼼꼼하게 전부 다 외울 거야!"

1회독
매일 목표를 정해서 해당 범위의 단어와 뜻을 외워보세요. 뜻을 외운 뒤에는 예문 속에서 단어의 쓰임을 확인하고 추가 어휘와 표현도 함께 학습하세요. 암기가 끝나면 Daily Test로 외운 내용을 꼼꼼히 확인하고 틀린 단어는 단어 위의 체크박스에 표시해두세요.

2회독
1회독을 하면서 헷갈리거나 틀렸던 단어들을 중심으로 복습하세요. 홈페이지에 있는 다양한 시험지도 프린트해서 활용해보세요.

"난 짧은 시간만 집중해서 외울 거야!"

1회독
별책으로 제공되는 미니 암기장을 들고 다니며 이동하는 시간, 남는 시간을 활용해 학습해보세요. 암기가 끝나면 Daily Test 문제를 풀어보고, 틀리거나 어려웠던 단어는 잘 표시해두세요.

2회독
틀린 단어나 헷갈렸던 단어를 중심으로 예문과 Picture Review를 확인하면서 복습해보세요.

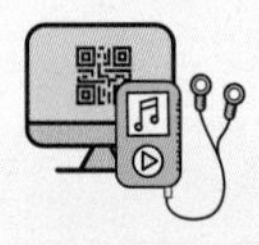

"난 다양한 감각을 활용해서 외울 거야!"

1회독
QR코드를 찍어 학습할 부분의 '표제어' 파일을 틀고 발음을 들으며 공부하세요. 잘 외웠는지 확인할 때는 '표제어 + 뜻' 파일을 틀고 내가 떠올린 뜻이 맞는지 바로 확인하세요. Picture Review를 통해 이미지로 다시 한번 체크!

2회독
'표제어 + 뜻 + 예문' MP3 파일을 틀어서 예문 속에서 외운 단어의 뜻을 확인한 다음, 예문 영작 테스트를 프린트해서 빈칸을 채워보세요.

"난 과학적으로 검증된 방법으로 외울 거야!"

단어를 잊어버리는 주기에 맞춰 학습해보세요.

1회독
단어의 뜻을 중심으로 암기하고 10분 뒤에 Daily Test로 외운 단어를 확인하세요.

2회독
일주일 후, 미니 암기장으로 뜻을 가리고 얼마나 기억하는지 확인해보세요. 틀린 단어를 꼼꼼히 체크하고 복습하세요.

복습
한 달 후, 누적 테스트북을 펴서 외운 단어를 확인하세요. 틀린 단어는 단어 위의 체크박스에 표시해두고 반복해서 복습하세요.

★ 학습일 또는 학습 진행 상황을 자유롭게 기록해보세요.

	1회독	2회독
DAY 01		
DAY 02		
DAY 03		
DAY 04		
DAY 05		
DAY 06		
DAY 07		
DAY 08		
DAY 09		
DAY 10		
DAY 11		
DAY 12		
DAY 13		
DAY 14		
DAY 15		
DAY 16		
DAY 17		
DAY 18		
DAY 19		
DAY 20		

	1회독	2회독
DAY 21		
DAY 22		
DAY 23		
DAY 24		
DAY 25		
DAY 26		
DAY 27		
DAY 28		
DAY 29		
DAY 30		
DAY 31		
DAY 32		
DAY 33		
DAY 34		
DAY 35		
DAY 36		
DAY 37		
DAY 38		
DAY 39		
DAY 40		

SECTION 1

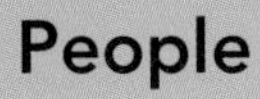

People

사람

DAY 01 Personality 성격
DAY 02 Characteristics 특징
DAY 03 Actions 행동
DAY 04 Emotions & Feelings 감정과 기분
DAY 05 Thoughts & Expressions 생각과 표현

DAY 01 Personality

성격

Brave한 자세로 도전하면 자신이 원하는 일을 이룰 수 있을 거예요!

CORE 핵심 어휘

□ 0001

brave [breiv]

형 **용감한** 유 bold

Jack thought that Miles was **brave** and adventurous. 교과서
Jack은 Miles가 **용감하며** 모험심이 강하다고 생각했다.

□ 0002

shy [ʃai]

형 **수줍어하는**

I was very **shy** when I was young. 기출
나는 어렸을 때 매우 **수줍어했다**.

□ 0003

kind [kaind]

형 **친절한** 유 friendly 명 **종류** 유 type

You're **kind** and fair to everyone. 교과서
너는 모두에게 **친절하고** 공평하다.

□ 0004

friendly [fréndli]

형 **다정한, 친절한** 반 unfriendly 불친절한

She has a nice and **friendly** neighbor. 기출
그녀는 친절하고 **다정한** 이웃이 있다.

□ 0005

clever [klévər]

형 **1. 영리한 2. 독창적인, 기발한**

A **clever** girl in Korea had a good idea. 기출
한국의 한 **영리한** 소녀는 좋은 생각을 갖고 있었다.

□ 0006

smart

[smɑːrt]

형 **똑똑한, 영리한** 유 clever

Tim was **smart**, talented, and friendly. 기출

Tim은 **똑똑하고**, 재능 있고, 다정했다.

□ 0007

wise

[waiz]

형 **현명한, 지혜로운**

A rich and **wise** man had two sons. 교과서

한 부유하고 **현명한** 남자는 두 명의 아들이 있었다.

+ wisdom 명 지혜

□ 0008

foolish

[fúːliʃ]

형 **어리석은, 바보 같은**

She didn't want to look **foolish** in front of her friends.

그녀는 자신의 친구들 앞에서 **어리석어** 보이고 싶지 않았다.

□ 0009

stupid

[stjúːpid]

형 **어리석은, 둔한** 유 foolish 반 wise 현명한

He's **stupid**. Everyone says so. 기출

그는 **어리석다**. 모두가 그렇게 말한다.

□ 0010

rude

[ruːd]

형 **버릇없는, 무례한**

Don't be **rude** to your parents.

네 부모님께 **버릇없게** 굴지 마라.

□ 0011

serious

[síəriəs]

형 **1. 진지한 2. (나쁘거나 위험한 정도가) 심각한**

Eli is a **serious** man and never makes a joke.

Eli는 **진지한** 사람이며 결코 농담을 하지 않는다.

□ 0012

mean

형 못된, 심술궂은 동 의미하다 (meant-meant)

[miːn]

Nobody likes **mean** people.
아무도 **못된** 사람들을 좋아하지 않는다.

□ 0013

gentle

형 1. 정중한, 온화한 2. (날씨·동작 등이) 부드러운, 평온한

[dʒéntl]

At first, he was very **gentle** with me. 기출
처음에는, 그는 나에게 매우 **정중했다**.

Plus +

ladies and gentlemen

'신사 숙녀 여러분'을 뜻하는 위 표현에서 gentlemen(신사)은 gentle과 men이 합쳐져서 만들어진 단어로, 보통 교양이 있고 예의 바른 남자를 가리켜요. 한국어 표현에서는 '신사'가 먼저 나오지만, 영어로는 '숙녀들'을 뜻하는 ladies가 먼저 나온다는 점도 알아두세요!

□ 0014

honesty

명 정직함, 솔직함

[ánisti]

Shane is loved for her **honesty** and kindness.
Shane은 **정직함**과 친절함으로 사랑받는다.

+ honest 형 정직한

□ 0015

humor

명 유머, 익살

[hjúːmər]

Does she have a good sense of **humor**? 교과서
그녀는 뛰어난 **유머** 감각을 가지고 있니?

□ 0016

cheerful

형 쾌활한, 명랑한

[tʃíərfəl]

A: You're always **cheerful**. 교과서
B: It's nice of you to say so.
A: 너는 항상 **쾌활하구나**.
B: 그렇게 말해주니 고마워.

□ 0017

curious 형 호기심이 많은, 궁금한

[kjúəriəs]

We're looking for someone who is clever and **curious.** 교과서

우리는 독창적이고 **호기심이 많은** 누군가를 찾고 있다.

□ 0018

wonder 동 궁금해하다, 의아해하다 명 놀라움, 경탄

[wʌ́ndər]

I **wonder** about every little thing around me.

나는 내 주변의 모든 사소한 것에 대해 **궁금해한다**.

□ 0019

character 명 1. 인격, 성격 2. 특징 3. 문자, 글자

[kǽriktər]

People's behavior shows their **character.**

사람들의 행동은 그들의 **인격**을 보여준다.

Plus + character는 '(책·영화 등의) 등장인물'이라는 뜻으로도 자주 쓰인답니다. 영화나 만화의 '주인공'을 표현할 때는 character 앞에 '주된, 주요한'이라는 뜻의 main을 붙여서 main character라고 써요.

□ 0020

on one's own 혼자 힘으로, 스스로

Ted always tries to solve problems **on his own.**

Ted는 항상 **혼자 힘으로** 문제들을 해결하려고 노력한다.

ADVANCED 심화 어휘

□ 0021

creative 형 창의적인, 창조적인

[kriéitiv]

Lily is very **creative** and has many great ideas. 기출

Lily는 매우 **창의적이며** 많은 훌륭한 아이디어를 가지고 있다.

□ 0022

active

형 1. 적극적인 2. 활동적인

[ǽktiv]

I used to be **active** and friendly, but high school made me quiet and shy. 기출

나는 **적극적이고** 친절했었지만, 고등학교가 나를 조용하고 수줍어하게 만들었다.

□ 0023

lively

형 활발한, 활기 넘치는 ㊒ active

[láivli]

She's always **lively** and full of energy.

그녀는 항상 **활발하고** 에너지가 가득하다.

□ 0024

pretend

동 ~인 척하다, 속이다

[priténd]

I **pretend** to be cheerful when I am not. 기출

나는 그렇지 않을 때에도 쾌활한 **척한다**.

□ 0025

temper

명 1. 성미, 성질 2. 침착, 냉정

[témpər]

The boy's parents are worried about his bad **temper**. 기출

그 소년의 부모님은 그의 좋지 않은 **성미**에 대해 걱정한다.

+ lose one's temper 흥분하다, 화내다

□ 0026

attitude

명 태도, 마음가짐

[ǽtitjù:d]

Have a positive **attitude**. 기출

긍정적인 **태도**를 가져라.

Plus +

attitude vs. altitude

attitude와 altitude는 철자가 비슷하기 때문에 혼동하지 않도록 주의해야 해요. altitude는 '높이, (해발) 고도'를 의미해요.

- a poor **attitude** 좋지 않은 **태도**
- a high **altitude** 높은 **고도**

□ 0027

personality

[pə̀:rsənǽləti]

명 1. 성격 유 character 2. 개성

The members of my family all have very different **personalities.**
나의 가족 구성원들은 모두 굉장히 다른 **성격들**을 가졌다.

□ 0028

modest

[mɑ́:dist]

형 1. 겸손한 유 humble 2. 적당한, 보통의

She wanted to teach her son to be **modest.** 기출
그녀는 자신의 아들이 **겸손하도록** 가르치고 싶었다.

□ 0029

optimistic

[ɑ̀:ptəmístik]

형 낙관적인, 낙천적인 반 pessimistic 비관적인

Rachel's brother is always so **optimistic.**
Rachel의 남동생은 언제나 매우 **낙관적이다.**

□ 0030

get along

잘 지내다

Do you feel it's difficult to **get along** with others? 기출
너는 다른 사람들과 **잘 지내는** 것을 힘들게 느끼니?

Daily Test

[01~05] 단어와 뜻을 알맞은 것끼리 연결하세요.

01 friendly • • ⓐ 성미, 침착
02 temper • • ⓑ 다정한
03 wise • • ⓒ 현명한
04 personality • • ⓓ 어리석은
05 stupid • • ⓔ 성격, 개성

[06~10] 영어는 우리말로, 우리말은 영어로 쓰세요.

06 foolish ______________
07 cheerful ______________
08 태도 ______________
09 용감한 ______________
10 수줍어하는 ______________

[11~15] 우리말과 같은 뜻이 되도록 빈칸에 알맞은 단어를 쓰세요.

11 나는 행복한 척했다. I ______________ to be happy.
12 그는 자신의 성공에 대해 겸손했다. He was ______________ about his success.
13 나는 네가 반 친구들과 잘 지낼 것을 확신한다.
I'm sure you'll ______________ well with your classmates.
14 Maria는 절망적인 상황 속에서도 낙천적이다.
Maria is ______________, even in hopeless situations.
15 나는 너의 솔직함이 좋아. I like your ______________.

[16~20] 단어와 영영 풀이를 알맞은 것끼리 연결하세요.

16 gentle • • ⓐ acting in a bad manner to other people
17 rude • • ⓑ without any help from others
18 on one's own • • ⓒ something that makes you laugh
19 humor • • ⓓ being soft, calm, or without anger
20 clever • • ⓔ being intelligent enough to find unusual solutions

Picture Review

사진과 함께 오늘 배운 단어를 다시 기억해보세요.

DAY 02 Characteristics

특징

사람은 appearance로만 판단할 수 없어요. 정말 중요한 것은 내면의 아름다움이에요.

CORE 핵심 어휘

□ 0031

young 형 젊은, 어린

[jʌŋ]

Sandra looks **young** for her age. 기출

Sandra는 그녀의 나이에 비해 **젊어** 보인다.

□ 0032

old 형 1. 나이 든, 늙은 2. 나이가 ~인 3. 낡은, 오래된

[ould]

The **old** man was kind, so the children liked him very much.

그 **나이 든** 남자는 친절해서, 아이들이 그를 매우 좋아했다.

□ 0033

tall 형 1. 키가 큰, 높은 2. 키가 ~인

[tɔːl]

I'm sorry, but you're not **tall** enough to ride this roller coaster. 기출

미안하지만, 너는 이 롤러코스터를 탈 만큼 충분히 **키가 크지** 않다.

□ 0034

short 형 1. 짧은 반 long 긴 2. 키가 작은 반 tall 키가 큰

[ʃɔːrt]

Ann has **short** black hair and wears glasses. 기출

Ann은 **짧은** 검은 머리를 가졌고 안경을 쓴다.

□ 0035

big

[big]

형 큰 ㊎ large 부 크게

His nose is very long, and his ears are **big.** 기출

그의 코는 매우 길고, 그의 귀는 **크다**.

□ 0036

giant

[dʒáiənt]

명 거인, 거대한 것 형 1. 거대한 ㊎ huge 2. 위대한

Jake is really tall, like a **giant.**

Jake는 **거인**처럼 정말 키가 크다.

□ 0037

fat

[fæt]

형 뚱뚱한, 살찐 ㊥ thin 마른 명 지방, 비계

Whether you're **fat** or thin, the way you think can make your life lively. 기출

네가 **뚱뚱하든** 말랐든, 네가 생각하는 방식이 네 인생을 활기차게 만들 수 있다.

□ 0038

slim

[slim]

형 1. 날씬한 2. 얇은, 가느다란

You can get **slim** by eating the right foods each day. 기출

너는 매일 적절한 음식을 먹음으로써 **날씬해질** 수 있다.

□ 0039

skinny

[skíni]

형 깡마른, 여윈

I realized I was too **skinny** before.

나는 내가 예전에 너무 **깡말랐었다는** 것을 깨달았다.

Plus +

slim vs. skinny

slim은 '건강하게 날씬한' 상태를 표현할 때 사용해요. skinny는 '뼈밖에 남지 않은 깡마른' 상태를 표현할 때 주로 쓴답니다.

DAY 02

해커스 보카 중학 필수

☐ 0040

weak

형 1. 약한, 힘이 없는 반 strong 강한 2. 희미한

[wiːk]

We should help old and **weak** people.
우리는 나이 들고 **약한** 사람들을 도와주어야 한다.

☐ 0041

pretty

형 예쁜, 귀여운 부 꽤, 아주

[príti]

Having a warm heart is more important than being **pretty**.
따뜻한 마음을 갖는 것이 **예쁜** 것보다 더 중요하다.

☐ 0042

beauty

명 아름다움, 미

[bjúːti]

People praised her **beauty** and style, but Sophia's real **beauty** was her heart. 교과서
많은 사람들이 그녀의 **아름다움**과 스타일을 칭찬했지만, Sophia의 진정한 **아름다움**은 그녀의 마음씨였다.

+ beautiful 형 아름다운

☐ 0043

lovely

형 1. 사랑스러운 2. 멋진

[lʌ́vli]

She has a **lovely** voice.
그녀는 **사랑스러운** 목소리를 가졌다.

☐ 0044

handsome

형 잘생긴

[hǽnsəm]

Brad is a **handsome** man who speaks eight languages. 기출
Brad는 여덟 개 언어를 하는 **잘생긴** 남자이다.

□ 0045

seem [siːm]

동 ~처럼 보이다, ~인 것 같다 ㊒ appear

Erin **seems** pretty happy today.
Erin은 오늘 꽤 행복한 것**처럼 보인다**.

□ 0046

image [ímidʒ]

명 1. 이미지, 인상 2. 모습, 상

He always wears a suit to maintain his **image** as a CEO.
그는 최고 경영자로서 자신의 **이미지**를 유지하기 위해 항상 정장을 입는다.

□ 0047

beard [biərd]

명 턱수염

Mike is proud of his white hair and long **beard**. 교과서
Mike는 그의 백발과 긴 **턱수염**을 자랑스러워한다.

□ 0048

bald [bɔːld]

형 1. 대머리의 2. 단조로운, 꾸밈 없는

He is going **bald**, but he's still handsome.
그는 **대머리**가 되어 가지만, 여전히 잘생겼다.

□ 0049

spot [spɑːt]

명 1. (피부의) 점, 반점 2. 자리, 지점 동 발견하다

Mongolian blue **spots** are common in East Asians. 기출
몽고**점**은 동아시아인들 사이에서 흔하다.

□ 0050

different from

~와 다른

I am very **different from** my brothers and sisters in appearance. 기출
나는 내 형제자매들**과** 외모가 매우 **다르다**.

ADVANCED 심화 어휘

□ 0051

sideburns 명 구레나룻

[sáidbə̀:rnz]

Is he growing out his **sideburns**?
그는 **구레나룻**을 기르고 있니?

□ 0052

overweight 형 과체중의, 비만의

[oùvərwéit]

Karen is **overweight** for her height.
Karen은 그녀의 키에 비해 **과체중이다**.

Plus +

overweight에서 접두사 over는 '보통보다 많은 상태'를 나타내어 무게가 보통보다 많이 나가는 '과체중의'라는 뜻을 가져요. 이와 반대로, 접두사 under는 '보통보다 적은 상태'를 나타내요.

over + weight 무게 ▶ overweight 과체중의
under + weight 무게 ▶ underweight 저체중의

□ 0053

male 형 남성의, 수컷의 명 남성, 수컷

[meil]

He became the first **male** nurse.
그는 최초의 **남성** 간호사가 되었다.

□ 0054

female 명 여성, 암컷 형 여성의, 암컷의 반 male 남성; 남성의

[fí:meil]

Males are a little taller than **females.** 기출
남성들이 **여성들**보다 약간 더 키가 크다.

□ 0055

pale 형 1. (얼굴이) 창백한 2. (색깔이) 옅은, 연한

[peil]

A: You look **pale**. What's wrong? 기출
B: I have a headache.
A: 너 **창백해** 보여. 무슨 일 있니?
B: 나 두통이 있어.

☐ 0056

appearance

명 1. 외모, 겉모습 2. 출연, 출현

[əpíərəns]

Rachel checked her **appearance** in the mirror. 기출
Rachel은 거울 속 자신의 **외모**를 점검했다.

+ appear 동 ~처럼 보이다, 나타나다

☐ 0057

dye

동 염색하다 명 염료, 물감

[dai]

I'd like to **dye** my hair pink. 기출
나는 머리를 분홍색으로 **염색하고** 싶다.

☐ 0058

charming

형 매력적인, 멋진 유 attractive

[tʃáːrmiŋ]

She is a **charming** person.
그녀는 **매력적인** 사람이다.

☐ 0059

good-looking

형 잘생긴, 보기 좋은 유 handsome

[gud-lúkiŋ]

Almost everyone on TV is shown as rich and **good-looking**. 기출
TV에 나오는 거의 모든 사람들은 부유하고 **잘생긴** 것처럼 보인다.

☐ 0060

tell A from B

A와 B를 구별하다

It's difficult to **tell** you **from** your brother.
너와 네 형을 **구별하는** 것은 어렵다.

Plus +

tell A from B와 같은 뜻을 나타내는 표현들

'말하다'라는 뜻을 가지고 있는 tell이 위 표현에서는 '구별하다'라는 뜻으로 쓰였어요.
다음은 tell A from B와 같은 뜻을 나타내는 표현들이니 함께 알아둘까요?
= distinguish A from B
= differentiate A from B

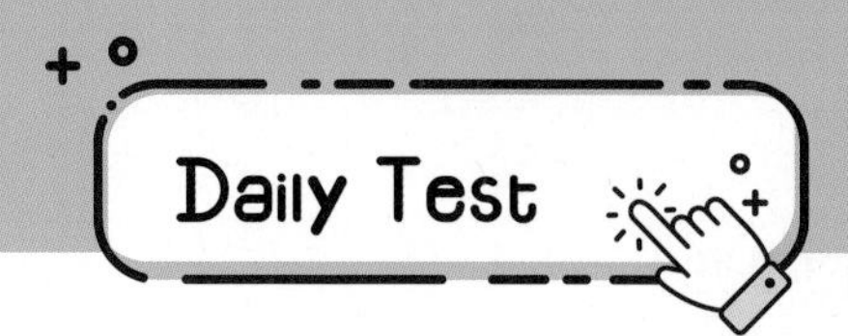

[01~05] 단어와 뜻을 알맞은 것끼리 연결하세요.

01 image • • ⓐ 예쁜, 꽤

02 handsome • • ⓑ 깡마른

03 tall • • ⓒ 잘생긴

04 pretty • • ⓓ 키가 큰, 키가 ~인

05 skinny • • ⓔ 이미지, 모습

[06~10] 영어는 우리말로, 우리말은 영어로 쓰세요.

06 lovely ______________

07 giant ______________

08 overweight ______________

09 ~처럼 보이다 ______________

10 A와 B를 구별하다 ______________

[11~15] 빈칸에 알맞은 단어를 <보기>에서 한 번씩 골라 쓰세요.

<보기>	sideburns	different from	spot	beauty	charming

11 Who is this ______________ girl in the picture?

12 He has long ______________.

13 Amy's real ______________ is her good character.

14 Mia is ______________ her sister.

15 There's a big ______________ on my right hand.

[16~20] 다음 괄호 안에 주어진 지시에 맞게 빈칸을 채우세요.

16 big 큰 → (유의어) ______________

17 female 여성 → (반의어) ______________

18 weak 약한 → (반의어) ______________

19 fat 뚱뚱한 → (반의어) ______________

20 good-looking 잘생긴 → (유의어) ______________

Picture Review

사진과 함께 오늘 배운 단어를 다시 기억해보세요.

DAY 03 Actions

행동

여러분의 꿈을 follow하다 보면 나아가야 할 길이 보일 거예요.

CORE 핵심 어휘

□ 0061

bite [bait]

동 물어뜯다, 물다 (bit-bitten) 명 1. 물기 2. 한 입

Don't **bite** your nails.
네 손톱을 **물어뜯지** 마라.

□ 0062

jump [dʒʌmp]

동 뛰다, 뛰어오르다 명 뛰기, 도약

The baseball player runs fast, **jumps** high, and never misses the ball. 교과서
그 야구 선수는 빠르게 달리고, 높이 **뛰며**, 절대 공을 놓치지 않는다.

□ 0063

sit [sit]

동 앉다 (sat-sat) 반 stand 서다

They **sat** in the chairs around a table. 교과서
그들은 탁자 주위에 있는 의자에 **앉았다**.

Plus +

sit vs. seat

sit과 '자리, 좌석'을 의미하는 seat은 발음이 비슷하기 때문에 혼동하지 않도록 주의해야 해요. sit은 [씻]으로 짧게 발음하는 반면, seat는 [씨~트]로 길게 발음해요.

□ 0064

stand [stænd]

동 1. 서다 2. 참다, 견디다 (stood-stood)

Everyone is **standing** and giving the artist a big hand. 교과서
모든 사람들이 **서서** 예술가에게 큰 박수를 보내고 있다.

☐ 0065

pass

[pæs]

동 1. 지나가다, 통과하다 2. 건네주다 3. (시간이) 흐르다

As I **passed** the principal's office, I saw people reading the notices on the board. 교과서
교장실을 **지나갈** 때, 나는 사람들이 게시판의 공지를 읽는 것을 보았다.

☐ 0066

push

[puʃ]

동 1. 밀다 2. 누르다

He **pushed** the giant door.
그는 거대한 문을 **밀었다**.

☐ 0067

pull

[pul]

동 1. 당기다 반 push 밀다 2. 뽑다, 빼다

My grandchild **pulled** my hair.
나의 손주가 내 머리카락을 **당겼다**.

☐ 0068

lift

[lift]

동 들어올리다

Come and help me **lift** this heavy box.
여기 와서 내가 이 무거운 상자를 **들어올리는** 것을 도와줘.

☐ 0069

turn

[tə:rn]

동 1. 돌다, 돌리다 2. (나이·상태 등이) 되다 명 차례

Everyone in the room **turned** and looked at Dave. 교과서
방에 있던 모든 사람들이 **돌아서** Dave를 쳐다보았다.

☐ 0070

step

[step]

동 (발을) 내딛다, 밟다 명 1. 걸음 2. 단계

Rosie **stepped** onto the sidewalk from the bus.
Rosie는 버스에서부터 인도 위로 **발을 내딛었다**.

□ 0071

fold

동 접다, 개다

[fould]

Fold a piece of paper in half. 기출
종이 한 장을 반으로 **접으세요**.

Plus +

폴더블(foldable) 핸드폰

반으로 접을 수 있는 화면을 가진 '폴더블폰'! foldable은 '접다'라는 뜻을 가지는 동사 fold에 '~할 수 있는'의 가능성의 의미를 더해주는 접미사 able이 붙어서 '접을 수 있는'이라는 뜻을 가져요.

□ 0072

hang

동 걸다, 걸리다 (hung-hung)

[hæŋ]

A: Do you know how to **hang** a curtain? 기출
B: No, I've never done it before.
A: 너는 커튼을 어떻게 **거는지** 아니?
B: 아니, 나는 전에 그것을 한 번도 해본 적이 없어.

□ 0073

roll

동 구르다, 굴리다 명 롤, 말아서 만든 것

[roul]

I was **rolling** around on the floor laughing.
나는 웃으며 바닥에서 이리저리 **구르고** 있었다.

□ 0074

enter

동 1. 들어가다 2. 참가하다 3. 입학하다

[éntər]

He **entered** a shop and bought the camera he wanted.
그는 가게에 **들어가서** 원하는 카메라를 샀다.

□ 0075

follow

동 1. 따라가다, 뒤따르다 2. (규칙·충고 등을) 따르다

[fá:lou]

Go ahead, and I will **follow** you.
앞서 가면, 내가 너를 **따라갈게**.

□ 0076

chew

동 씹다 명 씹기

[tʃuː]

When you take a bite and **chew** your food, it becomes smaller and softer. 기출

네가 음식을 한 입 베어 물고 **씹으면**, 그것은 더 작고 부드러워진다.

□ 0077

spin

동 회전하다, 회전시키다 (spun-spun) 명 회전

[spin]

The skater always **spins** perfectly on the ice.

그 스케이트 선수는 얼음 위에서 항상 완벽하게 **회전한다**.

□ 0078

hide

동 숨다, 숨기다 (hid-hidden)

[haid]

A girl **hid** behind the tree.

소녀가 나무 뒤에 **숨었다**.

□ 0079

movement

명 1. 동작, 움직임 2. (정치적·사회적) 운동

[múːvmənt]

The audience paid attention to the dancer's every little **movement**. 교과서

관중들은 무용수의 모든 작은 **동작**에 주목했다.

□ 0080

wake up

(잠 등에서) 일어나다, 깨어나다

I **wake up** early on Sundays to go swimming. 기출

나는 일요일마다 수영하러 가기 위해 일찍 **일어난다**.

ADVANCED 심화 어휘

□ 0081

lie [lai]

동 1. 누워 있다, 눕다 (lay-lain) 2. 거짓말하다 (lied-lied)

My baby **lies** in bed for hours without sleeping. 기출
나의 아기가 자지 않고 몇 시간 동안 침대에 **누워 있다**.

□ 0082

lay [lei]

동 1. 놓다, 두다 2. (알을) 낳다 (laid-laid)

Maria **laid** a bunch of flowers on the table.
Maria가 탁자 위에 꽃 한 다발을 **놓았다**.

□ 0083

bend [bend]

동 구부리다, 구부러지다 (bent-bent)

Don't **bend** your neck for long periods of time. 교과서
네 목을 오랜 시간 동안 **구부리지** 마라.

□ 0084

tear [teər]

동 찢다, 뜯다 (tore-torn) 명 [tiər] 눈물

Why did you **tear** the letter into pieces?
너는 왜 그 편지를 조각조각 **찢었니**?

□ 0085

wander [wɑ́:ndər]

동 1. 돌아다니다, 헤매다 2. 길을 잃다

I like to **wander** from street to street.
나는 거리에서 거리로 **돌아다니는** 것을 좋아한다.

□ 0086

stretch [stretʃ]

동 1. (팔다리를) 뻗다, 펴다 2. 늘이다, 늘어지다

He **stretched** his arms toward his friends.
그는 자신의 팔을 친구들을 향해 **뻗었다**.

□ 0087

press

[pres]

동 누르다

If you want to know our schedule, please **press** 1.
저희의 일정을 알고 싶으시다면, 1번을 **눌러주세요**.

+ pressure 명 압력

Plus +

press는 '언론, 신문' 또는 '인쇄기'라는 뜻의 명사로도 쓰여요.
The local **press** reported on the fire. 지역 **언론**은 화재에 대해 보도했다.
Gutenberg invented the first **press**. Gutenberg는 최초의 **인쇄기**를 발명했다.

□ 0088

spread

[spred]

동 펼치다, 펴다, 퍼지다 (spread-spread) 명 확산

My little sister **spread** the blanket on the grass.
내 여동생이 잔디 위에 담요를 **펼쳤다**.

□ 0089

approach

[əpróutʃ]

동 다가가다, 접근하다 명 접근

A boy **approached** the machine and tried to put coins into the slot. 기출
한 소년이 기계에 **다가가서** 구멍 안으로 동전들을 넣으려고 했다.

□ 0090

hold on (to)

(~을) 꼭 잡다

My dad **held on to** the back of the bike while I was riding it. 기출
나의 아빠는 내가 자전거를 타는 동안 자전거 뒤쪽을 **꼭 잡았다**.

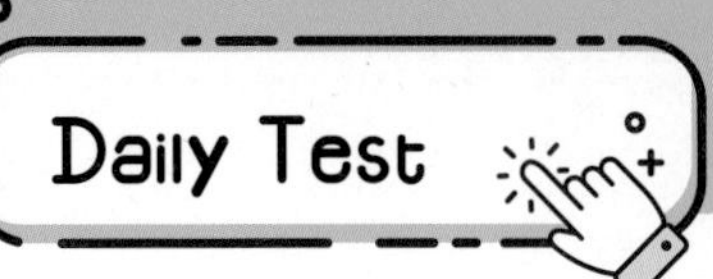

[01~10] 우리말과 같은 뜻이 되도록 주어진 철자로 시작하여 쓰세요.

01 방에 들어가다 e______________ the room

02 가게를 지나가다 p______________ the store

03 주위를 돌아다니다 w______________ around

04 밧줄을 꼭 잡다 h______________ the rope

05 느린 동작 slow m______________

06 Mike는 문을 열기 위해 다가갔다. Mike a______________ the door to open it.

07 나는 손잡이를 오른쪽으로 돌렸다. I t______________ the handle to the right.

08 일어날 시간이야! It's time to w______________!

09 너는 이 무거운 상자를 들어올릴 수 있니? Can you l______________ this heavy box?

10 그녀는 무릎을 살짝 구부렸다. She b______________ her knees a little bit.

[11~15] 괄호 안에 주어진 지시에 맞게 빈칸을 채우세요.

11 spin 회전하다 → (과거형) ______________

12 lie 눕다 → (과거형) ______________

13 sit 앉다 → (반의어) ______________

14 hang 걸다 → (과거형) ______________

15 bite 물어뜯다 → (과거분사형) ______________

[16~20] 영영 풀이에 알맞은 단어를 <보기>에서 골라 쓰세요.

<보기>	follow	hide	chew	lay	step

16 ______________ : to put something in a place where it cannot easily be seen or found

17 ______________ : to put something down somewhere

18 ______________ : to lift your foot and put it down in a different place

19 ______________ : to move along behind someone or something

20 ______________ : to break up food with your teeth before you swallow

Picture Review

사진과 함께 오늘 배운 단어를 다시 기억해보세요.

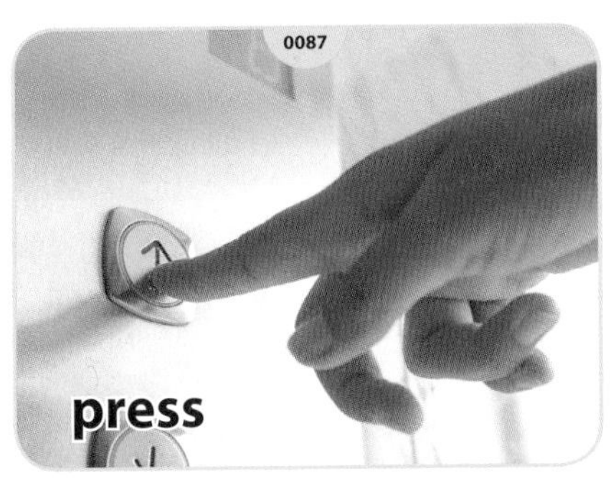

DAY 04 Emotions & Feelings

감정과 기분

오늘도 여러분이 pleased한 하루를 보내기를 바라요. :)

CORE 핵심 어휘

□ 0091

excited 형 신이 난, 들뜬

[iksáitid]

Students are **excited** about their field trip to Paris.
학생들은 파리로의 현장 학습에 대해 **신이 난다**.

+ exciting 형 신나는, 흥미진진한 excitement 명 신남, 흥분

□ 0092

interested 형 흥미가 있는, 재미있어 하는

[íntərəstid]

I'm very **interested** in German culture and history these days. 기출
나는 요즘 독일의 문화와 역사에 매우 **흥미가 있다**.

+ interesting 형 흥미로운 be interested in ~에 흥미가 있다

□ 0093

joy 명 기쁨, 환희

[dʒɔi]

When Julia passed the exam, she cried tears of **joy**.
Julia가 시험을 통과했을 때, 그녀는 **기쁨**의 눈물을 흘렸다.

□ 0094

worried 형 걱정하는, 걱정스러운

[wə́:rid]

We are always **worried** about safety.
우리는 항상 안전을 **걱정한다**.

+ be worried about ~에 대해 걱정하다

□ 0095

nervous

[nə́:rvəs]

형 불안한, 긴장한

Are you **nervous** about talking to other people? 교과서

너는 다른 사람들에게 이야기하는 것이 **불안하니**?

□ 0096

bored

[bɔ:rd]

형 지루해하는, 따분해하는

People get **bored** easily when they don't have anything interesting to do. 기출

사람들은 흥미로운 할 것이 아무것도 없을 때 쉽게 **지루해한다**.

+ boring 형 지루한

□ 0097

happiness

[hǽpinis]

명 행복, 기쁨

Money can't buy **happiness**. 기출

돈으로 **행복**을 살 수 없다.

□ 0098

delight

[diláit]

명 기쁨, 즐거움

David smiled with **delight** when he saw the first tooth in his baby's mouth. 교과서

David는 자신의 아기의 입 속의 첫 이를 보았을 때 **기쁨**으로 미소 지었다.

□ 0099

laugh

[læf]

동 (소리 내어) 웃다 명 웃음, 웃음 소리

My friends and I looked at each other and **laughed**. 교과서

내 친구들과 나는 서로 쳐다보았고 **소리 내어 웃었다**.

Plus +

laugh vs. smile

laugh는 소리 내서 웃는 모습을 나타낼 때 사용해요. 조용하게 미소 짓는 것을 나타낼 때는 주로 smile을 쓴답니다.

□ 0100

anger

명 화, 분노 동 화나게 하다, 화내다

[ǽŋgər]

Anger must be controlled. 기출

화는 통제되어야 한다.

□ 0101

hate

동 몹시 싫어하다 ㊒ dislike 명 증오

[heit]

I thought you **hated** me.

나는 네가 나를 **몹시 싫어한다고** 생각했다.

□ 0102

miss

동 1. 그리워하다 2. 놓치다

[mis]

I really **miss** Korean food. 기출

나는 한국 음식을 정말 **그리워한다**.

□ 0103

lonely

형 외로운, 쓸쓸한

[lóunli]

Ted is **lonely** because he is traveling alone.

Ted는 혼자 여행하고 있기 때문에 **외롭다**.

□ 0104

mess

명 엉망, 어수선함

[mes]

Sometimes, you may feel that life is a **mess**.

가끔, 너는 인생이 **엉망**이라고 느낄지도 모른다.

□ 0105

scary

형 무서운, 겁나는

[skέəri]

One day, a friend of mine had a very **scary** experience. 기출

어느 날, 내 친구는 아주 **무서운** 경험을 했다.

□ 0106

horror [hɔ́ːrər]

명 공포, 전율

I feel **horror** when I speak in front of many people.
나는 많은 사람들 앞에서 말할 때 **공포**를 느낀다.

□ 0107

upset [ʌ̀psét]

형 속상한 동 속상하게 만들다 (upset-upset)

Chloe was **upset** at first, but she feels better now.
처음에 Chloe는 **속상했지만**, 지금은 기분이 나아졌다.

□ 0108

fear [fiər]

동 두려워하다, 걱정하다 명 두려움, 공포

We have nothing to hide and nothing to **fear**.
우리는 숨길 것도 **두려워할** 것도 없다.

□ 0109

surprised [sərpráizd]

형 놀란

She looked very **surprised** when I told the truth.
그녀는 내가 진실을 말했을 때 아주 **놀란** 것처럼 보였다.

□ 0110

make fun of

~를 놀리다, 비웃다

I was angry when my friends **made fun of** me.
나는 내 친구들이 나를 **놀릴** 때 화가 났다.

ADVANCED 심화 어휘

□ 0111

pleased [pliːzd]

형 기쁜, 만족해하는 유 glad

Monica was **pleased** to have a friend living nearby. 기출
Monica는 근처에 사는 친구가 생겨서 **기뻤다**.

□ 0112

amusement

명 1. 즐거움, 재미 2. 오락, 놀이

[əmjúːzmənt]

He couldn't hide his **amusement.**

그는 자신의 **즐거움**을 숨길 수 없었다.

+ amuse 동 즐겁게 해주다

Plus +

즐거움이 가득한 amusement park

스릴 넘치는 롤러코스터, 눈이 즐거운 퍼레이드! 놀이공원은 amusement 뒤에 '공원'을 뜻하는 park를 붙여서 amusement park라고 해요. 우리에게 즐거움을 주는 놀이기구는 '탈 것'이라는 뜻을 가지는 ride라고 한답니다!

□ 0113

satisfied

형 1. 만족한 2. 납득한

[sǽtisfaid]

She is **satisfied** with her job.

그녀는 자신의 직업에 **만족한다**.

+ satisfying 형 만족시키는 be satisfied with ~에 만족하다

□ 0114

disappointed

형 실망한 반 satisfied 만족한

[dìsəpɔ́intid]

A: Why are you so down? 기출

B: I'm worried he might be **disappointed** with me.

A: 너 왜 그렇게 기운이 없니?

B: 나는 그가 나에게 **실망했을까봐** 걱정이 돼.

+ disappointing 형 실망시키는

□ 0115

frustrate

동 좌절시키다, 방해하다

[frʌ́streit]

One way to identify your values is to look at what **frustrates** you. 기출

너의 가치관을 확인하는 한 가지 방법은 무엇이 너를 **좌절시키는지** 살펴보는 것이다.

+ frustrating 형 좌절감을 주는 frustrated 형 좌절한

□ 0116

embarrass

[imbǽrəs]

동 당황스럽게 하다, 난처하게 하다

She won't do anything to **embarrass** him.
그녀는 그를 **당황스럽게 하는** 어떤 일도 하지 않을 것이다.

+ embarrassing 형 당황스럽게 하는　embarrassed 형 당황한

□ 0117

bother

[bɑ́:ðər]

동 괴롭히다, 귀찮게 하다 유 annoy

The sound **bothers** Jessica very much. 기출
그 소리는 Jessica를 아주 많이 **괴롭힌다**.

□ 0118

sympathy

[símpəθi]

명 1. 연민, 동정　2. 공감

I feel a lot of **sympathy** for Paul.
나는 Paul에게 많은 **연민**을 느낀다.

□ 0119

confuse

[kənfjú:z]

동 혼란시키다, 혼동하다

The fake news **confused** many students.
가짜 뉴스가 많은 학생들을 **혼란시켰다**.

+ confusion 명 혼란

□ 0120

be afraid of

~을 무서워하다

Some teenagers **are afraid of** making mistakes and they don't try new things. 기출
일부 십 대들은 실수하는 것**을 무서워하고** 새로운 것들을 시도하지 않는다.

Daily Test

[01~06] 단어와 뜻을 알맞은 것끼리 연결하세요.

01 embarrass • • ⓐ 당황스럽게 하다
02 mess • • ⓑ 좌절시키다
03 frustrate • • ⓒ 흥미가 있는
04 joy • • ⓓ 만족한, 납득한
05 interested • • ⓔ 기쁨
06 satisfied • • ⓕ 엉망

[07~13] 우리말과 같은 뜻이 되도록 빈칸에 알맞은 단어를 쓰세요..

07 어둠을 무서워하다 ______________ the dark
08 나의 부모님의 건강을 걱정하다 be ______________ about my parents' health
09 진정한 행복을 찾다 find true ______________
10 공포 영화 a(n) ______________ movie
11 외롭게 느끼다 feel ______________
12 네 고향을 그리워하다 ______________ your hometown
13 친구들을 놀리다 ______________ friends

[14~16] 단어의 성격이 나머지와 다른 하나를 고르세요.

14 ① delight ② scary ③ happiness ④ movement ⑤ joy
15 ① sympathy ② confuse ③ embarrass ④ frustrate ⑤ enter
16 ① excited ② bored ③ nervous ④ anger ⑤ lonely

[17~20] 괄호 안에 주어진 지시에 맞게 빈칸을 채우세요.

17 amusement 즐거움 → (동사형) ______________
18 pleased 기쁜 → (유의어) ______________
19 hate 몹시 싫어하다 → (유의어) ______________
20 confuse 혼란시키다 → (명사형) ______________

Picture Review

사진과 함께 오늘 배운 단어를 다시 기억해보세요.

DAY 05 Thoughts & Expressions

생각과 표현

Praise는 고래도 춤추게 한다. ♬

CORE 핵심 어휘

□ 0121

thought 명 생각, 의견

[θɔːt]

We like sharing **thoughts** about books. 기출

우리는 책에 대한 **생각**을 나누는 것을 좋아한다.

□ 0122

mind 명 생각, 마음 동 언짢아하다, 신경쓰다

[maind]

A: What do you want to be in the future? 기출

B: Well, I change my **mind** all the time.

A: 너는 미래에 무엇이 되고 싶니?

B: 글쎄, 나는 매번 내 **생각**을 바꿔.

Plus + 'Do you mind if ~?'는 '~을 하면 당신이 언짢은가요?' 즉, '~을 해도 될까요?'라고 해석되어 허락을 구할 때 사용돼요. 물결 부분에는 'Do you mind if I sing?(내가 노래를 불러도 될까요?)'과 같이 허락을 구하는 내용을 넣어서 문장을 만들 수 있어요.

□ 0123

remind 동 생각나게 하다, 일깨우다

[rimáind]

The picture **reminds** me of the time my parents and I visited my grandma's apartment. 기출

그 사진은 부모님과 내가 할머니의 아파트에 방문했던 때를 **생각나게 한다**.

□ 0124

topic 명 화제, 주제 ㊒ subject

[tɑ́ːpik]

Some people may not be interested in your **topic**. 교과서

몇몇 사람들은 너의 **화제**에 흥미를 가지지 않을지도 모른다.

□ 0125

report

[ripɔ́:rt]

동 보도하다, 알리다 명 보도, 보고

A French newspaper mistakenly **reported** a famous author's death. 교과서

한 프랑스 신문이 유명 작가의 죽음을 잘못 **보도했다**.

□ 0126

reason

[rí:zn]

명 이유, 근거 동 추론하다, 판단하다

I don't know the **reason** why she is upset.

나는 그녀가 속상한 **이유**를 모른다.

□ 0127

trust

[trʌst]

동 신뢰하다 명 신뢰, 신임

Can we **trust** the writer of the article? 교과서

우리가 그 기사를 쓴 사람을 **신뢰할** 수 있나요?

□ 0128

praise

[preiz]

동 칭찬하다 명 칭찬

In class, James was **praised** in front of the other students for his great essay. 기출

수업에서, James는 그의 훌륭한 글에 대해 다른 학생들 앞에서 **칭찬받았다**.

□ 0129

realize

[rí:əlàiz]

동 1. 깨닫다, 알아차리다 2. 실현하다

I **realized** that drawing pictures made me happy. 교과서

나는 그림을 그리는 것이 나를 행복하게 만든다는 것을 **깨달았다**.

□ 0130

repeat

[ripí:t]

동 1. 반복하다 2. 따라 하다

Don't make me **repeat** the same story.

내가 똑같은 이야기를 **반복하게** 만들지 마.

□ 0131

suggest

동 1. 제안하다, 권하다 2. 암시하다, 시사하다

[səgdʒést]

George **suggested** going to the amusement park. 기출

George는 놀이공원에 갈 것을 **제안했다**.

Plus +

suggest처럼 '제안하다'라는 뜻을 가지는 다른 단어들에는 어떤 것이 있을까요?

I **recommended** a new plan. 나는 새로운 계획을 **제안했다**.
Lisa **proposed** studying together. Lisa는 함께 공부하는 것을 **제안했다**.
Ryan **offered** a new solution. Ryan은 새로운 해결방안을 **제안했다**.

□ 0132

express

동 표현하다, 나타내다 형 급행의

[iksprés]

Charles started a sentence with "I" to **express** his feelings. 교과서

Charles는 그의 감정을 **표현하기** 위해 "나는"으로 문장을 시작했다.

+ expression 명 표현

□ 0133

stress

명 1. 스트레스 2. 압박, 강제 동 강조하다

[stres]

Sometimes my friends give me **stress** by arguing over small things. 교과서

가끔 내 친구들은 사소한 것에 대해 다툼으로써 내게 **스트레스**를 준다.

+ stressed 형 스트레스를 받는 stressful 형 스트레스가 많은

□ 0134

proud

형 1. 자랑스러워하는, 자랑스러운 2. 오만한

[praud]

Draw something you're **proud** of in your life. 기출

네가 너의 인생에서 **자랑스러워하는** 무언가를 그려봐.

+ be proud of ~을 자랑스러워하다

□ 0135

reply

명 대답, 응답 동 대답하다, 응답하다 유 respond

[riplái]

In **reply**, he simply pressed her hands. 교과서

대답으로, 그는 그저 그녀의 손을 꼭 잡았다.

□ 0136

respond

[rispɑ́:nd]

동 1. 대답하다, 응답하다 2. 반응하다 ㊀ react

It is very difficult to **respond** to such a question.
그러한 질문에 **대답하기가** 매우 어렵다.

□ 0137

respect

[rispékt]

동 존경하다 명 존경

She was the person who Jaden **respected** the most in the world. 교과서
그녀는 Jaden이 세상에서 가장 **존경하는** 사람이었다.

□ 0138

warn

[wɔ:rn]

동 경고하다, 조심시키다

The police **warned** citizens that the man was extremely dangerous. 교과서
경찰은 그 남자가 대단히 위험하다고 시민들에게 **경고했다**.

+ warning 명 경고

□ 0139

yell

[jel]

동 소리치다, 외치다 ㊀ shout

Yelling at somebody else is very rude.
다른 누군가에게 **소리치는** 것은 매우 무례하다.

□ 0140

talk to oneself

혼잣말을 하다

I **talk to myself** a lot when I'm alone.
나는 혼자 있을 때 **혼잣말을** 많이 **한다**.

ADVANCED 심화 어휘

□ 0141

deny 동 1. 부인하다, 부정하다 2. (요구 등을) 거절하다

[dinái]

The actor **denied** all the rumors about him.
그 배우는 자신에 대한 모든 소문들을 **부인했다**.

□ 0142

whisper 동 속삭이다, 귓속말을 하다 명 속삭임

[wíspər]

Your presentation won't be heard if you **whisper** quietly.
만약 네가 조용히 **속삭이면** 너의 발표는 들리지 않을 거야.

□ 0143

explain 동 설명하다

[ikspléin]

Can anyone **explain** this situation?
누가 이 상황을 **설명할** 수 있니?

+ explanation 명 설명

□ 0144

analyze 동 분석하다

[ǽnəlàiz]

Experts **analyze** big data and draw important results from it. 교과서
전문가들은 빅 데이터를 **분석해서** 그것으로부터 중요한 결과들을 도출한다.

+ analysis 명 분석

□ 0145

appreciate 동 1. 감사하다 2. 가치를 인정하다, 진가를 알다

[əpríːʃièit]

Jane **appreciates** her family's support.
Jane은 자신의 가족의 지지에 **감사한다**.

□ 0146

contrast

[kάntræst]

명 대조, 대비 동 [kəntrǽst] 대조하다, 대비하다

Their idea is in **contrast** to mine.
그들의 아이디어는 내 아이디어와 **대조**를 이룬다.

□ 0147

compare

[kəmpέər]

동 1. 비교하다 2. 비유하다

Don't **compare** yourself with others. 기출
너 자신을 다른 사람들과 **비교하지** 마.

+ comparison 명 비교, 비유

□ 0148

presentation

[prèzəntéiʃən]

명 발표

Some people don't like to make a **presentation** because it makes them nervous. 기출
어떤 사람들은 **발표**를 하는 것을 좋아하지 않는데 이는 발표가 그들을 긴장하게 만들기 때문이다.

+ present 동 주다, 보여주다

□ 0149

translation

[trænsléiʃən]

명 번역, 번역물

Paul thinks the **translation** app on his phone can help him communicate. 교과서
Paul은 자신의 휴대폰에 있는 **번역** 앱이 그가 의사소통하는 것을 도울 수 있다고 생각한다.

+ translate 동 번역하다 translator 명 번역가

□ 0150

come to mind

생각이 나다, 떠오르다

What images **come to mind** when you think of Europe?
너는 유럽을 생각하면 어떤 모습이 **생각이 나니**?

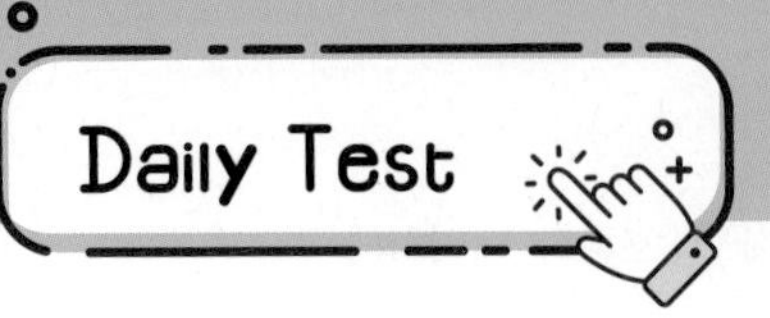

[01~05] 단어와 뜻을 알맞은 것끼리 연결하세요.

01 come to mind • • ⓐ 제안하다, 암시하다

02 reason • • ⓑ 대답하다, 반응하다

03 suggest • • ⓒ 존경하다, 존경

04 respond • • ⓓ 생각이 나다

05 respect • • ⓔ 이유, 추론하다

[06~15] 우리말과 같은 뜻이 되도록 빈칸에 알맞은 단어를 쓰세요.

06 결과를 분석하다 ______________ the results

07 뚜렷한 대조 a sharp ______________

08 소설의 번역 ______________ of the novel

09 실수를 깨닫다 ______________ the mistake

10 대답을 듣다 hear the ______________

11 Jason은 그가 왜 늦었는지 설명했다. Jason ______________ why he was late.

12 너는 혼자 있을 때 혼잣말을 하니? Do you ______________ when you're alone?

13 뉴스는 진실을 보도해야 한다. The news should ______________ the truth.

14 나는 너의 도움에 매우 감사하다. I really ______________ your help.

15 우리 수학 숙제가 무엇인지를 나에게 일깨워줄 수 있니?
Can you ______________ me what our math homework is?

[16~20] 단어와 영영 풀이를 알맞은 것끼리 연결하세요.

16 express • • ⓐ to do or say the same thing again

17 repeat • • ⓑ to argue that something is untrue

18 deny • • ⓒ to show what you think or feel

19 proud • • ⓓ a subject that you discuss or write about

20 topic • • ⓔ feeling pleased about something good that you have done

Picture Review

사진과 함께 오늘 배운 단어를 다시 기억해보세요.

SECTION 2

Daily Life

일상 생활

DAY 06 House & Housework

집과 집안일

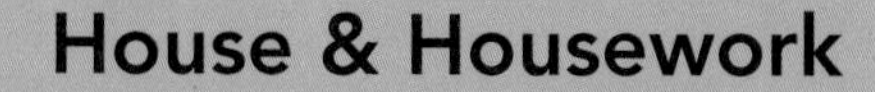

용기는 다른 미덕을 불러오는 ladder의 역할을 한다고 해요.

CORE 핵심 어휘

□ 0151

roof [ruːf]

명 지붕

Place your wet clothes on the **roof** in full sunlight. 기출

너의 젖은 옷을 화창한 햇볕 속 **지붕** 위에 놓아라.

□ 0152

floor [flɔːr]

명 1. 바닥 2. 층

Hannah heard the mirror on her desk fall to the **floor** and break into pieces. 교과서

Hannah는 그녀의 책상 위에 있는 거울이 **바닥**으로 떨어져 산산조각 나는 소리를 들었다.

□ 0153

stair [stɛər]

명 (-s) 계단

There were many **stairs** in the old house.

그 오래된 집 안에는 많은 **계단**이 있었다.

Plus +

stair와 함께 자주 쓰이는 표현

- go up / down the **stairs** **계단**을 올라가다 / 내려가다
- run up / down the **stairs** **계단**을 뛰어 올라가다 / 내려가다
- take the **stairs** **계단**을 이용하다

□ 0154

garden 명 정원, 뜰

[gá:rdn]

Both my brother and I liked to sleep under the tree in the **garden**. 교과서

내 남동생과 나는 **정원**의 나무 아래에서 잠자기를 좋아했다.

□ 0155

lawn 명 잔디, 잔디밭

[lɔ:n]

A lady is watering the **lawn** with a hose.

한 여성이 호스로 **잔디**에 물을 주고 있다.

□ 0156

pick 동 1. 고르다 2. (과일·꽃 등을) 따다, 꺾다

[pik]

She'll **pick** the wallpaper, and I'll choose the lights.

그녀가 벽지를 **고를** 것이고, 나는 조명을 고를 것이다.

□ 0157

wash 동 세탁하다, 씻다

[wɔ:ʃ]

Don't **wash** your laundry in hot water.

네 빨래를 뜨거운 물로 **세탁하지** 마라.

□ 0158

toothbrush 명 칫솔

[tú:θbrəʃ]

Which one is your **toothbrush**?

어떤 것이 네 **칫솔**이니?

□ 0159

pet 명 반려동물

[pet]

Jerry doesn't have a **pet**, but Tom has a dog. 교과서

Jerry는 **반려동물**이 없지만, Tom은 개를 키운다.

□ 0160

tool 명 **연장, 도구**

[tuːl]

We don't have the **tools** to fix the roof.
우리는 지붕을 수리할 **연장들**을 가지고 있지 않다.

□ 0161

clock 명 **시계**

[klɑːk]

The **clock** on the table is ten minutes slow.
식탁 위에 있는 **시계**는 십 분 느리다.

□ 0162

hammer 명 **망치** 동 **망치로 두드리다**

[hǽmər]

Dad taught me how to hit a nail with a **hammer**.
아빠가 나에게 **망치**로 못을 치는 방법을 가르쳐주었다.

□ 0163

pillow 명 **베개**

[pílou]

I have to wash my dirty **pillow**.
나는 내 더러운 **베개**를 세탁해야 한다.

□ 0164

curtain 명 **커튼**

[kə́ːrtn]

A: Mom, would you close the **curtain**? 기출
B: Sure, I'll do that for you.
A: 엄마, **커튼** 좀 쳐주실래요?
B: 그래, 너를 위해 그렇게 해줄게.

□ 0165

calendar 명 **달력**

[kǽləndər]

Dana put next year's **calendar** on the wall.
Dana는 내년 **달력**을 벽에 걸었다.

☐ 0166

daily

[déili]

형 일상의, 매일의 **부** 매일, 날마다

Housework is a part of **daily** life for many people.
집안일은 많은 사람들에게 **일상** 생활의 한 부분이다.

☐ 0167

routine

[ruːtíːn]

명 (틀에 박힌) 일과, 일상

Each family has a unique daily **routine**, and each member follows it. 기출
각 가정은 고유한 매일의 **일과**가 있고, 각 구성원은 그것을 따른다.

☐ 0168

bulb

[bʌlb]

명 전구

We need to change the light **bulbs** in the bedroom. 기출
우리는 침실의 백열 **전구들**을 교체해야 한다.

☐ 0169

upstairs

[ʌ̀pstéərz]

부 위층으로 **명** 위층 반 downstairs 아래층으로; 아래층

Joseph, would you go **upstairs** and get the hammer for me?
Joseph, **위층으로** 가서 나에게 망치를 좀 가져다 줄래?

☐ 0170

throw away

~을 버리다

Before we **throw** things **away**, we should try to repair them. 기출
우리는 물건들**을 버리기** 전에, 그것들을 수리하고자 애써야 한다.

ADVANCED 심화 어휘

□ 0171

flashlight 명 손전등

[flǽʃlàit]

Use this **flashlight** to find the tool in the basement.
지하실에서 연장을 찾는 데 이 **손전등**을 사용해라.

□ 0172

screw 명 나사, 나사못

[skruː]

The couple keeps nails and **screws** in a tool box.
그 부부는 못과 **나사**를 공구 상자에 보관한다.

□ 0173

bucket 명 양동이, 물통

[bʌ́kit]

We'll make toys for our pet from old plastic **buckets.** 교과서
우리는 오래된 플라스틱 **양동이들**로 우리의 반려동물을 위한 장난감을 만들 것이다.

□ 0174

blanket 명 담요

[blǽŋkit]

It's cold at night, so take warm clothes, **blankets**, and sleeping bags. 기출
밤에는 추우니, 따뜻한 옷, **담요**, 그리고 침낭을 가져가라.

□ 0175

ladder 명 사다리

[lǽdər]

Use a **ladder** to reach the roof.
지붕에 닿기 위해 **사다리**를 사용해라.

□ 0176

ceiling

명 천장

[sí:liŋ]

My room has a low **ceiling**.
내 방은 낮은 **천장**을 가지고 있다.

□ 0177

edge

명 가장자리, 모서리

[edʒ]

My family planted some flowers at the **edge** of the garden.
나의 가족은 정원의 **가장자리**에 약간의 꽃을 심었다.

□ 0178

tap

동 (가볍게) 치다, 두드리다 명 수도꼭지

[tæp]

My mother **tapped** my shoulder and told me to do my chores.
나의 엄마가 내 어깨를 **가볍게 치며** 심부름을 하라고 말했다.

+ tap water 명 수돗물

Plus +

tap은 영국에서 '수도꼭지'를 나타낼 때 쓰는 단어예요. 미국에서는 tap 대신 주로 faucet을 사용해요.

□ 0179

plenty

명 많은 양, 풍부함

[plénti]

We have **plenty** to do at home this weekend.
우리는 이번 주말에 집에서 할 것이 **많은 양** 있다.

+ plenty of 많은

□ 0180

ask A for B

A에게 B를 요청하다, 부탁하다

My mom **asked** me **for** help.
나의 엄마는 나**에게** 도움을 **요청했다**.

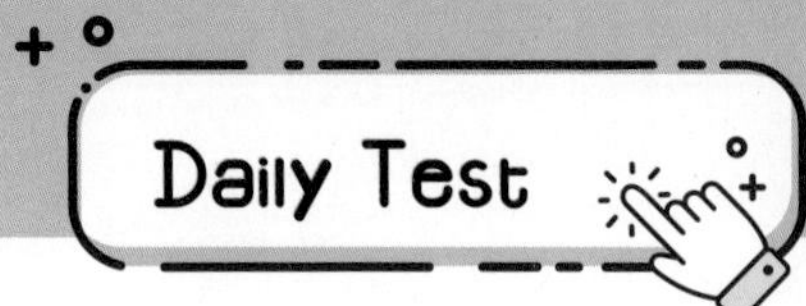

[01~05] 단어와 뜻을 알맞은 것끼리 연결하세요.

01 stair	•	• ⓐ 나사
02 screw	•	• ⓑ 담요
03 blanket	•	• ⓒ (틀에 박힌) 일과
04 routine	•	• ⓓ 위층으로, 위층
05 upstairs	•	• ⓔ 계단

[06~15] 우리말과 같은 뜻이 되도록 빈칸에 알맞은 단어를 쓰세요.

06 빨간 지붕 a red ______________

07 쓰레기를 버리다 ______________ the trash

08 깨진 전구 a broken ______________

09 높은 천장 a high ______________

10 매일의 일과 ______________ routine

11 알람시계 an alarm ______________

12 그에게 도움을 요청하다 ______________ him ______________ help

13 반려동물을 기르다 raise a(n) ______________

14 아름다운 정원 a beautiful ______________

15 젖은 바닥 a wet ______________

[16~20] 빈칸에 알맞은 단어를 <보기>에서 한 번씩 골라 쓰세요.

<보기> pick lawn tap tools edge

16 The ______________ in the bathroom was broken.

17 Why don't you ______________ weeds?

18 My dad needs many ______________ to fix the garage.

19 The gardener cuts the ______________ once a week.

20 Helen sat on the ______________ of the sofa.

Picture Review

사진과 함께 오늘 배운 단어를 다시 기억해보세요.

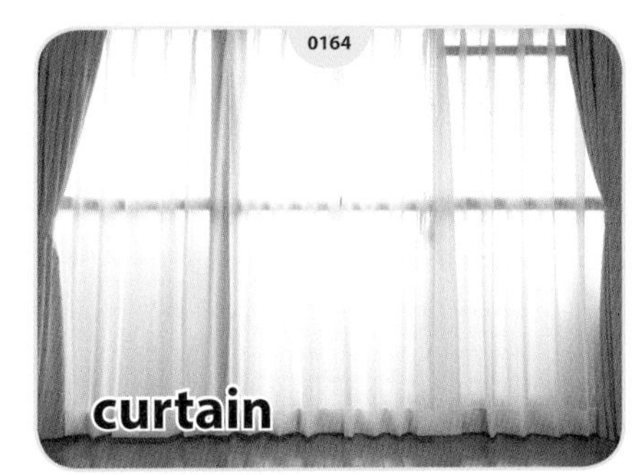

DAY 07 Food

음식

스트레스를 많이 받은 날에는 spicy한 음식을 먹으면 기분이 나아질 거예요. :)

CORE 핵심 어휘

☐ 0181

egg [eg]

명 계란, 알

Eggs are popular food sources.

계란은 인기 있는 음식 재료이다.

☐ 0182

fish [fiʃ]

명 생선, 물고기 동 낚시하다

She usually has salad, **fish**, and bread with cheese. 교과서

그녀는 보통 샐러드와 **생선**, 그리고 치즈를 곁들인 빵을 먹는다.

☐ 0183

milk [milk]

명 우유

A: Would you get me some **milk**? 기출

B: No problem.

A: 나에게 **우유**를 좀 가져다 줄래?

B: 문제 없어.

☐ 0184

soup [suːp]

명 수프, 국

I made some chicken **soup**, but my child didn't like it.

내가 치킨 **수프**를 조금 만들었지만, 내 아이는 그것을 좋아하지 않았다.

□ 0185

bread

[bred]

명 빵

Why don't we have some **bread**? 기출
우리 **빵**을 조금 먹는 게 어때?

□ 0186

salt

[sɔːlt]

명 소금

Some people added **salt** to the soup. 기출
어떤 사람들이 수프에 **소금**을 추가했다.

+ salty 형 소금기 있는, 짠

□ 0187

sugar

[ʃúgər]

명 1. 설탕 2. 당, 당분

My aunt likes coffee with cream and **sugar**. 기출
나의 이모는 크림과 **설탕**이 들어간 커피를 좋아한다.

□ 0188

diet

[dáiət]

명 1. 식사, 음식 2. 다이어트, 식이요법

A balanced **diet** keeps our bodies strong and healthy. 교과서
균형 잡힌 **식사**는 우리의 신체를 튼튼하고 건강하게 유지하게 한다.

□ 0189

rice

[rais]

명 밥, 쌀, 벼

In Korea, people often eat **rice** and soup for lunch. 교과서
한국에서, 사람들은 종종 점심으로 **밥**과 국을 먹는다.

□ 0190

bean

[biːn]

명 콩

The rice with **beans** was better than I thought.
콩이 들어간 밥은 내가 생각한 것보다 더 괜찮았다.

☐ 0191

nut

명 견과류

[nʌt]

Sam has an allergy to **nuts.**
Sam은 **견과류**에 알레르기가 있다.

Plus +

nut의 종류

- almond 아몬드
- chestnut 밤
- hazelnut 헤이즐넛
- peanut 땅콩
- walnut 호두
- pecan 피칸

☐ 0192

pork

명 돼지고기

[pɔːrk]

This dish is made with **pork** and vegetables.
이 요리는 **돼지고기**와 채소들로 만들어진다.

☐ 0193

beef

명 소고기

[biːf]

I like **beef** more than pork.
나는 돼지고기보다 **소고기**를 좋아한다.

☐ 0194

sweet

형 달콤한, 단 명 단 것

[swiːt]

The kitchen is filled with a **sweet** smell. 교과서
부엌이 **달콤한** 냄새로 가득 차 있다.

☐ 0195

bitter

형 (맛이) 쓴, 씁쓸한

[bítər]

The broccoli tastes too **bitter** to me. 기출
나에게는 브로콜리가 너무 **쓰다**.

□ 0196

spicy

[spáisi]

형 1. 매운, 매콤한 ㊒ hot 2. 양념 맛이 강한

Dave's face is getting red because his dish is **spicy.** 교과서

음식이 **매워서** Dave의 얼굴이 빨개지고 있다.

+ spice 명 양념, 향신료

□ 0197

meal

[mi:l]

명 식사

Alice has a big **meal** in the afternoon. 교과서

Alice는 오후에 푸짐한 **식사**를 한다.

□ 0198

lunch

[lʌntʃ]

명 점심 식사

My **lunches** are always healthy, and they taste good, too. 교과서

나의 **점심 식사**는 항상 건강에 좋고, 맛도 좋다.

□ 0199

noodle

[nú:dl]

명 국수, 면

I really like **noodles** with pork. 기출

나는 돼지고기가 들어간 **국수**를 정말 좋아한다.

□ 0200

be filled with

~으로 가득 차다

The bread **is filled with** cream.

그 빵은 크림**으로 가득 찼다**.

ADVANCED 심화 어휘

□ 0201

dessert 명 후식, 디저트

[dizə́:rt]

I'm making a chocolate cake for **dessert**. 기출
나는 **후식**으로 초콜릿 케이크를 만드는 중이다.

Plus +

dessert vs. desert

dessert와 desert는 철자가 비슷하기 때문에 혼동하지 않도록 주의해야 해요. desert는 '사막'을 의미해요.

- have ice cream for **dessert** **후식**으로 아이스크림을 먹다
- camels on the **desert** **사막**에 사는 낙타들

□ 0202

delicious 형 아주 맛있는 유 tasty

[dilíʃəs]

Lobster is **delicious**, but cutting it can be difficult. 교과서
바닷가재는 **아주 맛있지만**, 그것을 자르는 것은 어려울 수 있다.

□ 0203

seafood 명 해산물

[sí:fu:d]

We decided to have **seafood** fried rice for lunch. 교과서
우리는 점심 식사로 **해산물** 볶음밥을 먹기로 결정했다.

□ 0204

vegetable 명 채소, 야채

[védʒətəbl]

She likes cold **vegetable** soup with tomatoes. 교과서
그녀는 토마토가 들어간 **채소** 냉국을 좋아한다.

Plus +

vegetable의 종류

- lettuce 상추
- broccoli 브로콜리
- spinach 시금치
- garlic 마늘
- cucumber 오이
- onion 양파
- potato 감자
- pumpkin 호박

0205

flour

명 밀가루

[fláuər]

Pizza dough is mainly made of **flour.**
피자 도우는 주로 **밀가루**로 만들어진다.

0206

powder

명 가루, 분말

[páudər]

This curry **powder** is very fine.
이 카레 **가루**는 매우 곱다.

0207

cereal

명 1. 시리얼 2. 곡류

[síəriəl]

I eat bread and **cereals** for breakfast.
나는 아침으로 빵과 **시리얼**을 먹는다.

0208

feed

동 (음식을) 먹이다, 먹이를 주다 (fed-fed)

[fiːd]

Mary **feeds** her child at 9 a.m. every morning. 기출
Mary는 매일 아침 9시에 자신의 아이에게 **음식을 먹인다.**

0209

extra

형 여분의, 추가의

[ékstrə]

If you are hungry, eat some **extra** food.
네가 배고프다면, **여분의** 음식을 조금 먹어라.

0210

such as

~과 같은

He likes spicy foods, **such as** kimchi or tteokbokki.
그는 김치나 떡볶이**와 같은** 매운 음식들을 좋아한다.

Daily Test

[01~05] 단어와 뜻을 알맞은 것끼리 연결하세요.

01 rice	•	• ⓐ 달콤한, 단 것
02 salt	•	• ⓑ 소금
03 sweet	•	• ⓒ ~으로 가득 차다
04 be filled with	•	• ⓓ ~과 같은
05 such as	•	• ⓔ 밥

[06~15] 우리말과 같은 뜻이 되도록 빈칸에 알맞은 단어를 쓰세요.

06 국수 요리 a(n) ____________ dish

07 비싼 디저트 an expensive ____________

08 시리얼을 사다 buy a(n) ____________

09 건강한 식이요법 a healthy ____________

10 튀긴 생선 fried ____________

11 우유 푸딩 ____________ pudding

12 토마토 수프 tomato ____________

13 약간의 설탕 a little ____________

14 구운 돼지고기 grilled ____________

15 소고기를 먹다 eat ____________

[16~20] 영영 풀이에 알맞은 단어를 <보기>에서 골라 쓰세요.

<보기>	extra	delicious	lunch	meal	powder

16 ____________ : food that people eat at a regular time of the day

17 ____________ : a dry mass of very small and fine pieces

18 ____________ : being added to the original amount or number

19 ____________ : tasting really good

20 ____________ : the food you eat between breakfast and dinner

Picture Review

사진과 함께 오늘 배운 단어를 다시 기억해보세요.

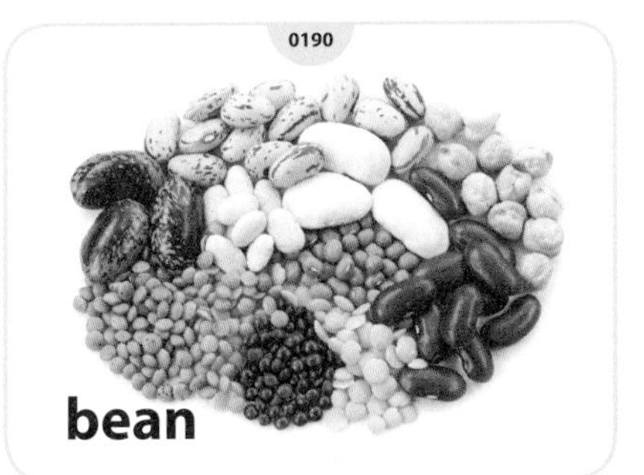

DAY 08

Cooking

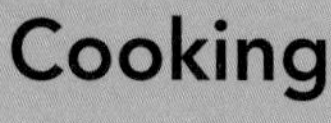

요리

여러분만의 맛있는 라면을 끓이는 recipe가 있나요?

CORE 핵심 어휘

□ 0211

cup 명 컵, 잔

[kʌp]

You need to pour a **cup** of milk to the cereal.
너는 시리얼에 우유 한 **컵**을 부어야 한다.

□ 0212

glass 명 1. 잔, 유리잔 2. 유리

[glæs]

Peter stirred the mixture in a **glass**.
Peter는 **잔**에 있는 혼합물을 저었다.

Plus +

a glass of + 셀 수 없는 명사

물은 '물 하나', '물 둘'과 같이 수를 셀 수 없죠? 이처럼 수를 셀 수 없는 명사의 경우 물질을 담는 용기를 사용해서 수량을 나타낼 수 있어요.

- a glass of water 물 한 잔
- two cups of milk 우유 두 컵
- a bowl of rice 밥 한 그릇
- three cans of soda 탄산음료 세 캔

□ 0213

plate 명 1. 접시 2. 요리

[pleit]

Don't forget to wash the **plates** after you finish eating.
식사가 끝난 후에 **접시들**을 씻는 것을 잊지 마.

□ 0214

bowl

명 (우묵한) 그릇, 사발

[boul]

Add the **bowl** the powder to the **bowl** and mix. 교과서
그릇에 가루를 넣고 섞어라.

□ 0215

mix

동 섞다, 섞이다 명 혼합물, 혼합

[miks]

She first **mixed** hot milk and sugar. 교과서
그녀는 먼저 뜨거운 우유와 설탕을 **섞었다**.

□ 0216

jar

명 (입구가 넓은) 병, 단지

[dʒɑːr]

I made strawberry jam and filled a **jar** with it.
나는 딸기잼을 만들어서 **병**을 그것으로 채웠다.

□ 0217

pan

명 팬, (납작한) 냄비

[pæn]

Heat the **pan** until the water boils.
물이 끓을 때까지 **팬**을 달궈라.

□ 0218

pot

명 1. (깊은) 냄비, 솥 2. 단지, 항아리

[pɑːt]

My mother made a special **pot** to cook many different vegetables together. 교과서
나의 어머니는 많은 다양한 채소들을 함께 요리하기 위해 특별한 **냄비**를 만들었다.

□ 0219

boil

동 끓다, 끓이다

[bɔil]

Jenny **boiled** the milk and made hot chocolate.
Jenny는 우유를 **끓여서** 핫초코를 만들었다.

□ 0220

bake 동 굽다, 구워지다

[beik]

Sunny got up really early to **bake** bread and cakes. 교과서

Sunny는 빵과 케이크를 **굽기** 위해 아주 일찍 일어났다.

□ 0221

oven 명 오븐

[ʌ́vən]

Bake the cookies in the **oven** for 10 minutes. 교과서

쿠키를 **오븐**에 10분 동안 구워라.

□ 0222

burn 동 1. (불·열 등에) 태우다, 타다 2. 데우다, 데다

[bəːrn]

She always **burns** the toast.

그녀는 항상 토스트를 **태운다**.

□ 0223

eat 동 식사하다, 먹다 (ate-eaten)

[iːt]

I don't have time to cook and **eat** in the mornings.

나는 아침마다 요리하고 **식사할** 시간이 없다.

□ 0224

slice 명 (얇게 썬) 조각 동 얇게 썰다

[slais]

Add the kiwi **slices** to the salad. 교과서

샐러드에 키위 **조각들**을 넣어라.

□ 0225

wrap 동 감싸다, 두르다

[ræp]

You can **wrap** the beef in lettuce if you want.

네가 원한다면 소고기를 양상추로 **감싸도** 된다.

☐ 0226

pack

[pæk]

동 싸다, 꾸리다 명 짐, 꾸러미

A: I made some sandwiches for our picnic.
B: Thanks, I'll **pack** them in a plastic bag.
A: 내가 우리의 소풍을 위해 샌드위치를 조금 만들었어.
B: 고마워, 내가 그것들을 비닐봉지에 **쌀게**.

☐ 0227

learn

[ləːrn]

동 1. 배우다 2. 알게 되다

Jenny **learned** how to make bulgogi from her mom.
Jenny는 그녀의 엄마로부터 불고기를 만드는 방법을 **배웠다**.

☐ 0228

handle

[hǽndl]

명 손잡이 동 다루다, 처리하다

With a knife **handle**, make a hole in the center of the bread.
칼 **손잡이**로, 빵의 중앙에 구멍을 내라.

Plus +

자동차 handle?

흔히 handle이라고 하면 '손잡이'나 '다루다'라는 의미보다 자동차의 핸들을 떠올리기 쉬운데요, 이것은 사실 올바른 영어 표현이 아니에요. steering wheel이 옳은 표현이랍니다. steer는 '조종하다'를, wheel은 '둥글게 생긴 장치'를 뜻하기 때문에 steering wheel은 '조종하는 둥글게 생긴 장치'를 의미하게 된답니다.

☐ 0229

instead

[instéd]

부 대신에

Don't use butter. You can use olive oil **instead**.
버터를 사용하지 마. **대신에** 너는 올리브 오일을 사용할 수 있어.

+ instead of 전 ~ 대신에

☐ 0230

pick up

1. 집다, 들어올리다 2. 차로 데려오다

I **picked up** a plate and put food on it.
나는 접시를 **집어** 그 위에 음식을 놓았다.

ADVANCED 심화 어휘

□ 0231

beat 동 1. 휘저어 섞다 2. (심장이) 뛰다 3. 이기다 (beat-beaten)

[biːt]

Put the eggs and salt in a bowl and **beat** them together. 교과서

달걀과 소금을 그릇에 넣고 그것들을 함께 **휘저어 섞어주세요**.

□ 0232

pour 동 1. 붓다, 따르다 2. 쏟아지다

[pɔːr]

Pour the mix into the waffle maker.

혼합물을 와플 기계에 **부어라**.

Plus + It's pouring outside!

비가 장대처럼 쏟아지는 것을 표현할 때 'It's pouring outside!(밖에 비가 쏟아지고 있어!)'라고 표현해요. pour가 '쏟아지다'라는 뜻을 가지는 단어임을 생각해보면 얼마나 많이 비가 오는 상황을 나타내는지 알 수 있어요.

□ 0233

recipe 명 조리법, 요리법

[résəpi]

Back home, I went online and found a **recipe** for the dessert. 교과서

집에 돌아가서, 나는 인터넷에 접속하여 디저트 **조리법**을 찾았다.

□ 0234

blend 동 섞다, 섞이다 ㈜ mix

[blend]

Megan **blended** the mix until it became smooth.

Megan은 혼합물이 부드러워질 때까지 **섞었다**.

+ blender 명 믹서기, 혼합기

☐ 0235

melt

[melt]

동 녹이다, 녹다

I **melted** the chocolate and made it into a new shape.
나는 초콜릿을 **녹여서** 그것을 새로운 모양으로 만들었다.

☐ 0236

complete

[kəmplíːt]

동 완성하다, 완료하다 형 완전한

Just before the cooking is **completed**, add some salt and pepper.
요리가 **완성되기** 직전에, 소금과 후추를 조금 넣어라.

+ completely 부 완전히

☐ 0237

refrigerator

[rifrídʒərèitər]

명 냉장고

I opened the **refrigerator** to find something to cook.
나는 요리할 무언가를 찾기 위해 **냉장고**를 열었다.

☐ 0238

contain

[kəntéin]

동 포함하다, 함유하다 유 include

Yogurt **contains** bacteria that help digestion.
요구르트는 소화를 돕는 박테리아를 **포함한다**.

+ container 명 그릇, 용기

☐ 0239

ingredient

[ingríːdiənt]

명 (특히 요리 등의) 재료, 원료

I need other **ingredients** besides eggs. 기출
나는 달걀 외에 다른 **재료들**이 필요하다.

☐ 0240

set up

1. 설치하다 2. 준비하다, 마련하다

We **set up** a new oven in the kitchen.
우리는 부엌에 새 오븐을 **설치했다**.

Daily Test

[01~07] 영어는 우리말로, 우리말은 영어로 쓰세요.

01 burn ________________

02 wrap ________________

03 pack ________________

04 glass ________________

05 집다, 차로 데려오다 ________________

06 대신에 ________________

07 배우다, 알게 되다 ________________

[08~17] 우리말과 같은 뜻이 되도록 빈칸에 알맞은 단어를 쓰세요.

08 꿀단지 a honey ________________

09 점심을 먹다 ________________ lunch

10 팬을 달구다 heat the ________________

11 쿠키를 굽다 ________________ cookies

12 전자레인지를 설치하다 ________________ a microwave

13 컵의 손잡이 the ________________ of a cup

14 새 오븐 a new ________________

15 피자의 조리법 a(n) ________________ for pizza

16 치즈 한 조각 a(n) ________________ of cheese

17 신선한 재료 a fresh ________________

[18~20] 다음 괄호 안에 주어진 지시에 맞게 빈칸을 채우세요.

18 blend 섞다 → (유의어) ________________

19 complete 완성하다 → (부사형) ________________

20 contain 포함하다 → (유의어) ________________

Picture Review

사진과 함께 오늘 배운 단어를 다시 기억해보세요.

DAY 09

Clothes

의복

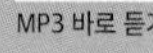

Fashion은 자기 자신을 표현하는 방법의 하나예요.

CORE 핵심 어휘

□ 0241

coat [kout]

명 코트, 외투

A: Is it cold outside? 기출
B: Yes. You have to wear your **coat**.
A: 바깥이 춥니?
B: 응. 너는 **코트**를 입어야 해.

□ 0242

jacket [dʒǽkit]

명 재킷, 윗옷

This **jacket** is too small for me. 기출
이 **재킷**은 내게 너무 작다.

□ 0243

jeans [dʒiːnz]

명 청바지

He's wearing a white T-shirt and **jeans**. 기출
그는 하얀 티셔츠와 **청바지**를 입고 있다.

□ 0244

shorts [ʃɔːrts]

명 반바지

The girl in red **shorts** is my cousin.
빨간 **반바지**를 입은 그 소녀는 내 사촌이다.

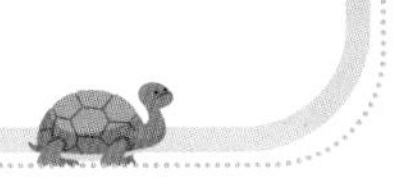

□ 0245

sock

[sɑːk]

명 (-s) 양말

How much are these blue **socks**? 기출

이 파란 **양말**은 얼마니?

□ 0246

shoe

[ʃuː]

명 (-s) 신발, 구두

It rained a lot that day and my **shoes** got wet and heavy. 교과서

그날 비가 많이 와서 내 **신발**이 젖어서 무거워졌다.

Plus +

shorts는 항상 복수형으로만 쓰이지만, shoes는 복수형과 단수형으로 모두 쓰일 수 있어요. 두 단어의 차이는 무엇일까요? 바지는 양쪽이 떨어질 경우 더 이상 바지로 볼 수 없지만, 신발은 한 짝만 가지고 있어도 신발이라고 이야기할 수 있기 때문이랍니다.

□ 0247

sandal

[sǽndl]

명 (-s) 샌들

The man in this picture is wearing leather **sandals.** 기출

이 사진 속의 남자는 가죽 **샌들**을 신고 있다.

□ 0248

mask

[mæsk]

명 마스크, 복면 동 가리다

We need to buy some fine dust **masks.** 기출

우리는 미세 먼지 **마스크**를 조금 살 필요가 있다.

□ 0249

blouse

[blaus]

명 블라우스

I'm looking for a **blouse** for my friend Nancy. 기출

저는 제 친구 Nancy를 위한 **블라우스**를 찾고 있어요.

□ 0250

uniform

명 교복, 유니폼 형 균일한

[júːnəfɔ̀ːrm]

I put on my school **uniform** every morning. 교과서
나는 매일 아침 나의 학교 **교복**을 입는다.

□ 0251

suit

명 정장

[suːt]

Samuel bought a new **suit** for his job interview tomorrow. 기출
Samuel은 내일 있을 그의 취업 면접을 위한 새 **정장**을 샀다.

Plus +

suit가 사용된 표현

suit는 '정장'이라는 뜻 외에도 다른 단어와 함께 쓰여 '(특정한 활동 때 입는) 옷'이라는 뜻을 가질 수 있어요.

• swimsuit 수영복 • spacesuit 우주복 • wetsuit 잠수복

□ 0252

tie

동 (끈 등으로) 묶다 명 넥타이

[tai]

Tie the ribbon around your neck. 기출
네 목 주위에 리본을 **묶어라**.

□ 0253

fashion

명 1. 패션, 유행 2. 방식

[fǽʃən]

Socks are good **fashion** items. 교과서
양말은 좋은 **패션** 아이템이다.

□ 0254

fur

명 모피, 털

[fəːr]

He's sweating a lot in the **fur** coat. 기출
그는 **모피** 코트를 입고 땀을 많이 흘리고 있다.

□ 0255

cotton

[kɑ́:tn]

명 면직물, 면화 형 면으로 된

Are these shorts 100% **cotton**? 기출
이 반바지는 100퍼센트 **면직물**이니?

□ 0256

wool

[wul]

명 양모, 모직물

The jacket is made of **wool**.
그 재킷은 **양모**로 만들어졌다.

□ 0257

button

[bʌ́tən]

명 단추, 버튼

One **button** is missing on the blouse. 기출
블라우스에 **단추** 한 개가 없어졌다.

□ 0258

jewel

[dʒú:əl]

명 보석, 장신구

She gave me a box that was filled with **jewels**. 교과서
그녀는 나에게 **보석들**로 가득 찬 상자를 주었다.

□ 0259

change

[tʃeindʒ]

동 바꾸다, 변하다 명 변화

We **change** our clothes every season.
우리는 계절마다 의복을 **바꾼다**.

□ 0260

try on

~을 입어[써/신어] 보다

I **tried on** a new dress.
나는 새 드레스를 입어 보았다.

ADVANCED 심화 어휘

□ 0261

costume 명 의상, 복장

[kɑ́:stju:m]

Do you want to wear Halloween **costumes**? 기출
너는 할로윈 **의상**을 입고 싶니?

□ 0262

overalls 명 작업복, 멜빵바지

[oúvərɔ̀:lz]

Put your **overalls** on before you start painting the wall.
네가 벽에 페인트칠을 시작하기 전에 **작업복**을 입어라.

□ 0263

polish 동 (윤이 나도록) 닦다

[pɑ́:liʃ]

Can you **polish** these shoes?
이 구두를 **닦아줄** 수 있니?

□ 0264

tight 형 1. 딱 붙는, 꼭 맞는 2. 꽉 묶인

[tait]

You picked out a really nice suit, but it was a little **tight** on you. 기출
너는 정말 좋은 정장을 선택했지만, 그것은 너에게 조금 **딱 붙었다**.

□ 0265

loose 형 헐렁한, 느슨한 반 tight 딱 붙는

[lu:s]

These shoes feel too **loose** for me. 기출
이 신발은 나에게 너무 **헐렁하게** 느껴진다.

□ 0266

bare — 형 맨, 벌거벗은

[beər]

He likes to walk around the house in **bare** feet.
그는 **맨**발로 집 안을 돌아다니는 것을 좋아한다.

□ 0267

purse — 명 (여성용) 지갑, 핸드백

[pəːrs]

That **purse** matches well with my dress.
그 **지갑**은 내 드레스와 잘 어울린다.

Plus +

purse vs. wallet

purse와 wallet은 모두 '지갑'을 의미하지만, purse는 돈뿐만 아니라 여러 가지 물건들을 넣는 핸드백으로서의 지갑을 의미해요. 반면, wallet은 주로 돈만 넣을 수 있는 기능을 가진 납작한 지갑을 말해요.

□ 0268

fabric — 명 직물, 천 ⊕ cloth

[fǽbrik]

Sharon's pajamas are made of a cotton **fabric**.
Sharon의 잠옷은 면**직물**로 만들어졌다.

□ 0269

stain — 명 얼룩, 때 동 얼룩지게 하다

[stein]

The coffee **stain** is still on your overalls! 기출
커피 **얼룩**이 여전히 네 작업복에 있어!

□ 0270

no longer — 더 이상 ~ 아닌

The blouse that I bought last year **no longer** fits me.
내가 작년에 산 그 블라우스는 **더 이상** 내게 맞지 **않는다**.

Daily Test

[01~05] 단어와 뜻을 알맞은 것끼리 연결하세요.

01 tight • • ⓐ (여성용) 지갑

02 fashion • • ⓑ 딱 붙는, 꽉 묶인

03 cotton • • ⓒ 패션, 방식

04 purse • • ⓓ 더 이상 ~ 아닌

05 no longer • • ⓔ 면직물, 면으로 된

[06~15] 우리말과 같은 뜻이 되도록 빈칸에 알맞은 단어를 쓰세요.

06 검은색 재킷 a black ______________

07 낡은 청바지 old ______________

08 양모 스웨터 a(n) ______________ sweater

09 반바지를 입다 wear ______________

10 토끼 얼굴 마스크 a(n) ______________ of a rabbit's face

11 가짜 모피 fake ______________

12 한 벌의 파란 멜빵바지 a pair of blue ______________

13 빨간 치마를 입어 보다 ______________ a red skirt

14 노란 실크 블라우스 a yellow silk ______________

15 헐렁한 드레스 a(n) ______________ dress

[16~20] 단어와 영영 풀이를 알맞은 것끼리 연결하세요.

16 shoe • • ⓐ a valuable stone used to decorate something or someone

17 bare • • ⓑ something that covers and protects your feet

18 jewel • • ⓒ a set of clothes that shows where someone belongs to

19 sandal • • ⓓ being not covered by clothes

20 uniform • • ⓔ a light shoe that you wear in warm weather, especially in summer

Picture Review

사진과 함께 오늘 배운 단어를 다시 기억해보세요.

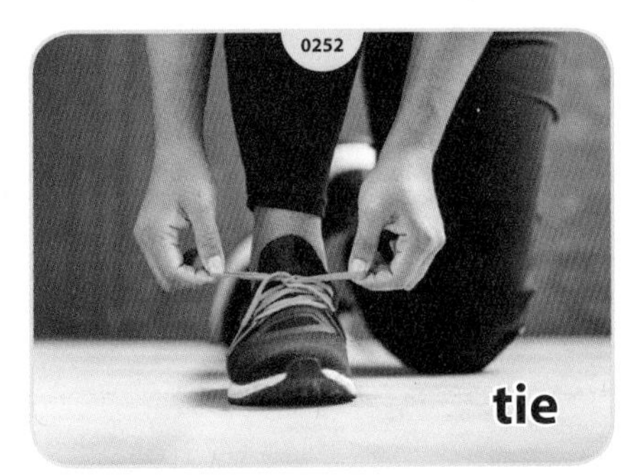

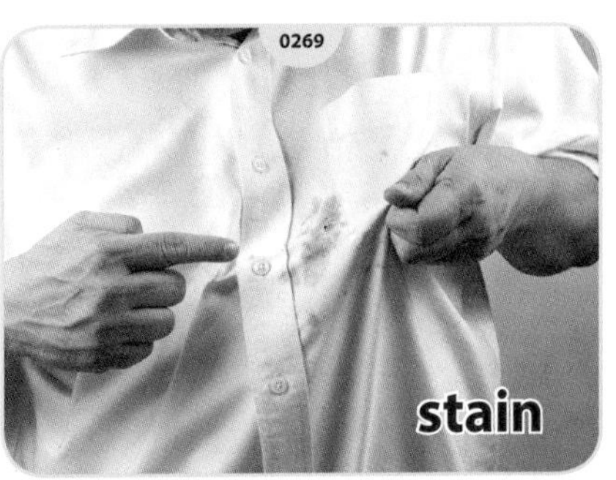

DAY 10 School & Education

학교와 교육

과거의 mistake가 있기 때문에 현재의 success가 있답니다.

CORE 핵심 어휘

□ 0271

map 명 지도

[mæp]

The students are drawing a **map** of Korea. 교과서

학생들이 한국의 **지도**를 그리고 있다.

□ 0272

flag 명 깃발, 기

[flæg]

When Adam was walking around at school in the early morning, he saw Ms. George raise the school **flag**. 기출

Adam이 이른 아침에 학교를 걷고 있을 때, 그는 Ms. George가 학교 **깃발**을 올리는 것을 보았다.

□ 0273

teacher 명 선생님, 교사

[tíːtʃər]

I like my **teachers**, classmates, and everything else in my school. 기출

나는 내 **선생님들**, 반 친구들, 그리고 나의 학교에 있는 다른 모든 것들을 좋아한다.

□ 0274

principal 명 교장, (단체의) 장 형 주요한

[prínsəpəl]

Ms. Bell took her student to the **principal**'s office. 기출

Ms. Bell은 자신의 학생을 **교장**실로 데려갔다.

☐ 0275

club 명 동아리, 동호회

[klʌb]

A: Do you belong to any **clubs** at school? 기출
B: Yes, I'm active in the science **club**.
A: 너는 학교에서 어떤 **동아리**에든 속해 있니?
B: 응, 나는 과학 **동아리**에서 활동 중이야.

☐ 0276

librarian 명 사서

[laibréəriən]

I'm working as a school **librarian**. 기출
나는 학교 **사서**로 일하고 있다.

☐ 0277

locker 명 사물함

[lá:kər]

Tom put his books in his **locker** this morning. 기출
Tom은 오늘 아침에 자신의 책들을 **사물함**에 넣었다.

☐ 0278

lesson 명 1. (-s) 수업 2. 교훈

[lésn]

The children enjoyed Mr. Kim's art **lessons**.
아이들은 Mr. Kim의 미술 **수업**을 즐겼다.

☐ 0279

course 명 1. 강의, 교육 과정 2. 진로, 방향

[kɔ:rs]

Why don't you take a swimming **course** at the sports center? 기출
스포츠 센터에서 수영 **강의**를 듣는 게 어때?

☐ 0280

subject 명 1. 과목 2. 주제 ⊕ topic

[sʌ́bdʒikt]

I think math is a difficult **subject** to study. 기출
나는 수학이 공부하기 어려운 **과목**이라고 생각한다.

□ 0281

attend

동 참석하다, 출석하다

[ətέnd]

A: Will you **attend** any after-school programs? 기출
B: Sure. I will take yoga lessons.

A: 너는 방과 후 프로그램에 **참석할** 거야?
B: 그럼. 나는 요가 수업을 들을 거야.

Plus +

take attendance

선생님이 학생들의 출석을 확인하는 것을 영어로 take attendance라고 해요. attendance는 동사 attend에서 파생된 명사로, '출석'이라는 뜻이에요.

□ 0282

partner

명 짝, 파트너

[pά:rtnər]

This time, find the answer with your **partner**.

이번에는, 여러분의 **짝**과 함께 답을 찾아보세요.

□ 0283

project

명 (연구) 프로젝트, 과제

[prά:dʒekt]

We are working on a wall-painting **project** for our club. 교과서

우리는 우리 동아리 벽화 **프로젝트**에 공을 들이고 있다.

□ 0284

success

명 성공 반 failure 실패

[səksés]

If you experience **success** at school, you will feel happy with yourself.

네가 학교에서 **성공**을 경험하면, 너는 너 스스로에 대해 행복을 느낄 것이다.

+ successful 형 성공적인 succeed 동 성공하다

☐ 0285

mistake

명 실수, 잘못

[mistéik]

Sarah pointed out the **mistake** that Jenna made during class. 교과서

Sarah는 수업 중에 Jenna가 한 **실수**를 지적했다.

+ by mistake 실수로

☐ 0286

advise

동 조언하다, 충고하다

[ədváiz]

My gym teacher **advised** me to start exercising. 기출

나의 체육 선생님은 내게 운동을 시작하라고 **조언했다**.

+ advice 명 조언

☐ 0287

senior

명 1. 상급생 2. 연장자 반 junior 하급생, 연소자

[sí:njər]

Jim, who lives next door, is a **senior** at my school.

옆집에 사는 Jim은 나의 학교의 **상급생**이다.

☐ 0288

college

명 대학

[kά:lidʒ]

He was a good student and went to a good **college**. 기출

그는 훌륭한 학생이었고 좋은 **대학**에 갔다.

☐ 0289

cafeteria

명 카페테리아, 급식실

[kæ̀fətíəriə]

I see him at the school **cafeteria** every day. 교과서

나는 그를 매일 학교 **카페테리아**에서 본다.

☐ 0290

hand in

(문서 등을) 제출하다

Make sure to **hand in** your homework on time. 기출

숙제를 반드시 제시간에 **제출하도록** 하세요.

ADVANCED 심화 어휘

□ 0291

elementary 형 초등의, 기본의

[èləméntəri]

Esther and Rachel have been best friends since **elementary** school. 교과서

Esther와 Rachel은 **초등**학교 때부터 가장 친한 친구였다.

+ elementary school 명 초등학교

□ 0292

university 명 대학

[jù:nəvə́:rsəti]

I got into Oxford **University**! 교과서

나는 옥스퍼드 **대학**에 들어갔어!

□ 0293

education 명 교육

[èdʒukéiʃən]

Katie taught her child that **education** was the only way to leave a hard life behind. 기출

Katie는 자녀에게 **교육**이 힘든 삶을 벗어나는 유일한 방법이라고 가르쳤다.

+ educational 형 교육의

□ 0294

behave 동 (예의 바르게) 행동하다

[bihéiv]

If you do not **behave**, your teacher will put your name on the board. 교과서

만약 네가 **예의 바르게 행동하지** 않으면, 선생님이 네 이름을 칠판에 올릴 것이다.

□ 0295

continue 동 계속하다, 계속되다

[kəntínju:]

My parents want me to **continue** studying English after college.

나의 부모님은 내가 대학 졸업 후 영어 공부를 **계속하기**를 원한다.

□ 0296

average

명 평균 형 평균의

[ǽvəridʒ]

His test scores are above **average**.
그의 시험 점수는 **평균** 이상이다.

+ on average 평균적으로

□ 0297

award

명 상, 상품 유 prize 동 (상·장학금 등을) 수여하다

[əwɔ́:rd]

My sister's school won an **award** for healthy school food last year. 교과서
내 언니의 학교는 건강한 학교 음식으로 작년에 **상**을 받았다.

□ 0298

stationery

명 문구, 문방구

[stéiʃəneri]

There is a **stationery** store near his school.
그의 학교 근처에 **문구**점이 있다.

Plus +

stationery vs. stationary

stationery와 stationary는 철자가 비슷하기 때문에 혼동하지 않도록 주의해야 해요. stationary는 '움직이지 않는'을 의미해요.

I went to the **stationery** store to buy a pencil case.
나는 필통을 사기 위해 **문구**점에 갔다.

He is **stationary** for an hour.
그는 한 시간 동안 **움직이지 않는다**.

□ 0299

examine

동 조사하다, 검사하다

[igzǽmin]

For my school project, I **examined** some global issues.
나의 학교 프로젝트로, 나는 몇몇 국제 문제들을 **조사했다**.

□ 0300

pay attention

주의를 기울이다

The students **paid attention** to their teacher's words.
학생들은 그들의 선생님의 말에 **주의를 기울였다**.

Daily Test

[01~10] 영어는 우리말로, 우리말은 영어로 쓰세요.

01 map ______________

02 teacher ______________

03 college ______________

04 hand in ______________

05 behave ______________

06 동아리 ______________

07 강의, 진로 ______________

08 조사하다, 검사하다 ______________

09 카페테리아 ______________

10 수업, 교훈 ______________

[11~15] 우리말과 같은 뜻이 되도록 빈칸에 알맞은 단어를 쓰세요.

11 로봇 공학 프로젝트 the robotics ______________

12 인터넷 예절에 대한 교육 ______________ about Internet manners

13 평균 성적 ______________ grades

14 James에게 숙제를 하라고 조언하다 ______________ James to do homework

15 교장 선생님의 말에 주의를 기울이다 ______________ to the principal's words

[16~17] 단어의 성격이 나머지와 다른 하나를 고르세요.

16 ① stationery ② education ③ elementary ④ librarian ⑤ suit

17 ① attend ② college ③ principal ④ locker ⑤ overalls

[18~20] 다음 괄호 안에 주어진 지시에 맞게 빈칸을 채우세요.

18 success 성공 → (반의어) ______________

19 senior 상급생, 연장자 → (반의어) ______________

20 subject 주제 → (유의어) ______________

Picture Review

사진과 함께 오늘 배운 단어를 다시 기억해보세요.

DAY 11

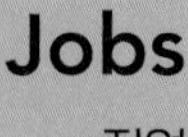

Jobs

직업

여러분은 grow up해서 무엇이 되고 싶나요?

CORE 핵심 어휘

□ 0301

police

명 경찰

[pəlíːs]

Thanks to big data, **police** can now predict crime. 교과서

빅 데이터 덕분에, 이제 **경찰**은 범죄를 예측할 수 있다.

□ 0302

pilot

명 비행 조종사, 파일럿

[páilət]

I want to be a **pilot** because I like to travel and meet a lot of people. 기출

나는 **비행 조종사**가 되고 싶은데 이는 내가 여행하며 많은 사람들을 만나기를 좋아하기 때문이다.

□ 0303

farmer

명 농부, 농장주

[fáːrmər]

Some of my neighbors were **farmers** and raised cows. 교과서

내 이웃들의 몇몇은 **농부**였고 소를 길렀다.

□ 0304

clerk

명 1. 점원 2. 사무원

[kləːrk]

My mother was a **clerk** at a luxurious dress shop. 기출

나의 엄마는 호화로운 드레스 매장의 **점원**이었다.

☐ 0305

cashier

명 계산원

[kæʃíər]

The **cashier** gave me change.
계산원이 나에게 잔돈을 주었다.

☐ 0306

officer

명 1. 장교 2. 공무원

[ɔ́:fisər]

The senior **officer** ordered his men to fire.
선임 **장교**가 그의 부하들에게 발포하도록 명령했다.

☐ 0307

guard

명 경비원, 경호원

[gɑ:rd]

Mason showed his ID card to the **guard**.
Mason은 그의 신분증을 **경비원**에게 보여주었다.

☐ 0308

soldier

명 군인, 병사

[sóuldʒər]

The empire placed **soldiers** in the region.
제국은 **군인**들을 그 지역에 배치했다.

☐ 0309

writer

명 작가, 저자 유 author

[ráitər]

Mr. August is a script **writer** for TV dramas. 교과서
Mr. August는 TV 드라마의 대본 **작가**이다.

☐ 0310

tailor

명 재단사, 재봉사

[téilər]

The **tailor** is measuring a man in the shop.
재단사가 가게에서 한 남자의 치수를 재고 있다.

□ 0311

reporter

명 기자, 리포터

[ripɔ́ːrtər]

We're looking for a **reporter** for our newspaper. 기출
우리는 우리 신문의 **기자**를 찾고 있다.

+ report 명 보고 동 알리다, 보고하다

□ 0312

editor

명 편집자

[éditər]

The newspaper **editor** deleted the whole paragraph.
그 신문 **편집자**는 전체 문단을 삭제했다.

Plus +

특정 직업을 가진 사람을 나타내는 접미사 or / er

or과 er는 동사나 명사 뒤에 붙어서 직업을 나타내는 명사를 만드는 접미사예요.

edit 편집하다 + or ▸ editor 편집자
act 연기하다 + or ▸ actor 배우
farm 농장 + er ▸ farmer 농부, 농장주
photograph 사진 + er ▸ photographer 사진사

□ 0313

teller

명 (은행의) 창구 직원

[télər]

I know a kind **teller** in the nearby bank. 기출
나는 인근 은행의 친절한 **창구 직원**을 안다.

□ 0314

photographer

명 사진사, 사진작가

[fətɑ́grəfər]

As a **photographer**, I take great shots with a camera.
사진사로서, 나는 카메라로 엄청난 사진들을 찍는다.

☐ 0315

businessman 명 사업가, 경영인

[bíznəsmæn]

The young **businessman** finally decided to ask his boss for a raise. 기출

그 젊은 **사업가**는 마침내 그의 상사에게 임금 인상을 요구하기로 결심했다.

+ business 명 사업, 회사

☐ 0316

scientist 명 과학자

[sáiəntist]

Today, some **scientists** are looking at Mars as a new home. 교과서

오늘날, 몇몇 **과학자들**은 화성을 새로운 보금자리로 보고 있다.

☐ 0317

lawyer 명 변호사

[lɔ́:jər]

The **lawyer** devotes herself to her legal work. 기출

그 **변호사**는 그녀 자신을 법률에 관한 일에 헌신한다.

☐ 0318

judge 명 1. 판사 2. 심판 동 판단하다

[dʒʌdʒ]

The thief was brought before the **judge**.

도둑이 **판사** 앞에 불려왔다.

☐ 0319

position 명 1. 직위 2. 위치, 장소 3. 처지, 상태

[pəzíʃən]

I think he's not the right person for that **position**. 교과서

나는 그가 그 **직위**에 적합한 사람이 아니라고 생각한다.

☐ 0320

grow up 자라다, 성장하다

What do you want to be when you **grow up**?

너는 **자라서** 무엇이 되고 싶니?

ADVANCED 심화 어휘

□ 0321

occupation 명 직업, 업무 유 job

[ɑ̀:kjupéiʃən]

A: What's your **occupation**? 기출
B: I'm a middle school teacher.
A: 당신의 **직업**은 무엇입니까?
B: 저는 중학교 선생님입니다.

□ 0322

mechanic 명 수리공, 정비사

[məkǽnik]

We take our cars to the **mechanic** regularly. 기출
우리는 정기적으로 자가용을 **수리공**에게 가져간다.

□ 0323

assistant 명 1. 조수, 보조원 2. (대학의) 조교

[əsístənt]

The businessman was too busy, so he sent his **assistant** instead.
사업가는 너무 바빠서 자신의 **조수**를 대신 보냈다.

□ 0324

carpenter 명 목수

[kɑ́:rpəntər]

Jacob hired a **carpenter** to help him repair an old farmhouse. 기출
Jacob은 그가 낡은 농가를 수리하는 것을 도와줄 **목수**를 고용했다.

□ 0325

counselor 명 상담가

[káunsələr]

As a **counselor**, she has listened to people for hours. 기출
상담가로서, 그녀는 몇 시간 동안 사람들에게 귀를 기울였다.

□ 0326

secretary

명 비서

[sékrətèri]

Nick can't do anything without his **secretary.**

Nick은 그의 **비서** 없이는 아무것도 못한다.

□ 0327

physician

명 의사, 내과 의사

[fizíʃən]

If your pain continues, you should see a **physician**.

만약 너의 통증이 계속된다면, 너는 **의사**를 찾아가야 한다.

□ 0328

flight attendant

명 승무원

The **flight attendants** began passing out some drinks to the passengers. 기출

승무원들은 승객들에게 약간의 음료를 나눠주기 시작했다.

Plus +

승무원을 나타내는 말

flight attendant는 flight(비행)과 attendant(안내원)가 합쳐져서 만들어진 단어예요. 예전에는 남자 승무원을 steward, 여자 승무원을 stewardess로 구분해서 불렀지만, 요즘에는 성별 구분 없이 flight attendant라고 부른답니다.

□ 0329

shepherd

명 양치기, 목동

[ʃépərd]

A **shepherd** takes care of sheep as soon as he gets up in the morning.

양치기는 아침에 일어나자마자 양들을 돌본다.

□ 0330

after all

마침내, 결국

Jake studied hard and became a physician **after all.**

Jake는 열심히 공부했고 **마침내** 의사가 되었다.

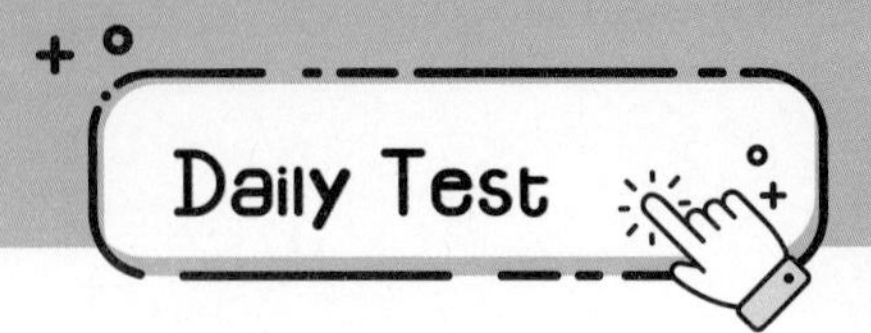

[01~05] 단어와 뜻을 알맞은 것끼리 연결하세요.

01 after all	•	• ⓐ 편집자
02 counselor	•	• ⓑ 조수, (대학의) 조교
03 tailor	•	• ⓒ 재단사
04 assistant	•	• ⓓ 마침내
05 editor	•	• ⓔ 상담가

[06~15] 우리말과 같은 뜻이 되도록 빈칸에 알맞은 단어를 쓰세요.

06 교통 경찰 traffic ____________

07 씨를 뿌리는 농부 the ____________ sowing his seeds

08 피자 가게의 친절한 점원 the kind ____________ in the pizza store

09 총을 든 군인 a(n) ____________ with a gun

10 자라서 선생님이 되다 ____________ to be a teacher

11 추리 소설의 작가 the ____________ of the mystery novel

12 나의 예전 직업 my previous ____________

13 변호사의 도움을 필요로 하다 need the services of a(n) ____________

14 말년에 비행 조종사가 되다 become a(n) ____________ later in life

15 키가 크고 힘이 센 경호원 a tall and strong ____________

[16~20] 영영 풀이에 알맞은 단어를 <보기>에서 골라 쓰세요.

<보기>	cashier	physician	photographer	teller	carpenter

16 ____________ : a person whose job is making wooden things

17 ____________ : someone who is qualified in medicine and treats patients

18 ____________ : a person to whom customers pay money in a shop

19 ____________ : a person whose job is taking photos

20 ____________ : a worker who receives and pays out money in a bank

Picture Review

사진과 함께 오늘 배운 단어를 다시 기억해보세요.

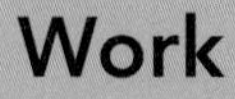

DAY 12 Work
일

결과는 effort를 배신하지 않아요. 열심히 하면 분명히 좋은 결과가 있을 거예요!

CORE 핵심 어휘

□ 0331

worker 명 근로자, 노동자

[wə́ːrkər]

The man next door was one of the cafeteria **workers** at my school. 교과서
옆집 남자는 나의 학교의 급식실 **근로자들** 중 한 명이었다.

□ 0332

boss 명 1. 상사 2. 고용주, 사장

[bɔːs]

Why did her **boss** call her into his office? 기출
왜 그녀의 **상사**는 그녀를 자신의 사무실로 불렀니?

□ 0333

able 형 1. ~할 수 있는 반 unable ~할 수 없는 2. 유능한

[éibl]

A talented worker was **able** to put his idea into practice. 교과서
한 재능 있는 근로자는 자신의 아이디어를 실행에 옮길 **수 있었다**.

+ be able to ~할 수 있다

□ 0334

skill 명 1. 역량, 기량 2. 기술

[skil]

If you want to become a data specialist, you should develop your problem-solving **skills**. 교과서
만약 네가 데이터 전문가가 되고 싶다면, 너는 문제 해결 **역량**을 개발해야 한다.

□ 0335

information

[ìnfərméiʃən]

명 정보, 자료

She analyzed the **information** to create the most useful results. 교과서

그녀는 가장 유용한 결과를 만들어내기 위해 **정보**를 분석했다.

+ inform 동 알리다, 통지하다

Plus +

information과 함께 자주 쓰이는 표현

- useful **information** 유용한 **정보**
- private **information** 사적인 **정보**
- personal **information** 개인 **정보**
- medical **information** 의학 **정보**

□ 0336

effort

[éfərt]

명 노력, 수고

Managing a team is not easy, and becoming a smart manager takes **effort**. 교과서

팀을 관리하기는 쉽지 않고, 똑똑한 관리자가 되는 것은 **노력**을 필요로 한다.

+ take effort 노력[힘]이 들다

□ 0337

fellow

[félou]

명 동료, 친구 유 peer 형 동료의, 친구의

Sally is very kind to her **fellows** at work.

Sally는 직장에서 그녀의 **동료들**에게 매우 친절하다.

□ 0338

succeed

[səksí:d]

동 성공하다 반 fail 실패하다

I worked hard to prove my value and finally **succeeded**. 교과서

나는 내 가치를 입증하기 위해 열심히 일했고 마침내 **성공했다**.

□ 0339

failure

명 실패 반 success 성공

[féiljər]

The company's latest project was a **failure.**
그 회사의 최근 프로젝트는 **실패**였다.

□ 0340

industry

명 산업, (특정 분야의) 업

[índəstri]

My wife got a job in the fashion **industry.**
나의 아내는 패션 **산업**에서 직장을 얻었다.

□ 0341

duty

명 1. 직무, 업무 2. 의무

[djú:ti]

You can get fired if you don't do your **duty.**
만약 네가 너의 **직무**를 다하지 않으면 너는 해고될 수 있다.

□ 0342

copy

명 복사본 동 복사하다, 모방하다

[ká:pi]

I made three **copies** for my boss. 교과서
나는 내 상사를 위해 세 부의 **복사본**을 만들었다.

□ 0343

print

동 인쇄하다

[print]

A: What's the problem? 기출
B: Some of the pages were not **printed** well.
A: 무엇이 문제니?
B: 몇몇 페이지들이 잘 **인쇄되지** 않았어.

+ print out 인쇄하다

□ 0344

process

명 과정 동 처리하다

[prá:ses]

Accept that failure is part of the working **process.** 기출
실패가 작업 **과정**의 일부라는 것을 받아들여라.

☐ 0345

apply 동 1. 지원하다, 신청하다 2. 적용하다

[əplái]

What made you **apply** for this position? 기출
무엇이 당신을 이 직장에 **지원하게** 만들었나요?

+ application 명 신청, 적용 apply for ~에 지원하다

☐ 0346

interview 명 면접, 인터뷰 동 면접을 보다, 인터뷰하다

[íntərvjuː]

He wants to look nice for the job **interview**. 기출
그는 취업 **면접**에서 멋져 보이기를 원한다.

☐ 0347

quit 동 그만두다 (quit-quit) 유 stop

[kwit]

Edgar **quit** his job and decided to take pictures for a living. 교과서
Edgar는 일을 **그만두고** 생업으로 사진을 찍기로 결정했다.

☐ 0348

wage 명 (-s) 임금, 급료

[weidʒ]

What are the average **wages** this year?
올해의 평균 **임금**은 얼마니?

☐ 0349

salary 명 급여, 봉급

[sǽləri]

Programming isn't easy, but the **salary** is pretty good.
프로그래밍은 쉽지 않지만, **급여**는 꽤 괜찮다.

Plus +

wage vs. salary

'일을 하고 받는 돈'을 뜻하는 wage와 salary에는 어떤 차이가 있을까요? wage는 일을 한 시간을 기준으로 계산한 임금을 의미하고 salary는 매달 고정적으로 받는 급여를 의미한답니다.

□ 0350

make it 1. 해내다, 성공하다 2. 시간 내로 하다

I dreamed of being an actor and finally **made it.**
나는 배우가 되는 것을 꿈꿨고 결국 **해냈다**.

ADVANCED 심화 어휘

□ 0351

income 명 수입, 소득 유 salary

[ínkʌm]

The company's **income** has been going up and up.
회사의 **수입**이 계속해서 오르고 있다.

□ 0352

employ 동 고용하다 유 hire

[implɔ́i]

I think it's better to **employ** an assistant to help me.
나는 나를 도와줄 조수를 **고용하는** 것이 더 좋겠다고 생각한다.

□ 0353

contract 명 계약서, 계약 동 계약하다

[kɑ́:ntrækt]

Susan and her fellows signed the new **contract**.
Susan과 그녀의 동료들은 새로운 **계약서**에 서명했다.

□ 0354

due 형 1. ~으로 예정된 2. 지불해야 하는

[dju:]

A: Fred, did you finish your project? 기출
B: Not yet. It's **due** next Monday, right?
A: Fred, 너는 네 프로젝트를 끝냈니?
B: 아직이야. 그것은 다음 주 월요일까지**로 예정되어** 있어, 맞지?

+ due date 명 기한, 만기일

☐ 0355

propose

동 제안하다, 제의하다 ㊥ suggest

[prəpóuz]

The workers **proposed** many ideas for the company.
직원들은 회사를 위해 많은 아이디어를 **제안했다**.

☐ 0356

request

명 요청 동 요청하다

[rikwést]

What my boss said sounded like a **request**. 교과서
내 상사가 말한 것은 **요청**처럼 들렸다.

☐ 0357

practical

형 1. 현실적인, 실제적인 2. 실용적인

[prǽktikəl]

The businessman's plan doesn't seem **practical**.
그 사업가의 계획은 **현실적으로** 보이지 않는다.

☐ 0358

purpose

명 목적, 의도

[pə́:rpəs]

What is the **purpose** of your visit to our company? 기출
당신이 우리 회사에 방문한 **목적**이 무엇인가요?

+ on purpose 고의로, 일부러

☐ 0359

colleague

명 (직장의) 동료

[kɑ́li:g]

Dorothy worked on the structure of the building with her **colleagues**. 기출
Dorothy는 그녀의 **동료들**과 함께 그 건물의 구조에 대해 연구했다.

☐ 0360

fill out

작성하다, 기입하다

Can you help me **fill out** the request form? 기출
내가 요청서를 **작성하는** 것을 도와줄 수 있니?

Daily Test

[01~05] 영어는 우리말로, 우리말은 영어로 쓰세요.

01 skill ______________

02 employ ______________

03 purpose ______________

04 근로자 ______________

05 산업 ______________

[06~10] 우리말과 같은 뜻이 되도록 주어진 철자로 시작하여 쓰세요.

06 생산 과정 the production p______________

07 최저 임금 the minimum w______________

08 일자리에 대한 정보 i______________ on jobs

09 공정한 계약 a fair c______________

10 현실적인 계획 a p______________ plan

[11~15] 다음 괄호 안에 주어진 지시에 맞게 빈칸을 채우세요.

11 able ~할 수 있는 → (반의어) ______________

12 fellow 동료, 친구 → (유의어) ______________

13 propose 제안하다 → (유의어) ______________

14 income 수입, 소득 → (유의어) ______________

15 succeed 성공하다 → (반의어) ______________

[16~20] 단어와 영영풀이를 알맞은 것끼리 연결하세요.

16 failure • • ⓐ to submit oneself for consideration for something, such as a job

17 apply • • ⓑ the people you work with

18 make it • • ⓒ to do one's job successfully

19 quit • • ⓓ an act that isn't successful

20 colleague • • ⓔ to stop doing something

Picture Review

사진과 함께 오늘 배운 단어를 다시 기억해보세요.

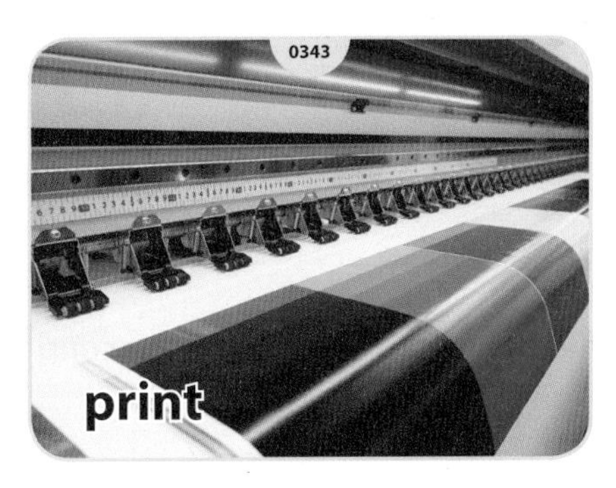

DAY 13 Office

사무실

하루하루를 행복하게 보내는 것이 important해요.

CORE 핵심 어휘

□ 0361

call 동 1. 전화하다 2. (~라고) 부르다 명 전화

[kɔːl]

A: Did anyone **call** while I was gone? 기출
B: Yes, you have a message from Lim.
A: 제가 없는 동안 누군가 **전화했나요**?
B: 네, Lim에게서 온 메시지가 있습니다.

□ 0362

meeting 명 1. 회의 2. 모임, 만남

[míːtiŋ]

The two businessmen had an argument during a **meeting.** 교과서
두 사업가는 **회의** 중에 말다툼을 했다.

□ 0363

room 명 1. 방, ~실 2. 공간, 장소

[ruːm]

She moved her office to another **room** on the second floor.
그녀는 자신의 사무실을 2층에 있는 또 다른 **방**으로 옮겼다.

□ 0364

area 명 1. 분야, 영역 2. 지역, 구역 유 region

[ɛ́əriə]

My fellows and I have a lot of experiences in this **area**.
내 동료들과 나는 이 **분야**에 많은 경험을 가지고 있다.

☐ 0365

table 명 1. 탁자, 식탁 2. 표, 목록

[téibl]

There is a huge **table** in the middle of the office.
사무실의 중앙에 거대한 **탁자**가 있다.

☐ 0366

window 명 창문

[wíndou]

I opened the office **window** to let fresh air in.
나는 신선한 공기를 안으로 들어오게 하려고 사무실 **창문**을 열었다.

☐ 0367

clip 명 1. 클립 2. 짧은 뉴스 동 자르다, 깎다

[klip]

Brian, do you need extra paper **clips**?
Brian, 너는 여분의 종이 **클립들**이 필요하니?

☐ 0368

pin 명 (무언가를 고정시키는 데 쓰는) 핀 동 (핀 등으로) 고정시키다

[pin]

Michelle used a **pin** to put a note on the board.
Michelle은 게시판에 메모를 붙이기 위해 **핀**을 사용했다.

☐ 0369

glue 명 풀, 접착제 동 접착하다

[gluː]

One of my colleagues borrowed my **glue** and didn't return it.
나의 동료들 중 한 명이 내 **풀**을 빌려 가서 그것을 돌려주지 않았다.

☐ 0370

paper 명 1. (-s) 서류, 문서 2. 종이

[péipər]

You can download the **papers** on the Internet.
너는 인터넷에서 그 **서류**를 다운로드할 수 있다.

□ 0371

scissors

명 가위

[sízərz]

My boss always uses my **scissors.**
나의 상사는 항상 내 **가위**를 사용한다.

Plus +

복수형 scissors

scissors는 항상 복수형으로 쓰이는 명사예요. 그 이유는 하나의 가위라도 항상 두 개의 날을 가지고 있기 때문이랍니다.

□ 0372

printer

명 프린터, 인쇄기

[príntər]

The 3D **printers** in the office can print out almost anything. 교과서
사무실에 있는 3D **프린터**는 거의 무엇이든 출력할 수 있다.

□ 0373

folder

명 서류철, 폴더

[fóuldər]

My colleague Michael doesn't remember where he put his **folder.**
내 동료 Michael은 그가 자신의 **서류철**을 어디에 두었는지 기억하지 못한다.

□ 0374

letter

명 1. 글자, 문자 2. 편지

[létər]

She often misses a few **letters** when she writes reports.
그녀는 보고서를 쓸 때 종종 몇몇 **글자들**을 빠뜨린다.

□ 0375

message

명 메시지, 통신 동 메시지를 보내다

[mésidʒ]

He's not in the office. Please leave a **message.** 기출
그는 사무실에 없습니다. **메시지**를 남겨주세요.

+ text message 명 문자 메시지

□ 0376

magazine

명 잡지

[mǽgəziːn]

Have you finished the cover design for our company's English **magazine**? 기출

당신은 우리 회사 영어 **잡지**의 표지 디자인을 완성했나요?

□ 0377

member

명 구성원, 회원

[mémbər]

I suggested an idea at the company meeting and the **members** loved it. 교과서

나는 회사 회의에서 아이디어를 제안했고 **구성원들**은 그것을 아주 좋아했다.

□ 0378

factory

명 공장

[fǽktəri]

Our company plans to close its **factories** in the US.

우리 회사는 미국에 있는 **공장들**을 닫을 계획이다.

□ 0379

opinion

명 의견, 견해 유 view

[əpínjən]

Listen to other team members' **opinions**. 기출

다른 팀 구성원들의 **의견들**에 귀를 기울여라.

□ 0380

on time

제시간에, 정각에

I came to the office **on time** this morning.

나는 오늘 아침에 **제시간에** 사무실에 왔다.

Plus +

time이 사용된 표현

- in time 시간에 맞춰서
- at times 가끔
- at all times 항상, 언제나
- at the same time 동시에

ADVANCED 심화 어휘

□ 0381

punch 동 (펀치로) 구멍을 뚫다 명 (구멍을 뚫는 데 쓰는) 펀치

[pʌntʃ]

Can you help me **punch** these papers?
내가 이 서류에 **구멍을 뚫는** 것을 도와줄 수 있니?

□ 0382

staple 동 스테이플러로 고정하다

[stéipl]

Grace **stapled** some reports before the meeting.
Grace는 회의 전에 몇몇 보고서들을 **스테이플러로 고정했다**.

□ 0383

envelope 명 봉투

[énvəlòup]

The **envelope** had the signature of our CEO. 교과서
그 **봉투**에는 우리 최고 경영자의 서명이 있었다.

□ 0384

photocopy 동 복사하다 명 복사

[fóutoukɑ:pi]

Mr. Park, can I **photocopy** this document?
Mr. Park, 제가 이 문서를 **복사해도** 될까요?

□ 0385

important 형 중요한

[impɔ́:rtənt]

I have a very **important** business trip tomorrow. 기출
나는 내일 매우 **중요한** 출장이 있다.

□ 0386

comfortable 형 편안한, 쾌적한 반 uncomfortable 불편한

[kʌ́mfərtəbl]

A few workers are sitting in **comfortable** chairs around a table. 교과서
몇몇 근로자들이 탁자 주변의 **편안한** 의자들에 앉아 있다.

□ 0387

client

[kláiənt]

명 고객, 의뢰인

A: Do you have time this afternoon? 기출
B: No, I need to meet my **clients**.
A: 당신은 오늘 오후에 시간이 있나요?
B: 아니오, 저는 제 **고객들**을 만나야 해요.

□ 0388

appointment

[əpɔ́intmənt]

명 1. 약속, 예약 2. 임명

First of all, you have to make an **appointment** with our staff member. 기출
우선, 당신은 우리 직원과 **약속**을 정해야 합니다.

+ make an appointment 약속을 정하다

□ 0389

notice

[nóutis]

명 1. 통지, 통보 2. 주의, 주목 동 알아채다, 인지하다

The company fired 100 workers without any **notice**.
그 회사는 어떠한 **통지**도 없이 100명의 근로자들을 해고했다.

□ 0390

turn down

거절하다

James **turned down** the other team's support.
James는 다른 팀의 지원을 **거절했다**.

Daily Test

[01~05] 단어와 뜻을 알맞은 것끼리 연결하세요.

01 folder • • ⓐ 의견
02 on time • • ⓑ 제시간에
03 table • • ⓒ 탁자, 표
04 meeting • • ⓓ 회의, 모임
05 opinion • • ⓔ 서류철, 폴더

[06~12] 영어는 우리말로, 우리말은 영어로 쓰세요.

06 call ____________
07 area ____________
08 magazine ____________
09 paper ____________
10 프린터 ____________
11 구성원 ____________
12 약속, 임명 ____________

[13~17] 빈칸에 알맞은 단어를 <보기>에서 한 번씩 골라 쓰세요.

<보기> envelope scissors factory client notice

13 The lawyer met his ____________ in his office yesterday.
14 The clothing ____________ will close this year.
15 Kate put the receipt into a(n) ____________.
16 I was fired without ____________.
17 Can I borrow your ____________ to cut the paper?

[18~20] 단어의 성격이 나머지와 다른 하나를 고르세요.

18 ① succeed ② apply ③ propose ④ message ⑤ boil
19 ① letter ② important ③ factory ④ effort ⑤ salary
20 ① comfortable ② area ③ room ④ window ⑤ duty

Picture Review

사진과 함께 오늘 배운 단어를 다시 기억해보세요.

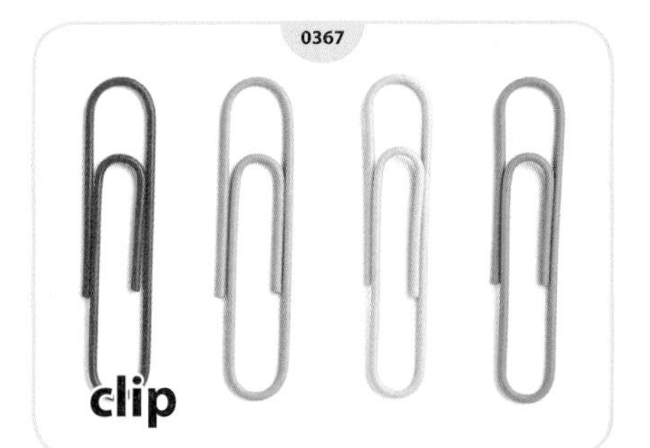

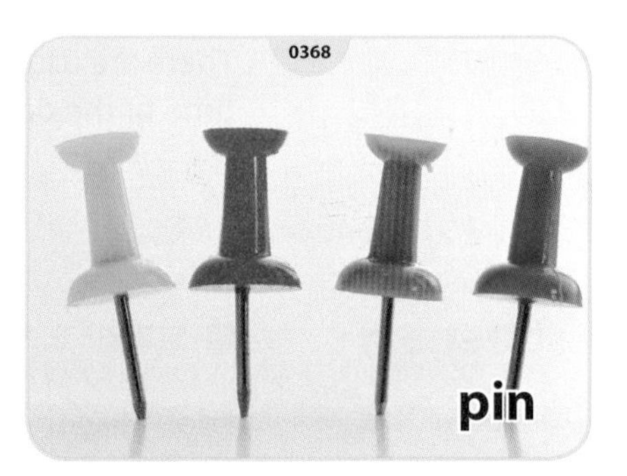

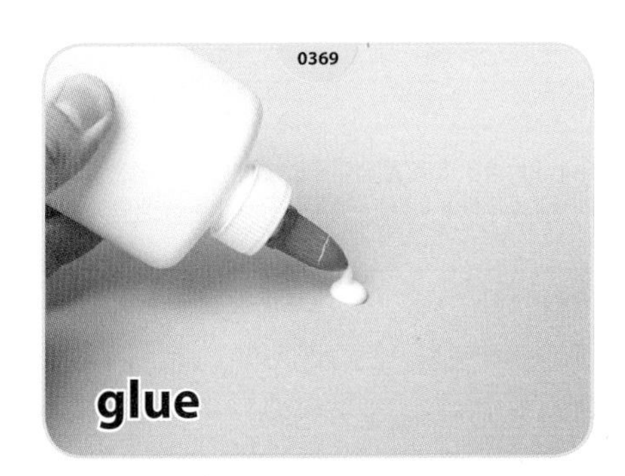

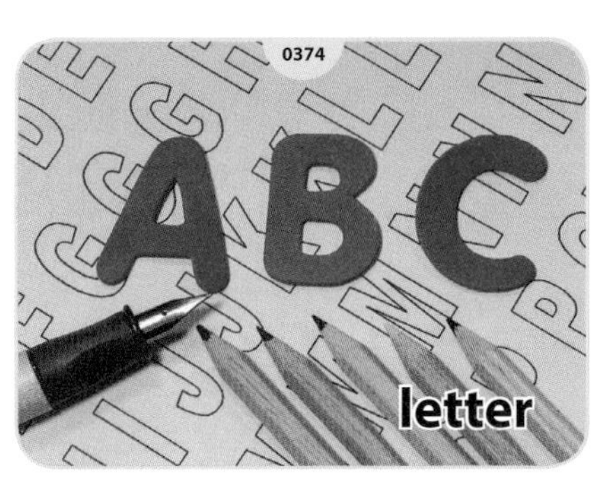

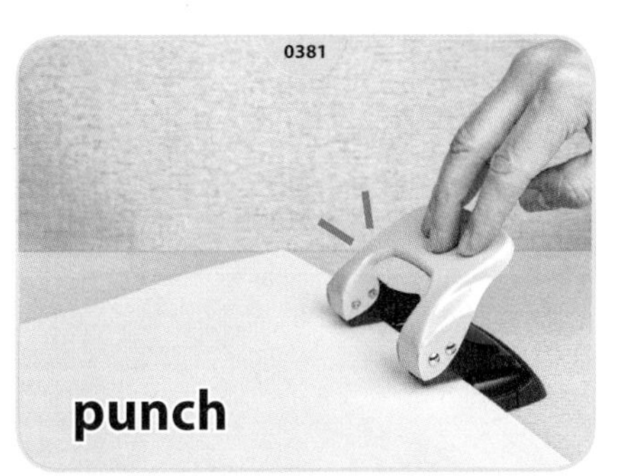

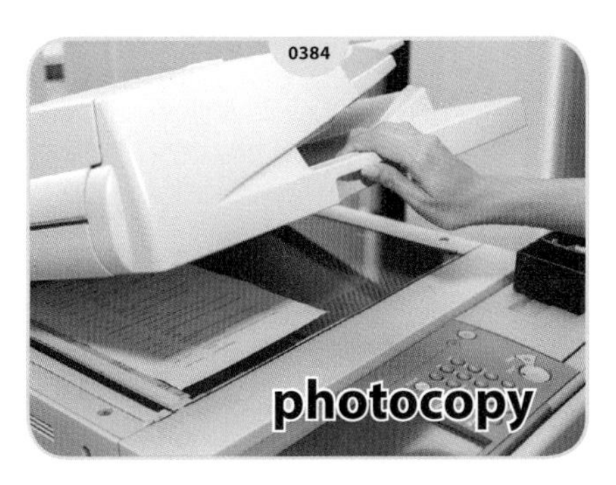

DAY 14

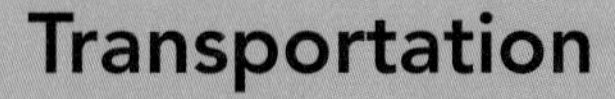

Transportation

교통

MP3 바로 듣기

때로는 slow down하면서 주변을 둘러보는 게 어떨까요?

CORE 핵심 어휘

□ 0391

road

명 도로, 길

[roud]

There are usually lots of cars on the **road** around this time of the day. 기출

하루 중 이 시간쯤에는 보통 **도로**에 수많은 차들이 있다.

□ 0392

street

명 1. 거리 2. 차도, 도로

[striːt]

I don't like the noise of the cars in the busy **streets.**

나는 혼잡한 **거리들**의 자동차 소음을 좋아하지 않는다.

Plus +

road vs. street

road는 주로 차가 많이 지나다니는 넓은 '도로'를 의미해요. 반면에, street은 주로 양쪽에 가게들이 들어서 있고 사람들이 걸어 다니는 '거리'나 규모가 작은 '도로'를 의미해요.

□ 0393

route

명 노선, 경로, 길

[ruːt]

The **route** for bus 11 can be changed slightly. 기출

11번 버스의 **노선**이 약간 바뀔 수 있다.

□ 0394

rail

명 1. 레일, 철도 2. 난간

[reil]

Trains can only run on **rails.**

기차는 오직 **레일** 위에서만 달릴 수 있다.

□ 0395

track

명 1. 트랙, 경주로 2. 길 3. 선로

[træk]

I followed the **track** by a mountain bike.
나는 산악자전거를 타고 그 **트랙**을 따라갔다.

□ 0396

block

명 (도로의) 블록, 구역 동 막다

[blɑːk]

Go up this street one **block**, turn left, and the store will be on your left. 기출
이 거리를 한 **블록** 올라가고, 왼쪽으로 돌면, 그 가게가 당신의 왼쪽에 있을 겁니다.

□ 0397

traffic

명 교통량, 교통

[trǽfik]

A: We have an hour before the concert. 기출
B: But there's heavy **traffic** at this hour. We should hurry.
A: 우리는 콘서트 전까지 한 시간이 있어.
B: 하지만 이 시간에는 극심한 **교통량**이 있어. 우리는 서둘러야 해.

□ 0398

sign

명 1. 표지판, 간판 2. 신호, 표시 동 서명하다

[sain]

Traffic **signs** are very useful for beginner drivers.
교통 **표지판**은 초보 운전자들에게 매우 유용하다.

+ signature 명 서명, 특징

□ 0399

straight

부 일직선으로, 똑바로 형 곧은, 똑바른

[streit]

Go **straight** two blocks and turn right. 기출
일직선으로 두 블록을 가서 오른쪽으로 돌아라.

□ 0400

stop | 동 멈추다, 중단하다 명 1. 멈춤 2. 정류장

[stɑːp]

I was almost hit by a car, but luckily, the car **stopped** right in front of me. 기출

나는 거의 차에 치일 뻔했지만, 다행히도, 그 차는 바로 내 앞에서 **멈췄다**.

□ 0401

go | 동 1. 가다 2. 어울리다 (went-gone)

[gou]

If you **go** by train, you don't have to worry about traffic jams on the way. 기출

네가 기차를 타고 **가면**, 가는 길에 교통 체증에 대해 걱정할 필요가 없다.

+ go well with ~과 잘 어울리다

□ 0402

come | 동 1. 오다 2. (일이) 일어나다 (came-come)

[kʌm]

Oh, here **comes** the bus. 기출

오, 버스가 **온다**.

□ 0403

drive | 동 운전하다 (drove-driven) 명 운전

[draiv]

You'd better **drive** slowly at night. 기출

너는 밤에 천천히 **운전하는** 것이 좋을 것이다.

□ 0404

bicycle | 명 자전거 유 bike, cycle

[báisikl]

I got on my **bicycle** and rode back along the tracks. 교과서

나는 내 **자전거**를 타고 선로를 따라 돌아왔다.

□ 0405

wheel | 명 바퀴

[wiːl]

He changed the front **wheel** of the bicycle.

그는 자전거의 앞**바퀴**를 교체했다.

□ 0406

park

동 주차하다 명 공원

[pɑːrk]

Can I **park** my car on the side of the road here?
여기 길가에 내 차를 **주차해도** 되니?

+ parking lot 명 주차장

□ 0407

subway

명 지하철 유 underground

[sʌ́bwèi]

We can take buses or **subways** instead of cars. 기출
우리는 자동차 대신 버스나 **지하철**을 이용할 수 있다.

Plus +

지하철은 미국에서 subway라고 표현하지만, 영국에서는 underground라고 해요. 영국의 수도 런던에서는 지하철을 the tube라고 부르기도 하는데, 지하철이 둥글고 긴 튜브 모양처럼 생긴 것에서 유래했어요.

□ 0408

ticket

명 표, 티켓

[tíkit]

Children's **tickets** for subways are half price. 기출
어린이용 지하철 **표**는 반값이다.

□ 0409

accident

명 1. 사고, 재해 2. 우연

[ǽksidənt]

A man had a serious car **accident** in the road.
한 남자가 도로에서 심각한 차 **사고**를 당했다.

+ accidental 형 우연한

□ 0410

slow down

(속도·진행을) 늦추다

The bus driver **slowed down** in front of the school.
버스 운전사는 학교 앞에서 **속도를 늦췄다**.

ADVANCED 심화 어휘

□ 0411

fare | 명 (교통) 요금, 운임

[feər]

A: How much is the bus **fare**?
B: Um, I don't know exactly.
A: 버스 **요금**이 얼마니?
B: 음, 나는 정확히는 몰라.

□ 0412

forward | 부 (시·공간적으로) 앞으로 반 backward 뒤로 형 앞쪽의

[fɔ́:rwərd]

Do you mind moving your car **forward** a little bit? 기출
당신의 차를 조금 **앞으로** 움직여줄 수 있나요?

□ 0413

sidewalk | 명 인도, 보도

[sáidwɔ̀:k]

You shouldn't ride your bike on the **sidewalk**.
너는 **인도**에서 너의 자전거를 타면 안 된다.

□ 0414

station | 명 역, 정거장

[stéiʃən]

Sean needed to know the way to the subway **station**. 기출
Sean은 지하철**역**으로 가는 길을 알아야 했다.

□ 0415

convenient | 형 편리한, 간편한 반 inconvenient 불편한

[kənví:njənt]

I think taking a train is much faster and more **convenient** than taking a car. 기출
나는 기차를 타는 것이 차를 타는 것보다 훨씬 더 빠르고 더 **편리하다고** 생각한다.

□ 0416

deliver

[dilívər]

동 배달하다, 전하다

Some packages are being **delivered** by trucks.
몇몇 소포들이 트럭으로 **배달되고** 있다.

+ delivery 명 배달, 전달

□ 0417

through

[θruː]

전 ~을 지나, 통과하여

Elise drove **through** the tunnel to her house.
Elise는 터널을 **지나** 그녀의 집을 향해 운전했다.

Plus +

through vs. thorough

through와 thorough는 철자가 비슷하기 때문에 혼동하지 않도록 주의해야 해요. thorough는 '철저한'을 의미하는 형용사예요.

- run **through** the field 밭을 **지나** 달리다
- a **thorough** search **철저한** 조사

□ 0418

bump

[bʌmp]

동 충돌하다, 부딪치다 명 충돌

A car behind me **bumped** into my car.
내 뒤의 차가 내 차에 **충돌했다**.

□ 0419

everywhere

[évriwer]

부 어디든지, 도처에, 곳곳에서

You can see cars **everywhere** in this city.
이 도시의 **어디든지** 차를 볼 수 있다.

□ 0420

ahead of

1. (시·공간적으로) ~의 앞에 2. (시합 등에서) ~보다 앞선

There are so many cars on the road **ahead of** mine.
도로에 매우 많은 차들이 내 차**의 앞에** 있다.

Daily Test

[01~10] 영어는 우리말로, 우리말은 영어로 쓰세요.

01 road ______________

02 traffic ______________

03 forward ______________

04 route ______________

05 straight ______________

06 ~을 지나 ______________

07 편리한 ______________

08 배달하다 ______________

09 운전하다, 운전 ______________

10 인도, 보도 ______________

[11~15] 빈칸에 알맞은 단어를 <보기>에서 한 번씩 골라 쓰세요.

<보기>	accident	ahead of	everywhere	stop	go

11 There was a car ______________ yesterday.

12 I ______________ to school on foot.

13 There is a traffic light ______________ the building.

14 You can find buses ______________ in this city.

15 The train will ______________ at Seoul Station.

[16~20] 단어와 영영 풀이를 알맞은 것끼리 연결하세요.

16 fare • • ⓐ the money you pay to ride buses, subways, taxis, planes, boats, or trains

17 street • • ⓑ to hit something by accident while moving

18 bump • • ⓒ a road in a city or town, usually having houses along it

19 park • • ⓓ to leave a car or motorcycle in a certain space for a while

20 subway • • ⓔ an underground railway

Picture Review

사진과 함께 오늘 배운 단어를 다시 기억해보세요.

DAY 15 Restaurants & Stores

식당과 상점

Fresh한 수박은 두드렸을 때 '통통'하는 청명한 소리가 난대요.

CORE 핵심 어휘

☐ 0421

order

동 주문하다 명 1. 주문 2. 순서, 질서

[ɔ́:rdər]

I'd like to **order** a chicken sandwich and a soda. 기출
저는 치킨 샌드위치와 탄산음료를 **주문하고** 싶어요.

Plus +

order를 사용해서 주문하기

음식점에 가서 주문할 때는 아래와 같은 표현을 써서 말할 수 있어요!

I'm ready to order. 주문할 준비가 됐어요.
May I order? 주문해도 될까요?
I'd like to make an order. 주문하고 싶어요.

☐ 0422

take

동 1. 받다 2. 가져가다 3. (시간이) 걸리다 (took-taken)

[teik]

The waiter kindly **took** my order.
종업원이 친절하게 나의 주문을 **받았다**.

Plus +

take는 뒤에 교통수단과 관련된 단어가 오면 '~을 타다'라고 해석되고, 뒤에 약이 오면 '약을 복용하다, 먹다'라고 해석돼요.

I **took** the train to Busan. 나는 부산으로 가는 기차를 **탔다**.
You should **take** some medicine. 너는 약을 **먹어야** 해.

☐ 0423

counter

명 계산대, 카운터

[káuntər]

Please put your purchases on the **counter**. 기출
당신의 구입품들을 **계산대**에 놓아주세요.

□ 0424

bill

명 1. 계산서, 청구서 ㊒ check 2. 지폐

[bil]

Miles asked the waiter to bring him the **bill.**
Miles는 종업원에게 **계산서**를 가져다 달라고 요청했다.

□ 0425

bar

명 1. (특정 음료·음식) 전문점, 바 2. 막대, 막대 모양의 것

[bɑːr]

There is a famous sandwich **bar** near my home.
나의 집 근처에 유명한 샌드위치 **전문점**이 있다.

□ 0426

owner

명 주인, 소유주

[óunər]

The **owner** of the shoe store is kind to customers.
그 신발 가게의 **주인**은 고객들에게 친절하다.

□ 0427

set

동 1. 놓다, 두다 2. ~하게 하다 (set-set) 명 세트, 한 짝

[set]

The restaurant manager **set** chairs around the table.
레스토랑 관리자가 탁자 주위에 의자들을 **놓았다**.

□ 0428

item

명 1. 물품, 품목 2. 항목, 조항

[áitəm]

Don't buy **items** that aren't on the list even though they're on sale. 교과서
목록에 없는 **물품들**은 비록 그것들이 할인 중이더라도 사지 마라.

□ 0429

box

명 1. 상자, 함 2. 네모, 칸

[bɑːks]

A: I'm looking for a **box** for the chocolate I made for my mom. 기출
B: We sell heart-shaped **boxes.**
A: 제가 엄마를 위해 만든 초콜릿에 적합한 **상자**를 찾고 있어요.
B: 저희는 하트 모양의 **상자들**을 판매합니다.

☐ 0430

bin | 명 1. 쓰레기통 ㊌ trash can 2. (뚜껑이 달린) 통, 상자

[bin]

The cook threw the food waste into the **bin**.
요리사가 음식물 쓰레기를 **쓰레기통**에 버렸다.

☐ 0431

cart | 명 카트, 수레

[kɑːrt]

Janice bought many items, so her **cart** was full.
Janice가 많은 물품들을 사서, 그녀의 **카트**는 가득 찼었다.

☐ 0432

bottle | 명 병, 병 모양의 용기

[bɑ́ːtl]

I ordered ten water **bottles** at the store two days ago. 기출
나는 이틀 전에 그 가게에서 열 개의 물**병**을 주문했다.

☐ 0433

tube | 명 1. (물감·치약 등의) 통 2. (금속·유리 등의) 관

[tjuːb]

A: I need some hand cream. 기출
B: This one is selling well these days. It's 10 dollars per **tube**.
A: 저는 핸드크림이 필요해요.
B: 이 제품이 요즘 잘 팔리고 있어요. 이것은 한 **통**에 10달러예요.

☐ 0434

straw | 명 1. 빨대 2. 짚, 밀짚

[strɔː]

Many stores are using paper **straws** nowadays.
많은 가게들이 요즘 종이 **빨대**를 사용하고 있다.

☐ 0435

spray | 명 스프레이, 분무기 동 뿌리다, 분무하다

[sprei]

John will buy a bottle of hair **spray** for his dad.
John은 그의 아빠를 위해 헤어**스프레이** 한 병을 살 것이다.

□ 0436

wipe 동 (먼지·물기 등을) 닦다

[waip]

I'll **wipe** the shop window until it's shiny. 기출
나는 가게 창문이 반짝거릴 때까지 **닦을** 것이다.

□ 0437

fresh 형 1. 신선한, 싱싱한 2. 상쾌한, 맑은

[freʃ]

Our store has some **fresh** eggs. 기출
우리 가게는 **신선한** 달걀을 조금 가지고 있다.

□ 0438

bakery 명 빵집, 제과점

[béikəri]

Let's buy some bread at the **bakery**.
빵집에서 빵을 조금 사자.

□ 0439

amount 명 양, 액수 유 sum

[əmáunt]

I ordered the proper **amount** of food for two of us.
나는 우리 두 사람에게 적절한 **양**의 음식을 주문했다.

□ 0440

on one's way 가는 길에, 가는 도중에

On her way home from work, Kate dropped by a burger store to buy dinner. 기출
직장에서 집으로 **가는 길에**, Kate는 저녁을 사기 위해 버거 가게에 들렀다.

ADVANCED 심화 어휘

□ 0441

bundle 명 묶음, 다발

[bʌ́ndl]

We sell those magazines in a **bundle** only.
우리는 그 잡지들을 오직 **묶음**으로만 판매합니다.

☐ 0442

package

명 소포, 꾸러미

[pǽkidʒ]

Can you deliver the **package** to my home?
너는 나의 집으로 **소포**를 배달해줄 수 있니?

☐ 0443

rare

형 희귀한, 드문 반 common 흔한

[rεər]

Some people spend a lot of money buying **rare** stamps. 기출
어떤 사람들은 **희귀한** 우표들을 사는 데 많은 돈을 쓴다.

Plus +

rare steak(희귀한 스테이크)?

rare steak는 우리말로 '희귀한 스테이크'가 아니라 '살짝 익힌 스테이크'라는 뜻이에요! 여기서 rare는 스테이크와 같은 고기의 익힘 정도를 나타내어 '설익은, 살짝 익힌'의 뜻으로 쓰였답니다. 반대로 '완전히 익힌'의 뜻을 나타낼 때는 well-done이라는 표현을 사용해요.

☐ 0444

container

명 용기, 그릇

[kəntéinər]

The restaurant keeps a large amount of ice in a huge **container.**
그 식당은 많은 양의 얼음을 커다란 **용기**에 보관한다.

+ contain 동 포함하다, 들어 있다

☐ 0445

freezer

명 냉동고

[fríːzər]

The chef put the milk in the **freezer** while it was still hot. 교과서
주방장이 우유가 아직 뜨거울 때 그것을 **냉동고**에 넣었다.

+ freeze 동 얼다, 얼리다

☐ 0446

recommend

[rèkəménd]

동 1. 추천하다, 권하다 2. 충고하다

Could you **recommend** a good burger place? 기출
좋은 버거 가게를 **추천해줄** 수 있니?

☐ 0447

total

[tóutl]

명 총액, 총계 형 총, 전체의

You had a steak, french fries, and a salad. So your **total** is 50 dollars. 기출
당신은 스테이크, 감자튀김, 그리고 샐러드를 드셨습니다. 따라서 당신의 **총액**은 50달러입니다.

☐ 0448

variety

[vəráiəti]

명 다양성, 다양

A lot of ingredients add **variety** to the restaurant's dishes.
많은 재료들이 그 식당의 요리에 **다양성**을 더한다.

＋ a variety of 다양한

☐ 0449

condition

[kəndíʃən]

명 1. 상태 2. 환경

We sell a bunch of old books. They are still in good **condition.** 기출
우리는 다수의 오래된 책들을 판매한다. 그것들은 여전히 좋은 **상태**에 있다.

☐ 0450

fill in

1. (빈칸 등에) 기입하다, 써넣다 2. ~을 채우다, 메우다

To order a meal, please **fill in** the order form.
식사를 주문하시려면, 주문서에 **기입해** 주세요.

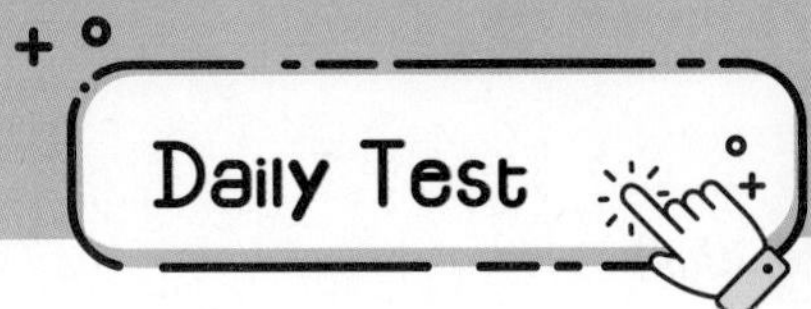

[01~05] 단어와 뜻을 알맞은 것끼리 연결하세요.

01 container	•	• ⓐ 받다, 가져가다, (시간이) 걸리다
02 take	•	• ⓑ 가는 길에
03 bin	•	• ⓒ 놓다, ~하게 하다, 세트
04 set	•	• ⓓ 용기, 그릇
05 on one's way	•	• ⓔ 쓰레기통, (뚜껑이 달린) 통

[06~14] 우리말과 같은 뜻이 되도록 주어진 철자로 시작하여 쓰세요.

06 샌드위치 전문점 a sandwich b______________

07 종이컵 한 묶음 a b______________ of paper cups

08 적절한 양의 빵 the proper a______________ of bread

09 치킨 샐러드를 주문하다 o______________ a chicken salad

10 멤버십 신청서를 써넣다 f______________ the membership application form

11 사야 할 물품들 the i______________ to buy

12 저녁 식사의 총액 the t______________ for dinner

13 상점의 신선한 채소들 f______________ vegetables at the store

14 가게의 바닥을 닦다 w______________ the floor of the shop

[15~20] 빈칸에 알맞은 단어를 <보기>에서 한 번씩 골라 쓰세요.

<보기>	bakery	condition	rare	owner	bill	recommend

15 Can I have the ______________, please?

16 Who is the ______________ of this café?

17 Can you ______________ the best item from this restaurant?

18 The strawberry cake I bought at the ______________ is really delicious.

19 The pork in the market today is in good ______________.

20 The vintage clothing shop sells ______________ clothes.

Picture Review

사진과 함께 오늘 배운 단어를 다시 기억해보세요.

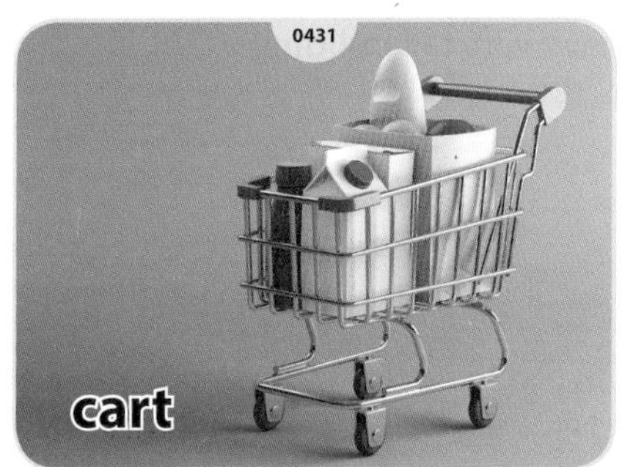

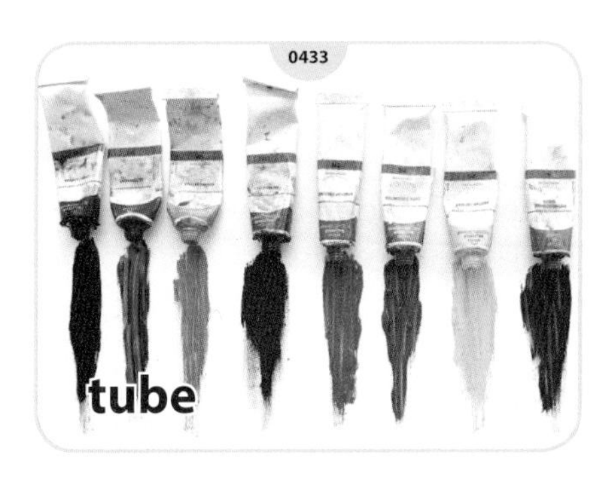

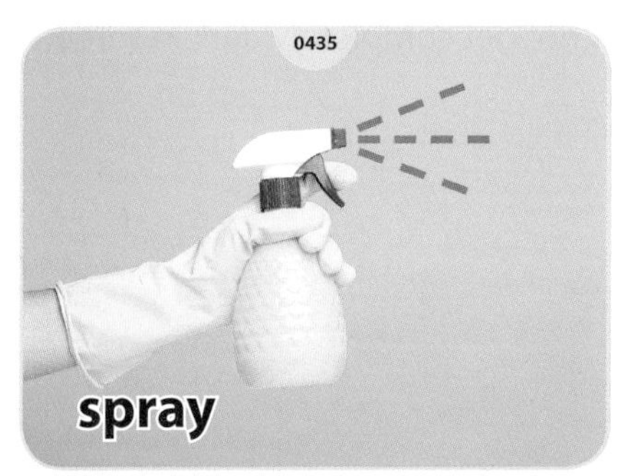

DAY 16

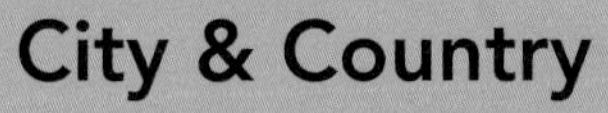

City & Country

도시와 시골

가을은 그동안 뿌린 씨앗들의 열매를 harvest하는 계절이에요.

CORE 핵심 어휘

□ 0451

building [bíldiŋ]

명 1. 건물 2. 건축

Many large cities have very tall **buildings**. 기출
많은 대도시에는 매우 높은 **건물들**이 있다.

□ 0452

tower [táuər]

명 타워, 탑

The night view from the **tower** is fantastic. 기출
타워에서 보는 야경이 환상적이다.

□ 0453

bridge [bridʒ]

명 다리, 교량

There are many wonderful **bridges** in my city. 기출
나의 도시에는 많은 멋진 **다리들**이 있다.

□ 0454

sky [skai]

명 하늘

The night **sky** does not get completely dark in some cities. 교과서
일부 도시들에서는 밤**하늘**이 완전히 어두워지지 않는다.

☐ 0455

dust 명 1. 먼지 ㊚ dirt 2. 가루

[dʌst]

Fine-**dust** levels are very high in the city these days. 기출
요즘 도시에서는 미세 **먼지** 수치가 매우 높다.

☐ 0456

downtown 명 도심 형 도심의 부 도심에

[dàuntáun]

My apartment is located near **downtown**. 기출
내 아파트는 **도심** 근처에 위치해 있다.

☐ 0457

address 명 1. 주소 2. 연설 ㊚ speech 동 연설하다

[ǽdres]

A: Can I get a pizza delivered to my apartment? 기출
B: Sure. Can I have your **address**, please?
A: 제 아파트로 피자를 배달받을 수 있나요?
B: 그럼요. 당신의 **주소**를 알려주시겠어요?

☐ 0458

center 명 1. (사람이 모이는) 센터, 시설 2. 중심, 중앙 ㊚ middle

[séntər]

Austin usually goes to the shopping **center** on weekends.
Austin은 보통 주말마다 쇼핑**센터**에 간다.

☐ 0459

zone 명 구역, 지대, 지역

[zoun]

There is usually a safety **zone** for children near schools.
보통 학교 근처에는 어린이들을 위한 안전 **구역**이 있다.

☐ 0460

fancy 형 화려한, 장식적인 ㊝ plain 평범한

[fǽnsi]

I want a **fancy** life in a big city.
나는 대도시에서의 **화려한** 삶을 원한다.

☐ 0461

chimney ⓜ 굴뚝

[tʃímni]

We rarely see houses with **chimneys** in the city.
우리는 도시에서 **굴뚝**이 있는 집들을 거의 보지 못한다.

+ chimney sweep ⓜ 굴뚝 청소부

☐ 0462

hometown ⓜ 고향

[hóumtaun]

Are you going to your **hometown** for Chuseok? 기출
너는 추석에 네 **고향**에 갈 거니?

☐ 0463

countryside ⓜ 시골, 지방

[kʌ́ntrisaid]

My family moved to the **countryside** last year. 기출
나의 가족은 작년에 **시골**로 이사했다.

☐ 0464

barn ⓜ 외양간, 헛간

[bɑːrn]

The children are helping their uncle drive the cows into the **barn**. 기출
아이들은 그들의 삼촌이 소들을 **외양간**으로 몰아넣는 것을 돕고 있다.

☐ 0465

hay ⓜ 건초, 여물

[hei]

The farmer is cutting grass to make **hay** for his horses.
농부가 자신의 말들을 위한 **건초**를 만들기 위해 풀을 베고 있다.

☐ 0466

cage ⓜ (동물의) 우리, 새장

[keidʒ]

Animals are kept in **cages** at a zoo.
동물들이 동물원의 **우리**에 갇혀 있다.

□ 0467

bark

동 짖다 **명** 짖는 소리

[bɑːrk]

I couldn't sleep well because the dog next door was **barking** last night.
나는 잠을 잘 자지 못했는데 이는 옆집 개가 지난밤에 **짖었기** 때문이다.

Plus +

영어와 한국어의 동물별 울음소리

개가 짖는 소리를 한국어로는 "멍멍"이라고 표현하지만, 영어로는 "woof"라고 해요. 고양이가 "야옹"하는 소리는 영어로 "meow"라고 하고, 소가 "음매"하는 소리는 "moo"라고 해요. 돼지가 "꿀꿀"하는 것은 "oink"라고 표현한답니다. 어떤 언어가 동물들의 실제 울음소리를 더 비슷하게 표현했나요?

□ 0468

amaze

동 놀라게 하다 ㊌ surprise

[əméiz]

The tallest building in Dubai **amazed** architects.
두바이에 있는 가장 높은 건물은 건축가들을 **놀라게 했다**.

+ amazing 형 놀라운 amazed 형 놀란

□ 0469

lifetime

명 1. 일생, 생애 2. 수명 **형** 일생의, 생애의

[láiftaim]

Throughout his **lifetime**, Alex has lived in the countryside.
그의 **일생** 동안, Alex는 시골에 살았다.

□ 0470

give a hand

도와주다

The farmer is **giving a hand** to other farmers planting seeds.
그 농부는 씨를 심고 있는 다른 농부들을 **도와주고** 있다.

Plus +

give a hand

누군가를 '도와주다'라고 말할 때, 우리말로 종종 '손을 보태다'라는 표현을 써요. 이처럼 영어로도 give a hand는 말 그대로 '손을 주다', 즉 '손을 보태다(도와주다)'의 의미로 사용된답니다.

ADVANCED 심화 어휘

□ 0471

harvest 명 수확, 수확물 동 수확하다

[hάːrvist]

In the autumn, farmers expect successful **harvests.**
가을에는, 농부들이 성공적인 **수확**을 기대한다.

□ 0472

orchard 명 과수원

[ɔ́ːrtʃərd]

We picked apples from the trees in the **orchard.**
우리는 **과수원**의 나무에서 사과들을 땄다.

□ 0473

rural 형 시골의, 지방의 반 urban 도시의

[rúərəl]

Which environment do you prefer — a big city or a **rural** area? 기출
너는 대도시와 **시골** 지역 중에 어떤 환경을 선호하니?

□ 0474

pasture 명 초원, 목장 유 grassland

[pǽstʃər]

Look at the cows eating grass in the **pasture**!
초원에서 풀을 먹고 있는 소들을 봐!

□ 0475

scarecrow 명 허수아비

[skǽrkrou]

Put the **scarecrow** in the field to scare away the birds.
새들을 쫓아내기 위해서 들판에 **허수아비**를 두어라.

Plus + scarecrow는 '겁을 주다'라는 뜻의 scare와 '까마귀'를 뜻하는 crow의 합성어예요. 까마귀와 같은 새들이 곡식을 먹어 농사를 망치지 않도록, 농부들이 사람의 모습을 한 허수아비를 밭에 세워서 새들에게 겁을 주어 쫓아낸답니다.

☐ 0476

landscape 명 풍경, 경치 ㊐ scenery

[lǽndskeip]

The rural **landscape** is very peaceful and beautiful, isn't it? 교과서

시골 **풍경**이 매우 평화롭고 아름다워, 그렇지 않니?

☐ 0477

agriculture 명 농업, 농사 ㊐ farming

[ǽgrikʌ̀ltʃər]

Ella's grandparents work in **agriculture.**

Ella의 조부모는 **농업**에 종사한다.

☐ 0478

migrate 동 이주하다, 이동하다

[máigreit]

Many young people **migrated** from rural areas to cities.

많은 젊은 사람들이 시골 지역에서 도시로 **이주했다**.

☐ 0479

distance 명 1. 거리, 간격 2. 먼 거리, 먼 곳

[dístəns]

I want an apartment within walking **distance** of my school. 기출

나는 학교에 걸어갈 수 있는 **거리**에 있는 아파트를 원한다.

☐ 0480

sooner or later 조만간, 머지않아

The man will leave the city **sooner or later.**

남자는 **조만간** 그 도시를 떠날 것이다.

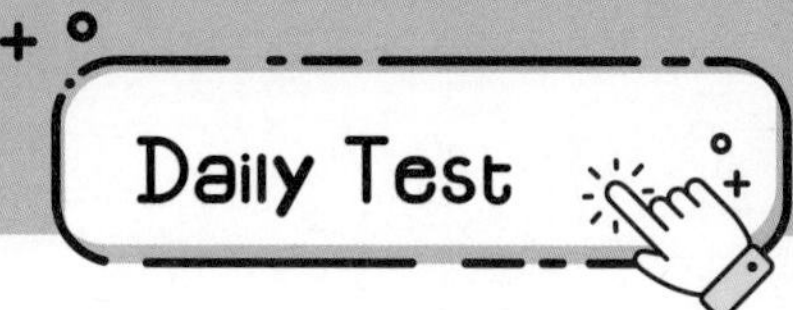

[01~10] 우리말과 같은 뜻이 되도록 빈칸에 알맞은 단어를 쓰세요.

01 높은 탑　a high ______________

02 내 집의 주소　the ______________ of my house

03 농사를 도와주다　______________ with the farming

04 푸른 하늘　the blue ______________

05 초원 위의 나무　a tree on a(n) ______________

06 농업에 종사하다　work in ______________

07 밭의 허수아비　a(n) ______________ in the field

08 새장 안의 새들　birds in a(n) ______________

09 먼 거리로부터　from a far ______________

10 고향을 그리워하다　miss the ______________

[11~15] 빈칸에 알맞은 단어를 <보기>에서 한 번씩 골라 쓰세요.

<보기>	harvest	center	sooner or later	downtown	migrate

11 I go to a community ______________ twice a week to learn English.

12 My office is ______________.

13 Will you ______________ to another city?

14 Farmers are busy during the ______________.

15 They will move to the city ______________.

[16~20] 다음 괄호 안에 주어진 지시에 맞게 빈칸을 채우세요.

16 dust 먼지 → (유의어) ______________

17 rural 시골의 → (반의어) ______________

18 landscape 풍경, 경치 → (유의어) ______________

19 fancy 화려한 → (반의어) ______________

20 amaze 놀라게 하다 → (유의어) ______________

Picture Review

사진과 함께 오늘 배운 단어를 다시 기억해보세요.

DAY 17

Health & Safety

건강과 안전

음식뿐만 아니라 공부하는 것도 digest한다고 이야기해요.

CORE 핵심 어휘

□ 0481

sick

형 1. 아픈, 병든　2. 싫증난, 지친

[sik]

The old man looked very **sick.** 교과서

노인은 매우 **아파** 보였다.

+ be sick of ~에 싫증나다

□ 0482

sore

형 아픈, 쓰라린

[sɔːr]

A: I have a **sore** throat. 기출

B: I see. Would you open your mouth?

A: 저는 목이 **아픕니다**.

B: 그렇군요. 당신의 입을 벌려 보시겠어요?

□ 0483

throat

명 목구멍, 목

[θrout]

The baby's **throat** is swollen. 기출

아기의 **목구멍**이 부어 있다.

□ 0484

pain

명 통증, 아픔　유 ache

[pein]

Too much use of smartphones can cause neck **pain.** 교과서

스마트폰의 과도한 사용은 목 **통증**을 유발할 수 있다.

□ 0485

flu [fluː]

명 독감, 유행성 감기

Many people are catching a new kind of **flu** these days. 기출
요즘 많은 사람들이 새로운 종류의 **독감**에 걸리고 있다.

□ 0486

trouble [trʌ́bl]

명 1. 문제, 어려움 2. 병, 통증

Do you have **trouble** getting to sleep? 기출
너는 잠드는 데 **문제**가 있니?

+ have trouble ~ing ~하는 데 어려움을 겪다

□ 0487

slide [slaid]

동 미끄러지다 (slid-slid) 명 미끄럼틀

He **slid** on ice, and he had trouble getting up. 기출
그가 얼음 위에서 **미끄러졌고**, 일어나는 데 어려움을 겪었다.

□ 0488

blood [blʌd]

명 혈액, 피

Now let's check your **blood** type. 기출
이제 너의 **혈액**형을 검사해보자.

□ 0489

health [helθ]

명 건강, 건강 상태

Enjoying the sunshine is good for our **health**.
햇빛을 쬐는 것은 우리의 **건강**에 좋다.

□ 0490

patient [péiʃənt]

명 환자 형 참을성 있는, 끈기 있는

Getting rest can help a **patient** recover his strength. 기출
휴식을 취하는 것은 **환자**가 원기를 회복하는 것을 도울 수 있다.

☐ 0491

dead

형 죽은, 생명이 없는

[ded]

He held his breath because bears do not touch **dead** people. 기출

그는 숨을 참았는데 이는 곰이 **죽은** 사람들을 건드리지 않기 때문이다.

+ death 명 죽음, 사망

☐ 0492

alive

형 1. 살아있는 2. 생생한

[əláiv]

"They are lucky to be **alive**," said the fireman. 기출

"그들이 **살아있다니** 정말 행운이다,"라고 소방관이 말했다.

☐ 0493

medicine

명 약, 약물 유 drug

[médisn]

I took some **medicine**, but it didn't seem to help. 기출

나는 **약**을 조금 먹었지만, 그것이 도움이 되는 것 같지 않았다.

☐ 0494

pill

명 알약

[pil]

Take two **pills** three times a day, after each meal. 기출

하루에 세 번 식사 후에 **알약** 두 개를 섭취하세요.

☐ 0495

poison

명 독, 독약

[pɔ́izn]

Certain plants have **poison** on their leaves.

특정한 식물들은 잎에 **독**을 가지고 있다.

+ poisonous 형 독이 있는, 유해한

☐ 0496

arm

명 팔 동 무장하다, 무장시키다

[ɑːrm]

Chris broke his **arm**.

Chris는 **팔**이 부러졌다.

☐ 0497

suffer

동 괴로워하다, 고통받다

[sʌ́fər]

People are **suffering** from unwanted noise at night. 기출

사람들이 밤에 원치 않는 소음으로 **괴로워하고** 있다.

☐ 0498

blind

형 눈이 먼, 앞을 못 보는

[blaind]

She had a high fever, and it caused her to become **blind**. 기출

그녀는 고열이 있었고, 그것은 그녀를 **눈이 멀게** 했다.

☐ 0499

relax

동 1. 편히 쉬다 2. (긴장이) 풀리다

[rilǽks]

Lots of people **relax** or exercise at the park. 교과서

많은 사람들이 공원에서 **편히 쉬거나** 운동한다.

☐ 0500

watch out

조심하다, 주의하다

Watch out for bees when going on picnics in the spring.

봄에 소풍을 갈 때는 벌들을 **조심해라**.

ADVANCED 심화 어휘

☐ 0501

breath

명 숨, 호흡

[breθ]

Take a deep **breath** and relax. 기출

깊은 **숨**을 들이쉬고 긴장을 풀어라.

+ breathe 동 호흡하다

Plus + breathe 뒤에 in(안으로)을 붙이면 '숨을 들이쉬다'를 뜻해요. 반대로 breathe 뒤에 out(밖으로)을 붙여 '숨을 내쉬다'라는 표현도 만들 수 있어요.

□ 0502

safety

명 안전, 안전성 반 danger 위험

[séifti]

For your **safety**, don't forget to wear a helmet when you ride a bike. 기출

너의 **안전**을 위해서, 자전거를 탈 때 헬멧을 쓰는 것을 잊지 마라.

Plus +

접미사 ty

ty는 형용사 뒤에 붙어서 성질이나 상태를 나타내는 명사를 만드는 접미사예요.

safe 안전한 + ty ▸ safety 안전함
cruel 잔인한 + ty ▸ cruelty 잔인함
certain 확실한 + ty ▸ certainty 확실함

□ 0503

wound

명 상처, 부상 동 상처를 입히다 유 injure

[wu:nd]

The **wounds** on my legs are healing over.

내 다리의 **상처**가 아물고 있다.

□ 0504

injured

형 다친, 상처 입은

[índʒərd]

Tom can't do his job because of his **injured** leg. 기출

Tom은 **다친** 다리 때문에 일을 할 수 없다.

□ 0505

digest

동 소화하다, 소화되다

[daidʒést]

I ate beef yesterday, but I couldn't **digest** it.

나는 어제 소고기를 먹었지만, **소화할** 수 없었다.

□ 0506

disease

명 질환, 질병 유 illness

[dizí:z]

Viruses cause **diseases** such as the flu. 교과서

바이러스는 독감과 같은 **질환들**을 유발한다.

□ 0507

stranger

명 낯선 사람

[stréindʒər]

My dog always barks at **strangers** to protect me. 기출
나의 개는 나를 보호하기 위해 항상 **낯선 사람들**에게 짖는다.

□ 0508

tragedy

명 비극

[trǽdʒədi]

It's a **tragedy** for Paul to die of heart disease.
Paul이 심장병으로 죽은 것은 **비극**이다.

□ 0509

prevent

동 1. 예방하다 2. 막다, 방해하다

[privént]

A healthy diet can **prevent** disease.
건강한 식단은 질병을 **예방할** 수 있다.

+ prevention 명 예방, 방해   prevent A from B A가 B하지 못하게 하다

Plus +

prevent가 '막다, 방해하다'의 뜻으로 쓰일 때 'prevent A from B'의 형태로 자주 쓰여서 'A가 B하는 것을 막다'라는 뜻을 나타내요. 위 표현과 같은 뜻을 나타내는 표현들도 함께 알아둘까요?

= stop A from B
= keep A from B

□ 0510

pass away

돌아가시다, 사망하다

Neil's grandfather **passed away** long ago.
Neil의 할아버지는 오래전에 **돌아가셨다**.

Daily Test

[01~05] 단어와 뜻을 알맞은 것끼리 연결하세요.

01 pain • • ⓐ 죽은

02 alive • • ⓑ 비극

03 wound • • ⓒ 살아있는, 생생한

04 tragedy • • ⓓ 상처, 상처를 입히다

05 dead • • ⓔ 통증

[06~15] 우리말과 같은 뜻이 되도록 주어진 철자로 시작하여 쓰세요.

06 지독한 독감 a bad f______________

07 약을 먹다 take m______________

08 눈이 먼 남자 a b______________ man

09 집에서 편히 쉬다 r______________ at home

10 심장 질환 a heart d______________

11 음식을 소화하다 d______________ food

12 다친 학생 an i______________ student

13 감기를 예방하다 p______________ a cold

14 고열로 고통받다 s______________ from a high fever

15 나의 건강을 돌보다 take care of my h______________

[16~20] 빈칸에 알맞은 단어를 <보기>에서 한 번씩 골라 쓰세요.

<보기>	passed away	sore	safety	watch out	trouble

16 When you go to the beach, ______________ is the most important thing.

17 How are your ______________ feet?

18 ______________ for food poisoning during the summer.

19 A week ago, my grandmother ______________.

20 I'm having ______________ in my back.

Picture Review

사진과 함께 오늘 배운 단어를 다시 기억해보세요.

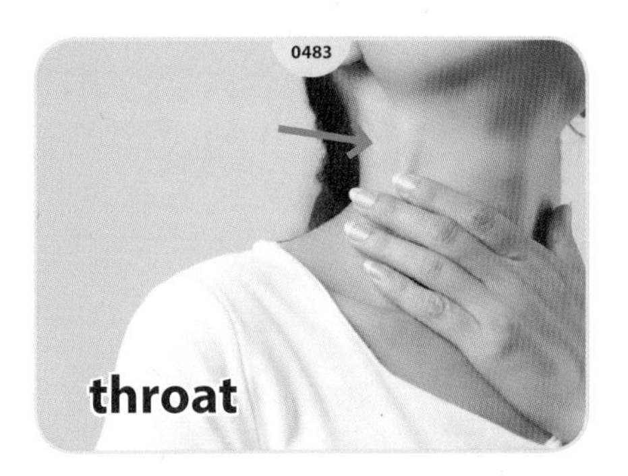

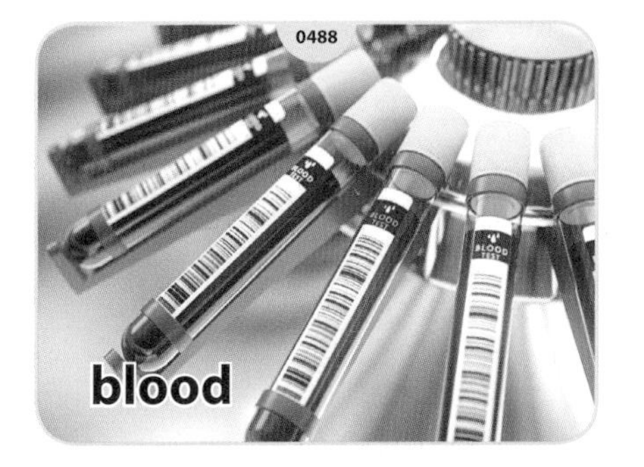

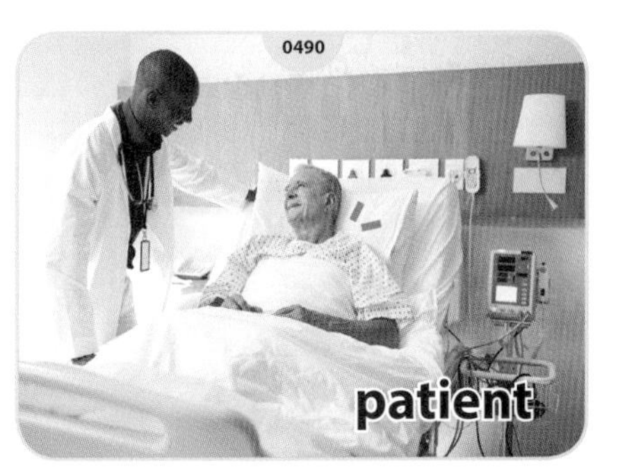

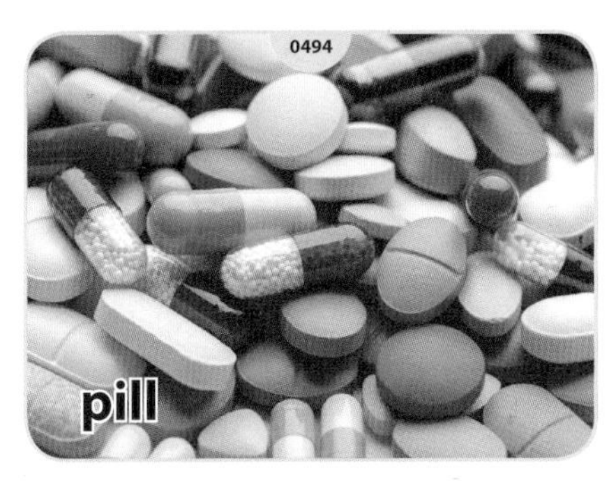

SECTION 3

Leisure & Culture

여가와 문화

DAY 18 Travel
여행

Travel은 우리의 경험을 풍부하게 해준답니다.

CORE 핵심 어휘

□ 0511

travel [trǽvəl]

동 1. 여행하다 2. 이동하다 명 여행 ㊌ tour, trip

He **travels** a lot and meets many people. 교과서
그는 많이 **여행하고** 많은 사람들을 만난다.

+ traveler 명 여행자

□ 0512

abroad [əbrɔ́:d]

부 해외로, 외국에 ㊌ overseas

Will you go **abroad** during summer vacation? 기출
너는 여름 방학 동안 **해외로** 갈 거니?

□ 0513

fly [flai]

동 비행하다, 날다 (flew-flown) 명 비행

I am **flying** from Seoul to New York. 기출
나는 서울에서 뉴욕으로 **비행하고** 있다.

□ 0514

flight [flait]

명 1. 항공편 2. 비행

A: Joy Airlines. How may I help you? 기출
B: I'd like to book a **flight**.
A: Joy 항공사입니다. 어떻게 도와드릴까요?
B: 저는 **항공편**을 예약하고 싶습니다.

□ 0515

depart

[dipɑ́ːrt]

동 출발하다, 떠나다

We're sorry that our plane **departed** a little late because of the heavy snow. 기출

폭설 때문에 저희 비행기가 조금 늦게 **출발하여** 죄송합니다.

□ 0516

arrive

[əráiv]

동 도착하다, 이르다 반 depart 출발하다

My family finally **arrived** at the campground. 기출

나의 가족은 마침내 야영지에 **도착했다**.

□ 0517

reach

[riːtʃ]

동 도착하다, 도달하다

Jake is going to **reach** America in two hours.

Jake는 2시간 후에 미국에 **도착할** 것이다.

Plus +

arrive vs. reach

arrive는 뒤에 전치사가 붙은 후 장소가 나오지만, reach는 전치사를 사용하지 않고 바로 뒤에 장소가 나온다는 문법적인 차이가 있어요. reach는 도착하는 과정에 노력이나 고생이 들어간 경우를 나타낼 때 사용한다는 점도 arrive와 달라요.

Jenny **arrived** at home yesterday. Jenny는 어제 집에 **도착했다**.

Tom **reached** the top at last. Tom은 마침내 정상에 **도착했다**.

□ 0518

cancel

[kǽnsəl]

동 취소하다

I wonder why the flight was **canceled**. 기출

나는 왜 항공편이 **취소되었는지** 궁금하다.

Plus +

cancel은 라틴어 canclli(격자무늬로 된 창살)에서 유래한 단어예요. 지우개와 같은 도구가 없던 시절에는 잘못 쓴 부분에 X 표시를 하고 수정사항을 표시했는데, 이 표시가 창살의 모양과 같다고 하여 cancel이 '취소하다'라는 뜻을 가지게 되었답니다.

☐ 0519

land

동 착륙하다 반 take off 이륙하다 명 육지, 땅

[lænd]

The plane **landed** in Dubai.
비행기가 두바이에 **착륙했다**.

☐ 0520

site

명 1. 위치, 현장 2. 유적

[sait]

We visited the **site** of ancient Rome.
우리는 고대 로마가 있던 **위치**를 방문했다.

☐ 0521

guide

명 가이드, 안내서 동 안내하다

[gaid]

Near the end of our cave tour, the **guide** turned off the flashlight for a minute. 교과서
우리의 동굴 관광이 끝날 무렵에, **가이드**는 잠깐 손전등을 껐다.

☐ 0522

tourist

명 관광객

[túərist]

The airport is always crowded with **tourists** from all over the world. 교과서
그 공항은 전 세계에서 온 **관광객들**로 항상 붐빈다.

☐ 0523

visitor

명 방문객, 손님 유 guest

[vízitər]

The museum provides **visitors** with various activities. 기출
박물관이 **방문객들**에게 다양한 활동들을 제공한다.

☐ 0524

famous

형 유명한 유 well-known

[féiməs]

We're going to visit Bangkok, a **famous** city in Thailand. 기출
우리는 태국의 **유명한** 도시인 방콕을 방문할 것이다.

+ be famous for ~으로 유명하다

□ 0525

foreign

[fɔ́:rən]

형 외국의

Minji loves to introduce Korean culture to **foreign** tourists. 기출

Minji는 **외국** 관광객들에게 한국의 문화를 소개하는 것을 아주 좋아한다.

□ 0526

view

[vju:]

명 경치, 전망, 관점 동 보다

Look at the beautiful **view** down the hill! 기출

언덕 아래에 아름다운 **경치**를 봐!

□ 0527

memory

[méməri]

명 1. 추억, 회상 2. 기억, 기억력

I have happy **memories** of my trip to Vietnam.

나는 베트남 여행에 행복한 **추억들**을 가지고 있다.

□ 0528

imagine

[imǽdʒin]

동 상상하다

Imagine that you're traveling to space.

네가 우주로 여행을 하는 중이라고 **상상해봐**.

□ 0529

experience

[ikspíəriəns]

명 경험 동 경험하다

The trip to China will be an interesting **experience** for our family. 기출

중국으로의 여행은 우리 가족에게 흥미로운 **경험**이 될 것이다.

□ 0530

get to

~에 도착하다, 이르다

How long does it take to **get to** Busan? 기출

부산**에 도착하는** 데 얼마나 걸리니?

ADVANCED 심화 어휘

☐ 0531

schedule 명 일정, 계획 동 일정을 잡다

[skédʒuːl]

I'm checking the flight **schedule** for my trip. 기출
나는 여행을 위한 항공편 **일정**을 확인하고 있다.

☐ 0532

journey 명 여행 유 trip 동 여행하다

[dʒə́ːrni]

For a convenient and comfortable **journey** for all passengers, please talk quietly. 기출
모든 승객들의 편리하고 편안한 **여행**을 위해, 부디 조용히 이야기해주세요.

☐ 0533

rush 동 서두르다, 급히 움직이다 유 hurry

[rʌʃ]

We need to **rush**. Our tour bus is leaving.
우리는 **서둘러야** 해. 우리의 관광버스가 떠나고 있어.

☐ 0534

landmark 명 명소, 랜드마크

[lǽndmɑːrk]

Don't miss the famous **landmarks** like the Eiffel Tower.
에펠탑처럼 유명한 **명소들**을 놓치지 마라.

☐ 0535

photograph 명 사진 유 picture 동 사진을 찍다

[fóutəgræf]

Yena's dream is to travel around the world and take **photographs**.
Yena의 꿈은 전 세계를 여행하며 **사진들**을 찍는 것이다.

□ 0536

scenery

[sí:nəri]

명 풍경, 경치 유 landscape

Tourists can enjoy the beautiful **scenery** while walking along the riverside. 기출

관광객들은 강가를 따라 걷는 동안 아름다운 **풍경**을 즐길 수 있다.

Plus +

view vs. scenery

view는 특정 장소에서 사람의 눈에 들어오는 경치를 의미하고, scenery는 어떤 지역이나 자연의 전체적인 경치를 의미해요.
즉, 멋진 scenery를 보고 있다는 사실은 동일하더라도, 사람마다 보는 view는 다를 수 있어요.

□ 0537

impressive

[imprésiv]

형 인상적인, 감명 깊은

For me, Tokyo Tower was the most **impressive** place in Tokyo.

나에게는, 도쿄 타워가 도쿄에서 가장 **인상적인** 장소였다.

□ 0538

refresh

[rifréʃ]

동 기운 나게 하다, 상쾌하게 하다

I've been traveling for three weeks to **refresh** myself.

나는 내 자신을 **기운 나게 하기** 위해 삼 주 동안 여행하고 있다.

□ 0539

insurance

[inʃúərəns]

명 보험

Travel **insurance** was designed to keep you safe while traveling. 기출

여행 **보험**은 여행하는 동안 당신을 안전하게 지켜주기 위해 만들어졌다.

□ 0540

hang out (with)

(~와) 시간을 보내다

I like to **hang out with** strangers when traveling.

나는 여행할 때 낯선 사람들과 **시간을 보내는** 것을 좋아한다.

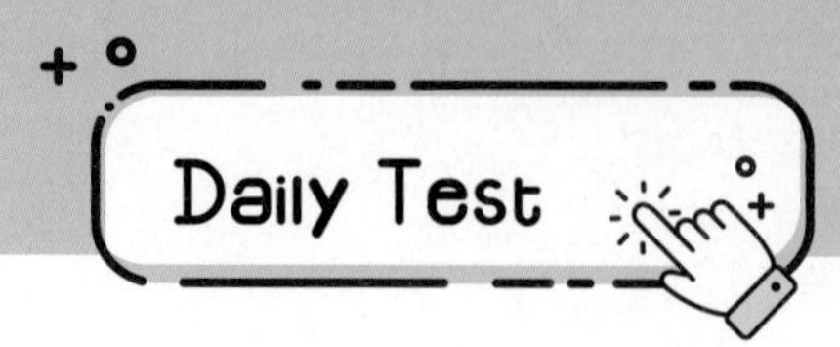

[01~06] 영어는 우리말로, 우리말은 영어로 쓰세요.

01 famous ______________

02 visitor ______________

03 reach ______________

04 풍경 ______________

05 위치, 유적 ______________

06 보험 ______________

[07~13] 우리말과 같은 뜻이 되도록 빈칸에 알맞은 단어를 쓰세요.

07 외국에서의 삶 life in a(n) ______________ country

08 런던에 도착하다 ______________ London

09 서울의 명소 a(n) ______________ in Seoul

10 이전 여행의 추억 the ______________ of the previous trip

11 나의 가족과 시간을 보내다 ______________ my family

12 5번 터미널에서 출발하다 ______________ from Terminal 5

13 캐나다에서의 신나는 경험들 exciting ______________ in Canada

[14~17] 빈칸에 알맞은 단어를 <보기>에서 한 번씩 골라 쓰세요.

<보기> schedule abroad arrive impressive

14 I travel ______________ twice a year.

15 When does the next train ______________?

16 Tom was tired because of the tight travel ______________.

17 The food that I ate in Vietnam was very ______________.

[18~20] 단어의 성격이 나머지와 다른 하나를 고르세요.

18 ① flight ② depart ③ reach ④ arrive ⑤ relax

19 ① landmark ② tourist ③ cancel ④ visitor ⑤ pill

20 ① refresh ② memory ③ scenery ④ guest ⑤ throat

Picture Review

사진과 함께 오늘 배운 단어를 다시 기억해보세요.

DAY 19 Shopping

쇼핑

오늘 하루는 complain하기보다는 감사하는 태도를 가져보면 어떨까요?

CORE 핵심 어휘

□ 0541

buy [bai]

동 사다, 구입하다 (bought-bought)

Liz **bought** a coat that she really had loved. 교과서
Liz는 그녀가 정말 좋아했었던 코트를 **샀다**.

□ 0542

sell [sel]

동 팔다 (sold-sold)

I'd like to **sell** my old bike on the Internet. 기출
나는 인터넷에서 내 오래된 자전거를 **팔고** 싶다.

□ 0543

pay [pei]

동 (돈을) 내다, 지불하다

How much money do I have to **pay** for this suit? 기출
이 정장을 위해 제가 얼마의 돈을 **내야** 하나요?

□ 0544

cash [kæʃ]

명 현금, 돈

Sorry, the machine can't read your card. Do you have **cash**? 기출
죄송하지만, 기계가 당신의 카드를 읽을 수 없네요. **현금**을 가지고 계신가요?

□ 0545

coin

[kɔin]

명 동전

A: It's only 600 won. Use **coins**. 기출
B: But I only have bills in my pocket.
A: 이것은 단지 600원이야. **동전**을 사용해.
B: 하지만 나는 주머니에 지폐밖에 없어.

□ 0546

dollar

[dάːlər]

명 달러 ($)

The store is selling five T-shirts for only 10 **dollars**. 기출
그 가게는 티셔츠 다섯 장을 겨우 10**달러**에 팔고 있다.

□ 0547

cheap

[tʃiːp]

형 싼, 저렴한

Though the discounted price was still not very **cheap**, Nate bought the headphones. 교과서
비록 할인된 가격이 여전히 아주 **싸지** 않지만, Nate는 그 헤드폰을 샀다.

□ 0548

expensive

[ikspénsiv]

형 비싼 반 cheap 저렴한

These shoes are a little **expensive** to buy. 교과서
이 신발은 사기에 약간 **비싸다**.

□ 0549

tax

[tæks]

명 세금

The blouse is 50 dollars, including **tax**.
그 블라우스는 **세금**을 포함해 50달러이다.

□ 0550

shop

[ʃɑːp]

명 가게, 상점 유 store 동 사다

The street market has more than 4,000 **shops** under one roof. 교과서
그 길거리 시장은 한 지붕 아래에 4,000개 이상의 **가게들**이 있다.

□ 0551

choice

명 1. 선택권 2. 선택

[tʃɔis]

A big store can give you more **choices**.
큰 상점은 너에게 더 많은 **선택권들**을 제공할 수 있다.

□ 0552

customer

명 손님, 고객

[kʌ́stəmər]

We offer a 20% discount to all **customers** before noon. 기출
우리는 정오 전에 모든 **손님들**에게 20퍼센트 할인을 제공한다.

□ 0553

weekend

명 주말

[wíːkend]

The market is always crowded on **weekends.** 기출
그 시장은 **주말**에 항상 붐빈다.

□ 0554

gift

명 1. 선물 ⊕ present 2. (타고난) 재능 ⊕ talent

[gift]

You can buy many kinds of **gifts** at the souvenir shop. 기출
너는 기념품 가게에서 많은 종류의 **선물들**을 살 수 있다.

□ 0555

bookstore

명 서점, 책방

[búkstɔ̀ːr]

Many **bookstores** here sell used books. 교과서
이곳의 많은 **서점들**이 중고 책들을 판매한다.

□ 0556

pair

명 1. 한 켤레, 한 쌍 2. (분리할 수 없는) 한 벌

[pɛər]

Although James already had many shoes, he bought another new **pair.**
James는 이미 많은 신발을 가지고 있기는 했지만, 또 다른 새로운 **한 켤레**를 샀다.

☐ 0557

mall

[mɔːl]

명 쇼핑몰

I have to go to the **mall** to buy Becky's birthday present. 기출

나는 Becky의 생일 선물을 사기 위해 **쇼핑몰**에 가야 한다.

☐ 0558

tag

[tæg]

명 표, 꼬리표 ㊜ label

She has never used the product, and the price **tag** is still on. 기출

그녀는 그 제품을 한 번도 사용하지 않았고, 가격**표**가 여전히 달려 있다.

+ price tag 명 가격표

☐ 0559

spend

[spend]

동 (돈·시간·노력 등을) 쓰다 (spent-spent)

Mark mainly **spends** his money on buying snacks.

Mark는 주로 간식을 사는 데 그의 돈을 **쓴다**.

+ spend one's money on ~ing ~하는 데 …의 돈을 쓰다

☐ 0560

stop by

잠시 들르다

I tried delicious street food and **stopped by** interesting shops in Vietnam. 교과서

나는 베트남에서 맛있는 거리 음식을 맛보았고 흥미로운 가게들에 **잠시 들렀다**.

ADVANCED 심화 어휘

☐ 0561

goods

[gudz]

명 상품, 물품 ㊜ products

The shop is famous for selling a variety of **goods** from different countries. 교과서

그 가게는 여러 나라들에서 온 다양한 **상품**을 파는 것으로 유명하다.

□ 0562

junk

명 쓸모없는 물건, 고물 형 쓸모없는, 싸구려의

[dʒʌŋk]

I sold some **junk** at the flea market.

나는 벼룩시장에 몇몇 **쓸모없는 물건**을 팔았다.

Plus +

junk food

junk food는 영양적 가치가 없는 '불량 식품'을 의미해요. junk의 '쓸모없는, 싸구려의'라는 뜻을 음식과 연관 지어보면 불량 식품을 쉽게 떠올릴 수 있어요.
soda(탄산음료)나 snack(간식)과 같은 junk food보다는 healthy food(건강한 음식)를 먹도록 해야겠죠?

□ 0563

display

명 전시, 진열 동 전시하다, 진열하다

[displéi]

A: May I help you? 기출

B: I like the blouse on **display.** Can you show me one?

A: 도와드릴까요?

B: 저는 **전시** 중인 블라우스가 마음에 들어요. 제게 그것을 보여주실 수 있나요?

+ on display 전시 중인, 진열되어 있는

□ 0564

charge

명 요금, 비용 유 fee 동 청구하다

[tʃɑːrdʒ]

How much is the extra **charge** for gift wrapping? 기출

선물 포장을 위한 추가 **요금**이 얼마인가요?

□ 0565

glance

명 힐끗 봄 동 힐끗 보다

[glæns]

At first **glance**, the jacket on display was not my style.

처음에 **힐끗 보기**에는, 진열되어 있는 재킷은 내 스타일이 아니었다.

□ 0566

complain

동 항의하다, 불평하다

[kəmpléin]

A customer **complained** about the poor quality of the store's products.

한 고객이 가게 제품들의 형편없는 품질에 대해 **항의했다**.

□ 0567

salesperson

[séilzpə̀:rsn]

명 점원, 판매원

The **salesperson** said I could return the shirt if there was a problem with it. 기출

점원은 만약 셔츠에 문제가 있으면 내가 그 셔츠를 반품할 수 있다고 말했다.

□ 0568

advertisement

[æ̀dvərtáizmənt]

명 광고

The unique **advertisement** attracted many customers to the store.

독특한 **광고**가 많은 고객들을 가게로 끌어모았다.

□ 0569

consume

[kənsú:m]

동 소비하다, 소모하다

I will **consume** less and make smarter purchases.

나는 덜 **소비하고** 더 현명한 구매를 할 것이다.

Plus +

consume은 '돈' 이외에 '시간'이나 '음식' 등을 소비하는 것을 말할 때도 쓸 수 있어요.

Baking is a very time-**consuming** job.

빵을 굽는 것은 매우 시간이 많이 **소비되는(소요되는)** 일이다.

We **consume** kimchi everyday. 우리는 김치를 매일 **소비한다(먹는다)**.

□ 0570

give away

선물로 주다, 기부하다

The new shop **gave away** samples to every customer.

새로운 가게가 모든 고객에게 샘플을 **선물로 주었다**.

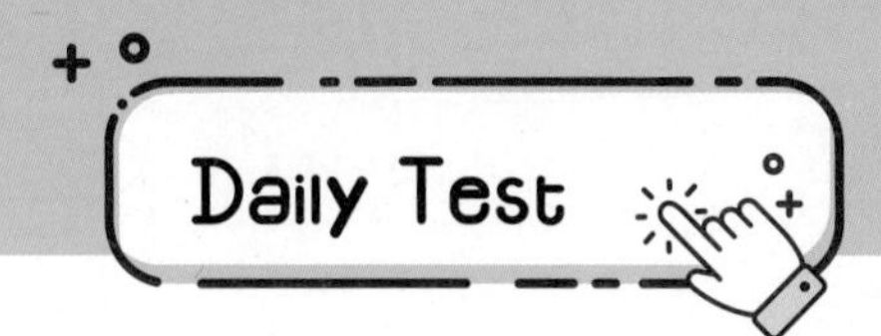

[01~05] 단어와 뜻을 알맞은 것끼리 연결하세요.

01 display • • ⓐ 잠시 들르다

02 pair • • ⓑ 한 켤레, (분리할 수 없는) 한 벌

03 customer • • ⓒ 동전

04 coin • • ⓓ 손님

05 stop by • • ⓔ 전시, 전시하다

[06~15] 우리말과 같은 뜻이 되도록 빈칸에 알맞은 단어를 쓰세요.

06 옷 가게 a clothing ______________

07 가방들을 팔다 ______________ bags

08 생일 선물 a birthday ______________

09 돈을 쓰다 ______________ money

10 인근의 쇼핑몰 a nearby ______________

11 신발을 사다 ______________ shoes

12 새로운 상품 new ______________

13 판매 세금 sales ______________

14 TV 광고 a TV ______________

15 비싼 목걸이 a(n) ______________ necklace

[16~20] 영영 풀이에 알맞은 단어를 <보기>에서 골라 쓰세요.

<보기> give away weekend choice cheap pay

16 ______________ : a few things that you can choose

17 ______________ : not being expensive

18 ______________ : to present something as a gift

19 ______________ : Saturday and Sunday

20 ______________ : to give money to someone because you buy something

Picture Review

사진과 함께 오늘 배운 단어를 다시 기억해보세요.

DAY 20

Hobbies & Activities

취미와 활동

여러분의 favorite 취미는 무엇인가요?

CORE 핵심 어휘

□ 0571

draw
[drɔː]

동 1. 그리다 2. 끌다, 당기다 (drew-drawn)

I **draw** cartoons on weekends. 기출
나는 주말마다 만화를 **그린다**.

□ 0572

paint
[peint]

동 (물감·페인트로) 칠하다 유 color 명 물감, 페인트

Jisu **painted** the flowers, and I **painted** the background.
Jisu가 꽃들을 **칠했고**, 나는 배경을 **칠했다**.

□ 0573

picture
[píktʃər]

명 1. 그림 유 painting 2. 사진

I draw **pictures** with the art club members every Tuesday. 기출
나는 매주 화요일에 미술 동아리 회원들과 **그림**을 그린다.

□ 0574

interest
[íntərəst]

명 관심, 흥미 동 관심을 끌다

His **interest** in painting started when he was just ten years old. 기출
그림에 대한 그의 **관심**은 그가 불과 열 살이었을 때 시작되었다.

+ interested 형 흥미가 있는 interesting 형 흥미로운

□ 0575

read [ri:d]

동 **읽다** (read-read)

A: What are you looking at? 기출
B: I'm **reading** a book about countries around the world.

A: 너는 무엇을 보고 있니?
B: 나는 전 세계의 국가들에 대한 책을 **읽고** 있어.

Plus + '읽다'라는 뜻의 read는 현재형, 과거형, 과거분사형의 철자는 모두 같지만, 발음이 달라요. 현재형은 [뤼드], 과거형과 과거분사형은 [뤠드]라고 발음한답니다. 예를 들어, 'I read newspaper yesterday.'에서는 yesterday(어제)를 통해 read가 과거형임을 확인하고 [뤠드]라고 발음해야겠죠?

□ 0576

comic [ká:mik]

형 **1. 웃기는 2. 희극의** 반 tragic 비극의 명 **(-s) 만화**

My friends and I like to read **comic** stories together.
내 친구들과 나는 **웃기는** 이야기들을 함께 읽는 것을 좋아한다.

□ 0577

sing [siŋ]

동 **노래하다** (sang-sung)

Rose loved to **sing**, so she even **sang** in her sleep! 교과서
Rose는 **노래하는** 것을 아주 좋아해서, 심지어 그녀는 자면서도 **노래했다**!

□ 0578

dance [dæns]

동 **춤을 추다** 명 **춤**

Yeji **dances** twice a week.
Yeji는 일주일에 두 번 **춤을 춘다**.

□ 0579

movie [mú:vi]

명 **영화** 유 film

How often do you watch **movies**? 기출
너는 얼마나 자주 **영화**를 보니?

□ 0580

favorite 형 아주 좋아하는 명 특히 좋아하는 것

[féivərit]

Tell me about your **favorite** movie. 기출
네가 **아주 좋아하는** 영화에 대해 나에게 말해줘.

□ 0581

walk 명 산책 동 1. 산책하다, 산책시키다 2. 걷다

[wɔːk]

They love to go out for **walks**. 기출
그들은 **산책**을 위해 밖에 나가는 것을 아주 좋아한다.

□ 0582

visit 동 방문하다 명 방문

[vízit]

Sue often **visits** the park for family picnics. 교과서
Sue는 종종 가족 소풍으로 공원을 **방문한다**.

□ 0583

zoo 명 동물원

[zuː]

I'm so excited about going to the **zoo** tomorrow! 기출
나는 내일 **동물원**에 가는 것에 대해 정말 신이 나!

□ 0584

playground 명 운동장, 놀이터

[pléigràund]

Noah practices soccer on the **playground** every day. 기출
Noah는 매일 **운동장**에서 축구를 연습한다.

Plus +

playground에서 볼 수 있는 기구들

- swing 그네
- slide 미끄럼틀
- seesaw 시소
- jungle gym 정글짐
- chin-up bar 철봉

☐ 0585

magic

[mǽdʒik]

명 마술, 마법 형 마술의, 마법의

She saw the **magic** show in a huge theater.
그녀는 거대한 극장에서 **마술** 쇼를 보았다.

+ magician 명 마술사, 마법사

☐ 0586

puzzle

[pʌ́zl]

명 퍼즐, 수수께끼 유 riddle 동 당황하게 하다

There are many interesting **puzzles** and games in the club. 기출
그 동아리에는 많은 흥미로운 **퍼즐**과 게임이 있다.

☐ 0587

chess

[tʃes]

명 체스

A new **chess** club has started in my school. 기출
나의 학교에 새로운 **체스** 동아리가 생겼다.

☐ 0588

collect

[kəlékt]

동 1. 모으다 2. 모금하다

Jay has **collected** stamps for more than ten years. 기출
Jay는 십 년이 넘도록 우표들을 **모아** 왔다.

+ collection 명 수집, 수집품

☐ 0589

ability

[əbíləti]

명 1. 능력, 역량 2. 재능 유 talent

My special **ability** is singing.
내 특별한 **능력**은 노래하는 것이다.

☐ 0590

instead of

~ 대신에

I went surfing, **instead of** hiking.
나는 하이킹 **대신에** 서핑하러 갔다.

ADVANCED 심화 어휘

□ 0591

activity 명 활동, 움직임

[æktívəti]

Jane's favorite **activity** is scuba diving.

Jane이 아주 좋아하는 **활동**은 스쿠버 다이빙이다.

□ 0592

aquarium 명 수족관

[əkwέəriəm]

A: Today's field trip was great! 기출

B: Yes. The **aquarium** was fantastic.

A: 오늘의 현장 학습은 훌륭했어!

B: 맞아. 그 **수족관**은 굉장했어.

Plus + aquarium, aquamarine(연한 청록색), aqua shoes(아쿠아슈즈)의 공통점은 무엇일까요? 모두 단어 앞에 '물'을 뜻하는 접두사 aqua가 붙어 있다는 점이에요. aqua가 물을 나타내기 때문에 바닷물과 같은 색깔을 aquamarine이라고 하고, 물에서 신는 신발을 aqua shoes라고 해요.

□ 0593

circus 명 1. 서커스 2. 서커스단

[sə́:rkəs]

Circuses are filled with such animals as dancing bears and clapping monkeys. 기출

서커스는 춤추는 곰들과 손뼉을 치는 원숭이들과 같은 동물들로 가득 차 있다.

□ 0594

parasol 명 파라솔, 양산

[pǽrəsɔ:l]

We enjoyed reading books under the **parasol**.

우리는 **파라솔** 아래에서 책을 읽는 것을 즐겼다.

□ 0595

swing 명 그네 동 흔들리다, 흔들다 (swung-swung)

[swiŋ]

He really likes riding the **swing** at the playground. 기출

그는 놀이터에서 **그네**를 타는 것을 정말 좋아한다.

☐ 0596

whistle

명 1. 호루라기, 호각 2. 휘파람 동 호루라기를 불다

[wísl]

The **whistle** blew for the end of the fireworks.
불꽃놀이의 종료를 알리는 **호루라기**가 울렸다.

☐ 0597

knit

동 뜨개질하다 명 (-s) 뜨개질한 옷, 니트

[nit]

Lucy **knits** in her free time.
Lucy는 자유 시간에 **뜨개질한다**.

☐ 0598

gather

동 모이다, 모으다 유 collect

[gǽðər]

People **gathered** to sing and dance. 교과서
사람들이 노래하고 춤추기 위해서 **모였다**.

☐ 0599

volunteer

명 자원봉사자, 지원자 동 자원하다

[vɑ̀:ləntíər]

We found a teen **volunteer** project on the Internet and joined it. 교과서
우리는 인터넷에서 십 대 **자원봉사자** 프로젝트를 발견했고, 그것에 가입했다.

☐ 0600

sign up (for)

(~을) 신청하다, 가입하다

Victoria **signed up for** a ballet class.
Victoria는 발레 수업을 **신청했다**.

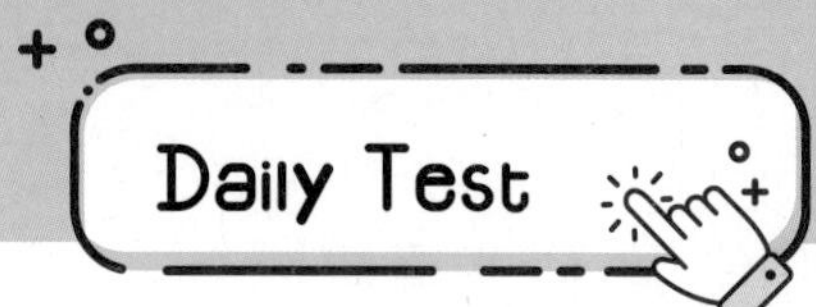

[01~10] 우리말과 같은 뜻이 되도록 빈칸에 알맞은 단어를 쓰세요.

01 소설을 읽다 ______________ a novel

02 천천히 춤을 추다 ______________ slowly

03 카페를 방문하다 ______________ a café

04 체스를 하다 play ______________

05 마술 쇼 a(n) ______________ show

06 동물원에 가다 go to the ______________

07 유명한 서커스 the famous ______________

08 내가 아주 좋아하는 취미 my ______________ hobby

09 운동장에서 달리다 run on a(n) ______________

10 그네를 타다 ride on the ______________

[11~16] 빈칸에 알맞은 단어를 <보기>에서 한 번씩 골라 쓰세요.

<보기> interest sign up for instead of sing paint walk

11 The girl likes to ______________ things on paper.

12 Do you have a(n) ______________ in soccer?

13 Will you ______________ the tennis club?

14 I usually go out for a(n) ______________ after dinner.

15 Ted enjoys watching movies ______________ TV dramas.

16 I often ______________ a song loudly when I get stressed.

[17~20] 다음 단어의 관계가 <보기>와 일치하도록 빈칸에 알맞은 단어를 쓰세요.

<보기> paint - color

17 picture - ______________

18 movie - ______________

19 puzzle - ______________

20 collect - ______________

Picture Review

사진과 함께 오늘 배운 단어를 다시 기억해보세요.

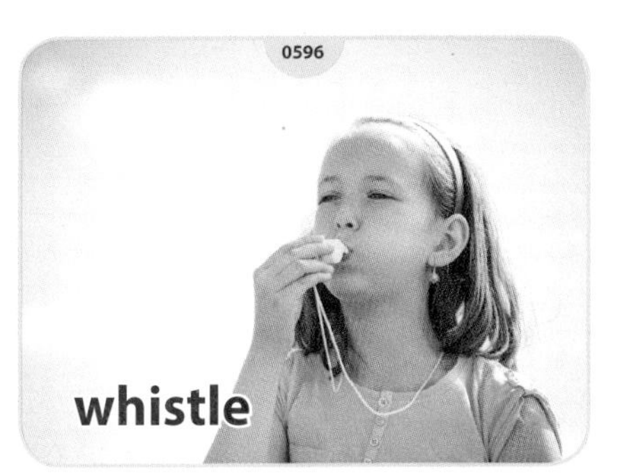

DAY 21

Sports
스포츠

Amazing한 실력을 갖추기 위해서는 많은 노력이 필요해요.

CORE 핵심 어휘

□ 0601

soccer [sάkər]

명 축구

I have a **soccer** game with my friends this weekend. 기출

나는 이번 주말에 내 친구들과 **축구** 경기가 있다.

□ 0602

baseball [béisbɔ:l]

명 1. 야구 2. 야구공

Carol played **baseball** for hours with many other young children. 교과서

Carol은 많은 다른 어린아이들과 몇 시간 동안 **야구**를 했다.

□ 0603

tennis [ténis]

명 테니스

Can you teach me how to play **tennis**? 기출

나에게 **테니스** 치는 방법을 가르쳐줄 수 있니?

Plus +

table tennis

table(탁자)과 tennis가 합쳐져서 만들어진 'table tennis'는 탁구를 뜻해요. 아프리카, 인도 등에 살던 영국인들이 더위를 피해 실내의 탁자에서 공놀이를 즐긴 것에서 유래했어요. 미국에서는 탁구를 'ping pong'이라고 표현하기도 해요.

□ 0604

player

[pléiər]

명 1. 선수, 참가자　2. 연주자

He is the oldest **player** on our team.
그는 우리 팀에서 가장 나이가 많은 **선수**이다.

□ 0605

coach

[koutʃ]

명 (스포츠 팀의) 코치, 감독　동 지도하다

A: You did a great job today! 기출
B: Thanks, **coach**. I'm happy we won the game.
A: 너 오늘 정말 잘했어!
B: 감사합니다, **코치**님. 저는 우리가 경기를 이겨서 기뻐요.

□ 0606

chance

[tʃæns]

명 1. 기회　2. 가능성　3. 운, 행운

Children had good **chances** to develop their bodies in the sports camp. 기출
아이들이 스포츠 캠프에서 그들의 신체를 발달시킬 좋은 **기회들**이 있다.

□ 0607

score

[skɔːr]

동 득점하다　명 득점, 점수

The player **scored** more than 10 points. 기출
그 선수는 10점 이상 **득점했다**.

□ 0608

goal

[goul]

명 1. 골, 득점　2. 결승점　3. 목표　유 target

I scored the first **goal** in 6 minutes. 기출
나는 6분 만에 첫 번째 **골**을 넣었다.

□ 0609

amazing

[əméiziŋ]

형 굉장한, 놀라운

Your last goal saved our team. It was **amazing**! 기출
너의 마지막 골이 우리 팀을 구했어. 그것은 **굉장했어**!

□ 0610

gym 명 1. 체육관 2. 체육, 체조

[dʒim]

We play basketball in the **gym.** 교과서
우리는 **체육관**에서 농구를 한다.

□ 0611

exercise 동 운동하다 유 work out 명 1. 운동 2. 연습

[éksərsàiz]

It is important to **exercise** regularly. 교과서
규칙적으로 **운동하는** 것은 중요하다.

□ 0612

tired 형 1. 피곤한, 지친 2. 싫증난

[taiərd]

Stretching can make you feel less **tired.** 기출
스트레칭은 네가 덜 **피곤하게** 느끼도록 만들 수 있다.

+ be tired of ~에 싫증나다

□ 0613

swim 동 헤엄치다, 수영하다 (swam-swum) 명 수영

[swim]

I had an amazing chance to **swim** with dolphins. 기출
나는 돌고래들과 **헤엄치는** 놀라운 기회를 잡았다.

+ swimsuit 명 수영복

□ 0614

dive 명 다이빙 동 (물속으로) 뛰어들다 (dove-dived)

[daiv]

The swimmer performed his **dive** perfectly. 기출
수영 선수는 그의 **다이빙**을 완벽하게 수행했다.

□ 0615

run 동 1. 달리다, 뛰다 2. 운영하다 (ran-run)

[rʌn]

Each racer **runs** at different speeds and finishes the race with different times. 교과서
각 경주자는 서로 다른 속도로 **달리고** 서로 다른 시간에 경주를 끝마친다.

□ 0616

cheer

[tʃiər]

동 응원하다, 환호하다 명 응원, 환호

At the race track, many people are **cheering** excitedly. 교과서

경주 트랙에서, 많은 사람들이 흥분해서 **응원하고** 있다.

+ cheerful 형 쾌활한, 밝은 cheer up ~을 격려하다

□ 0617

throw

[θrou]

동 던지다 (threw-thrown) 반 catch 잡다

Basketball players score by **throwing** a ball into the net. 기출

농구 선수들은 골대 안으로 공을 **던지는** 것으로 득점한다.

+ throw away 버리다

□ 0618

other

[ʌ́ðər]

형 다른, 그 밖의 명 다른 것, 다른 사람

The **other** team's players ran faster than my team's players. 교과서

다른 팀의 선수들이 나의 팀의 선수들보다 더 빨리 달렸다.

□ 0619

bike

[baik]

명 자전거

He fell down while he was riding his **bike**. 기출

그는 자신의 **자전거**를 타는 도중에 넘어졌다.

□ 0620

give up

포기하다

The football player hurt his back badly and had to **give up** playing football. 기출

그 미식축구 선수는 등을 심하게 다쳐서 축구하는 것을 **포기해야** 했다.

ADVANCED 심화 어휘

□ 0621

bet 동 내기하다, (돈을) 걸다 (bet-bet) 명 내기

[bet]

Let's **bet** on the race.
경주에 대해 **내기하자**.

□ 0622

relay 명 계주, 릴레이 경주

[rí:lei]

Max is the last runner in the 500-meter **relay**.
Max는 500미터 **계주**의 마지막 주자이다.

□ 0623

surf 동 1. 파도를 타다 2. (인터넷을) 서핑하다 명 파도

[sə:rf]

I visited the Australian beach to **surf**.
나는 **파도를 타기** 위해 호주의 해변을 방문했다.

□ 0624

sweat 동 땀을 흘리다 명 땀

[swet]

A: Let's play badminton after school. 기출
B: Sorry, I don't like to **sweat**.
A: 학교 끝나고 배드민턴 치자.
B: 미안해, 나는 **땀을 흘리는** 것을 좋아하지 않아.

□ 0625

muscle 명 1. 근육 2. 근력

[mʌ́sl]

Lifting weights increases **muscle** strength. 기출
역기를 드는 것은 **근육**의 힘을 증가시킨다.

☐ 0626

challenge 명 1. 도전 2. 과제, 난제 동 도전하다

[tʃǽlindʒ]

The champion accepted the **challenge** from the amateur.
그 챔피언은 아마추어로부터 **도전**을 받아들였다.

☐ 0627

competition 명 1. 대회, 시합 2. 경쟁

[kɑ̀:mpətíʃən]

Josh won the national swimming **competition.** 기출
Josh는 전국 수영 **대회**에서 우승했다.

+ competitor 명 (대회) 참가자, 경쟁자 compete 동 경쟁하다

☐ 0628

winner 명 우승자, 수상자 유 champion

[wínər]

The **winner** will get a trophy and a $100 gift card. 기출
우승자는 트로피와 100달러의 상품권을 받을 것이다.

☐ 0629

medal 명 메달, 훈장

[médl]

He's happy to have won the **medal** in the marathon. 기출
그는 마라톤에서 **메달**을 따서 기쁘다.

Plus +

메달의 종류

스포츠 경기의 결과에 따라 수여하는 금메달, 은메달, 동메달은 어떻게 표현할까요? 가장 좋은 성과를 낸 사람에게 주는 금메달은 gold medal이라고 해요. 은메달은 silver medal, 동메달은 bronze medal이라고 한답니다.

☐ 0630

take place (행사·사건 등이) 열리다, 일어나다

Where will the soccer game **take place**? 기출
축구 경기가 어디에서 **열리니**?

Daily Test

[01~05] 단어와 뜻을 알맞은 것끼리 연결하세요.

01 goal	•	• ⓐ 포기하다
02 chance	•	• ⓑ (행사·사건 등이) 열리다
03 give up	•	• ⓒ 기회, 가능성, 운
04 tired	•	• ⓓ 피곤한, 싫증난
05 take place	•	• ⓔ 골, 결승점, 목표

[06~15] 우리말과 같은 뜻이 되도록 빈칸에 알맞은 단어를 쓰세요.

06 농구 선수 a basketball ______________

07 열심히 운동하다 ______________ hard

08 체육관에 가다 go to a(n) ______________

09 야구 경기 a(n) ______________ game

10 바다에서 수영하다 ______________ in the sea

11 자전거를 타다 ride a(n) ______________

12 공을 던지다 ______________ a ball

13 내기에 지다 lose a(n) ______________

14 마라톤의 우승자 the ______________ of the marathon

15 유도 대회 a judo ______________

[16~20] 단어와 영영 풀이를 알맞은 것끼리 연결하세요.

16 amazing	•	• ⓐ to travel by foot faster than walking
17 run	•	• ⓑ to ride on waves in the sea on a board
18 surf	•	• ⓒ a person who teaches and trains athletes
19 sweat	•	• ⓓ the liquid that comes out of your body when you feel hot
20 coach	•	• ⓔ being very surprising

Picture Review

사진과 함께 오늘 배운 단어를 다시 기억해보세요.

0601

0607

0614

0616

0622

0625

0626

0629

Art & Culture

예술과 문화

처음부터 perfect할 수는 없어요. 경험과 실수를 통해 성장할 수 있답니다.

CORE 핵심 어휘

□ 0631

musician 명 음악가

[mjuzíʃən]

You can hear **musicians** playing beautiful music. 교과서
너는 **음악가들**이 아름다운 음악을 연주하는 것을 들을 수 있다.

□ 0632

painter 명 1. 화가 2. 페인트공

[péintər]

Vincent van Gogh is my favorite **painter**. 기출
빈센트 반 고흐는 내가 아주 좋아하는 **화가**이다.

□ 0633

artwork 명 1. 예술품 2. 삽화

[ɑ́:rtwə:rk]

I saw the **artworks** of the great masters so closely! 기출
나는 아주 가까이에서 위대한 거장들의 **예술품들**을 봤어!

□ 0634

museum 명 박물관, 미술관

[mju:zí:əm]

I want to go to the science **museum**. 기출
나는 과학 **박물관**에 가고 싶다.

□ 0635

theater 명 극장

[θí:ətər]

Judy promised to go to the **theater** with her cousin. 기출
Judy는 그녀의 사촌과 **극장**에 가기로 약속했다.

□ 0636

stage

[steidʒ]

명 1. 무대 2. 단계, 시기

She played her violin on **stage**, and people listened quietly. 교과서

그녀는 **무대**에서 자신의 바이올린을 연주했고, 사람들은 조용히 경청했다.

□ 0637

opera

[ɑ́:prə]

명 오페라, 가극

During the festival, I went to the **opera** every night.

축제 동안에, 나는 매일 밤 **오페라**를 보러 갔다.

□ 0638

scene

[si:n]

명 1. 장면 2. 현장

The director used twenty cameras to create the wonderful **scenes**. 기출

감독은 멋진 **장면들**을 만들기 위해 스무 대의 카메라를 사용했다.

□ 0639

admire

[ədmáiər]

동 1. 감탄하다 2. 존경하다

Everyone **admired** the picture in the museum.

모두가 박물관에 있는 그 그림에 **감탄했다**.

□ 0640

newspaper

[nú:zpèipər]

명 신문, 신문지

He wrote a column for a local **newspaper**. 기출

그는 지역 **신문**에 칼럼을 썼다.

□ 0641

article

[ɑ́:rtikl]

명 기사, 글

I read an **article** saying classical music helps us have positive energy. 기출

나는 클래식 음악이 우리가 긍정적인 기운을 갖게 한다고 말하는 **기사**를 읽었다.

☐ 0642

popular

형 1. 인기 있는 2. 대중적인

[pɑ́:pjulər]

Cartoons were very **popular**, and some of them were even made into movies. 교과서

만화들은 매우 **인기 있었고**, 그것들 중 일부는 영화로도 만들어졌다.

☐ 0643

well-known

형 유명한, 잘 알려진 ㊌ famous

[wél-nòun]

My mother is a **well-known** musician.

나의 어머니는 **유명한** 음악가이다.

☐ 0644

perfect

형 완벽한, 완전한

[pə́:rfikt]

Practice was great. It will be a **perfect** concert. 기출

연습은 훌륭했다. **완벽한** 콘서트가 될 것이다.

+ perfectly 부 완벽히, 완전히

☐ 0645

series

명 1. 시리즈, 연속물 2. 연속, 일련

[síəri:z]

His mystery **series** has always been very popular. 교과서

그의 미스터리 **시리즈**는 항상 매우 인기 있다.

☐ 0646

create

동 만들다, 창조하다, 창작하다

[kriéit]

The song **created** an exciting mood. 기출

노래가 신나는 분위기를 **만들었다**.

☐ 0647

rhythm

명 리듬, 박자

[ríðm]

Many people enjoy the **rhythms** of the tango.

많은 사람들이 탱고의 **리듬**을 즐긴다.

☐ 0648

statue

[stǽtʃuː]

명 조각상, 상

UNICEF made a **statue** to honor Audrey Hepburn. 교과서

유니세프는 오드리 헵번을 기리기 위해 **조각상**을 만들었다.

Plus +

statue vs. status

statue와 status는 철자가 비슷하기 때문에 혼동하지 않도록 주의해야 해요. status는 '지위'라는 뜻의 명사예요.

The **statue** is located in New York. 그 **조각상**은 뉴욕에 있다.
John's **status** is high in the company. 회사에서 John의 **지위**는 높다.

☐ 0649

parade

[pəréid]

명 행진, 퍼레이드

Did you see the Christmas **parade**?

너는 크리스마스 **행진**을 봤니?

☐ 0650

laugh at

~을 비웃다, 놀리다

People **laughed at** the work of art made out of a toilet.

사람들은 변기로 만들어진 그 예술 작품**을 비웃었다**.

ADVANCED 심화 어휘

☐ 0651

poem

[póuəm]

명 시, 운문

The **poem** was written long ago but still remains one of Korea's favorites. 교과서

그 **시**는 오래전에 쓰였지만 여전히 한국이 아주 좋아하는 것들 중 하나로 남아 있다.

☐ 0652

audience

명 청중, 관객

[ɔ́:diəns]

Her first concert failed to attract a large **audience.** 기출

그녀의 첫 콘서트는 많은 **청중**을 끌어모으는 것에 실패했다.

☐ 0653

performance

명 1. 공연 2. 수행 3. 연기, 연주

[pərfɔ́:rməns]

I'm planning to watch a dance **performance** this weekend. 기출

나는 이번 주말에 춤 **공연**을 보려고 계획 중이다.

+ perform 동 공연하다, 수행하다

☐ 0654

instrument

명 1. 악기 2. 도구, 기구

[ínstrəmənt]

Jeffrey likes the tone of the violin best among the **instruments.**

Jeffrey는 **악기들** 중에 바이올린의 음색을 가장 좋아한다.

Plus +

다양한 instrument

• piano 피아노	• drum 드럼
• guitar 기타	• flute 플루트
• trumpet 트럼펫	• harmonica 하모니카
• violin 바이올린	• cello 첼로

☐ 0655

shoot

동 1. 촬영하다 2. 발사하다 3. 공을 차다 (shot-shot)

[ʃu:t]

We **shot** the sci-fi movie without using computer graphics.

우리는 컴퓨터 그래픽을 사용하지 않고 공상 과학 영화를 **촬영했다.**

☐ 0656

artificial [ɑ̀ːrtəfíʃəl]

형 인공의, 인조의 반 natural 자연의

The theater was surrounded by many **artificial** lights.
그 극장은 많은 **인공**조명들로 둘러싸여 있었다.

Plus +

Artificial Intelligence

우리가 흔히 'AI'로 잘 알고 있는 '인공지능'은 '인공적인'을 의미하는 artificial과 '지능'을 의미하는 intelligence의 합성어예요. 각 단어의 첫 글자를 따서 AI라고 부른답니다.

☐ 0657

publish [pʌ́bliʃ]

동 출판하다, 발행하다

His novel was **published** in 1995 and was made into a television movie. 기출
그의 소설은 1995년에 **출판되었고** 텔레비전 영화로 만들어졌다.

☐ 0658

exhibit [igzíbit]

동 전시하다

The museum **exhibits** many famous paintings during the summer.
박물관은 여름 내내 많은 유명한 그림들을 **전시한다**.

\+ exhibition 명 전시회, 전시

☐ 0659

harmony [hɑ́ːrməni]

명 1. 화음, 화성 2. 조화, 화합

The orchestra played in perfect **harmony**.
오케스트라가 완벽한 **화음**으로 연주했다.

\+ harmonic 형 화음의 in harmony with ~과 조화하여

☐ 0660

deal with

~을 다루다, 처리하다

I love movies that **deal with** unique relationships. 기출
나는 독특한 관계**를 다룬** 영화들을 아주 좋아한다.

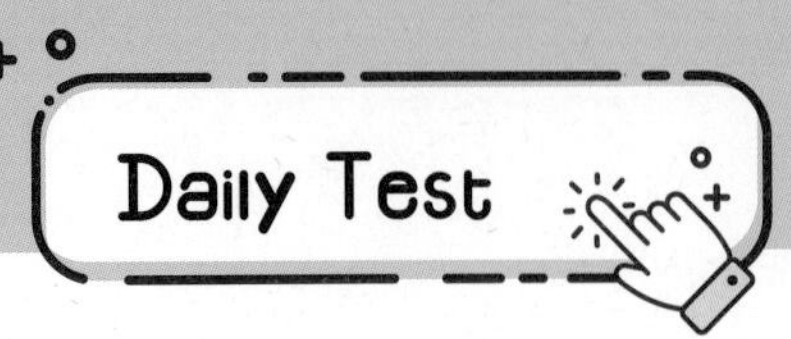

[01~11] 우리말과 같은 뜻이 되도록 빈칸에 알맞은 단어를 쓰세요.

01 큰 극장 a big ______________

02 오페라를 좋아하다 like ______________

03 시를 읽다 read a(n) ______________

04 젊은 음악가 a young ______________

05 완벽한 그림 a(n) ______________ picture

06 드라마의 그 장면 the ______________ of a drama

07 자연사 박물관 the natural history ______________

08 악기를 배우다 learn a(n) ______________

09 인기 있는 예술가 a(n) ______________ artist

10 영화를 촬영하다 ______________ the film

11 새로운 소설을 출판하다 ______________ a new novel

[12~16] 빈칸에 알맞은 단어를 <보기>에서 한 번씩 골라 쓰세요.

<보기>	performance	artificial	deal with	exhibit	rhythm

12 Linda doesn't seem to enjoy the ______________ from the beatbox.

13 Did you like Richard's piano ______________?

14 The artwork is made up of ______________ flowers.

15 The gallery is going to ______________ some famous paintings.

16 The musicals ______________ the subject of love.

[17~20] 단어의 성격이 나머지와 다른 하나를 고르세요.

17 ① admire ② musician ③ opera ④ museum ⑤ artwork

18 ① audience ② tired ③ amazing ④ impressive ⑤ expensive

19 ① create ② harmony ③ perform ④ publish ⑤ complain

20 ① instrument ② poem ③ well-known ④ competition ⑤ statue

Picture Review

사진과 함께 오늘 배운 단어를 다시 기억해보세요.

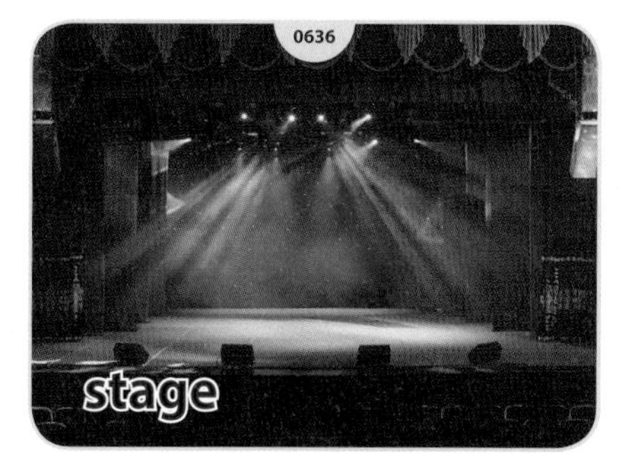

DAY 23 Special Days

특별한 날

이번 vacation에는 산으로 바다로 떠나보는 건 어때요? ♪

CORE 핵심 어휘

□ 0661

party [pɑ́:rti]

명 1. 파티, 모임 2. 정당, ~당

Ann has a **party** at her house tonight with her friends. 기출

Ann은 오늘 밤 친구들과 자신의 집에서 **파티**를 한다.

□ 0662

event [ivént]

명 1. 행사 2. 사건, 일

The main **event** will begin the next day. 교과서

주요 **행사**는 다음 날 시작될 것이다.

□ 0663

festival [féstəvəl]

명 축제

Holi is the most popular **festival** in India. 교과서

Holi는 인도에서 가장 인기 있는 **축제**이다.

□ 0664

balloon [bəlú:n]

명 풍선, 열기구

I have some **balloons** and nice ribbons for the party. 기출

나는 파티를 위한 **풍선들**과 멋진 리본들을 조금 가지고 있다.

□ 0665

candle

[kǽndl]

명 양초, 초

The **candles** for the festival will be burning all day.
축제를 위한 **양초들**이 온종일 타오를 것이다.

□ 0666

card

[kɑːrd]

명 카드, 엽서

It's a thank-you **card** I made for my parents on Parents' Day. 기출
그것은 내가 어버이날에 나의 부모님을 위해 만든 감사 **카드**이다.

□ 0667

celebrate

[séləbrèit]

동 기념하다, 축하하다

My family is going to **celebrate** Thanksgiving. 기출
나의 가족은 추수감사절을 **기념할** 것이다.

+ celebration 명 기념, 축하

□ 0668

ring

[riŋ]

명 1. 반지 2. 고리 동 (종·벨 등이) 울리다 (rang-rung)

He gave his girlfriend a **ring**, asking her to marry him.
그는 자신의 여자친구에게 **반지**를 주었고, 그녀에게 청혼했다.

□ 0669

wedding

[wédiŋ]

명 결혼식, 혼례 유 marriage

A: Can you sing a song at my **wedding**? 기출
B: Sure. I guess I should start practicing.
A: 너는 내 **결혼식**에서 노래를 불러줄 수 있어?
B: 물론이지. 나는 연습을 시작해야겠는걸.

□ 0670

honeymoon

[hʌ́nimuːn]

명 신혼여행

Our **honeymoon** was an unforgettable memory. 기출
우리의 **신혼여행**은 잊을 수 없는 추억이었다.

□ 0671

trick [trik]

명 1. 재주 2. 속임수, 장난 동 속이다, 장난치다

I practiced some **tricks** for my school arts festival.
나는 학교 예술 축제를 위해 몇몇 **재주들**을 연습했다.

Plus +

Trick or treat!

"Trick or treat!"는 핼러윈 데이에 이웃들에게 사탕을 요구할 때 쓰는 표현이에요. trick은 '장난치다', treat은 '대접하다'라는 뜻으로 쓰였어요. '대접하지 않으면 장난치겠다', 즉 '사탕을 주지 않으면 장난치겠다'는 의미랍니다.

□ 0672

witch [witʃ]

명 마녀

My sister dressed up like a **witch** for Halloween.
내 여동생은 핼러윈에 **마녀**처럼 변장했다.

□ 0673

wish [wiʃ]

동 기원하다, 빌다, 바라다 명 바람, 소망

Koreans play traditional games on big holidays like Chuseok to **wish** for a good harvest. 기출
한국인들은 풍작을 **기원하기** 위해 추석과 같은 큰 명절에 전통 놀이를 한다.

□ 0674

birth [bəːrθ]

명 1. 출생, 탄생 2. 출산

What is your date of **birth**?
너의 **출생**일은 언제니?

+ give birth to 출산하다

□ 0675

vacation [veikéiʃən]

명 방학, 휴가 유 holiday

Sue registered for an English camp during summer **vacation**. 기출
Sue는 여름 **방학** 동안 영어 캠프에 등록했다.

□ 0676

prepare

동 준비하다, 대비하다

[pripéər]

They **prepared** some food for the party. 기출

그들은 파티를 위해 약간의 음식을 **준비했다**.

□ 0677

special

형 1. 특별한 2. 고유의, 독특한

[spéʃəl]

We'll go to a **special** exhibition during the holiday. 기출

우리는 휴일 동안에 **특별한** 전시회에 갈 것이다.

+ specialist 명 전문가

□ 0678

host

동 주최하다, 열다 명 주인, 주최자

[houst]

We **hosted** birthday parties for poor children. 기출

우리는 가난한 아이들을 위해 생일 파티를 **주최했다**.

□ 0679

guest

명 손님, 객 유 visitor

[gest]

Our social event has over 70 **guests** now, but more people are coming. 기출

우리 사교 행사에 현재 70명이 넘는 **손님들**이 있지만, 더 많은 사람들이 오고 있다.

+ guest room 명 객실

□ 0680

cheer up

격려하다, 기운을 내다

My friends **cheered** me **up** when I lost the game.

내가 경기에서 졌을 때 내 친구들이 나를 **격려했다**.

Plus +

Cheer up!

힘내라고 격려할 때 보통 '파이팅'이라고 하죠. 파이팅을 영어로는 'Cheer up!'이라고 표현해요. 파이팅을 영어로 그대로 옮겨서 'fighting'이라고 하면 싸우라는 의미를 나타낼 수도 있으니 주의하세요.

ADVANCED 심화 어휘

□ 0681

stuff 명 물건, 것 유 thing

[stʌf]

We have so much **stuff** to carry for our vacation. 기출
우리는 휴가를 위해 들고 갈 **물건**이 너무 많다.

□ 0682

launch 동 시작하다, 착수하다 명 출시, 개시

[lɔːntʃ]

The museum **launched** an exhibit for Memorial Day.
그 박물관은 현충일을 기념한 전시를 **시작했다**.

□ 0683

graduate 동 졸업하다 명 [grǽdʒuət] 졸업생

[grǽdʒuèit]

She **graduated** from college last year.
그녀는 작년에 대학을 **졸업했다**.

+ graduation 명 졸업

□ 0684

arrange 동 1. 준비하다, 마련하다 2. 정리하다, 배열하다

[əréindʒ]

My parents **arranged** a graduation party for me.
나의 부모님은 나를 위해 졸업 파티를 **준비했다**.

+ arrangement 명 준비, 정리

□ 0685

crowded 형 붐비는, 복잡한

[kráudid]

The music festival was **crowded** with people.
음악 축제가 사람들로 **붐볐다**.

□ 0686

riddle

[rídl]

명 수수께끼 유 puzzle

During the event, I solved a **riddle** and got a prize.
행사 동안, 나는 **수수께끼**를 풀어서 상품을 받았다.

□ 0687

decorate

[dékəreit]

동 장식하다, 꾸미다

At the party, some dishes were **decorated** with flowers. 교과서
파티에서, 몇몇 요리들은 꽃으로 **장식되었다**.

□ 0688

congratulation

[kəngrætʃuléiʃən]

명 축하, 축하 인사

A woman received a letter of **congratulations** about her wedding.
여자는 자신의 결혼식에 대한 **축하** 편지를 받았다.

□ 0689

thankful

[θǽŋkfəl]

형 감사하는, 고맙게 여기는 유 grateful

On Teachers' Day, Mike told his teacher how **thankful** he was.
스승의 날에, Mike는 선생님에게 자신이 얼마나 **감사하는지를** 말했다.

□ 0690

look forward to

~을 기대하다, 고대하다

I'm **looking forward to** the singer's concert. 기출
나는 그 가수의 콘서트를 **기대하고** 있다.

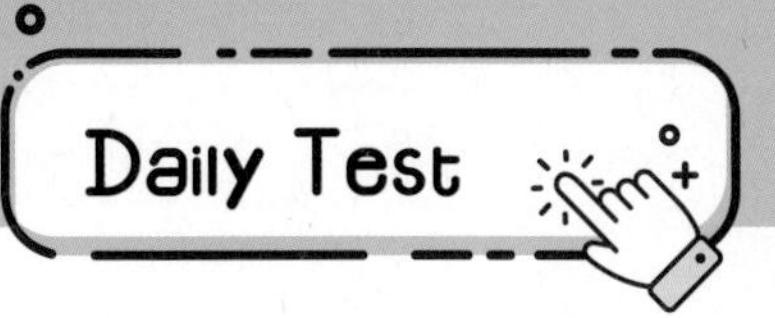

[01~05] 단어와 뜻을 알맞은 것끼리 연결하세요.

01 festival	●	● ⓐ 격려하다
02 celebrate	●	● ⓑ 결혼식
03 birth	●	● ⓒ 축제
04 wedding	●	● ⓓ 출생, 출산
05 cheer up	●	● ⓔ 기념하다

[06~15] 우리말과 같은 뜻이 되도록 빈칸에 알맞은 단어를 쓰세요.

06 방을 꾸미다 ______________ a room

07 깜짝 행사 a surprise ______________

08 미국으로 여행하기를 고대하다 ______________ traveling to the US

09 짧은 여름 방학 a short summer ______________

10 특별한 호텔 a(n) ______________ hotel

11 5월의 신혼여행 a(n) ______________ in May

12 풍선을 불다 blow up the ______________

13 파티를 주최하다 ______________ a party

14 수수께끼를 풀다 solve a(n) ______________

15 내 생일 선물에 감사하는 ______________ for my birthday gift

[16~20] 영영 풀이에 알맞은 단어를 <보기>에서 골라 쓰세요.

<보기>	prepare	launch	crowded	guest	party

16 ______________ : a social event where people gather and enjoy things such as eating, drinking, and dancing

17 ______________ : being full of people

18 ______________ : to make arrangements for an event

19 ______________ : the people who are invited to an event and attend it

20 ______________ : to start a certain event

Picture Review

사진과 함께 오늘 배운 단어를 다시 기억해보세요.

SECTION 4

Things & Conditions

사물과 상태

DAY 24 Describing Things
사물 묘사

이 세상에 exist하는 모든 생명은 귀하고 소중해요.

CORE 핵심 어휘

□ 0691

full 형 1. 가득한 2. 완전한 3. 배부른 반 hungry 배고픈

[ful]

The dining table is **full** of cookies, cake, and bread. 교과서
식탁이 쿠키, 케이크, 그리고 빵으로 **가득하다**.

+ be full of ~으로 가득하다

□ 0692

empty 형 빈, 비어 있는 반 full 가득한

[émpti]

A waiter came and took away David's **empty** plate. 기출
종업원이 와서 David의 **빈** 접시를 가져갔다.

□ 0693

heavy 형 1. 무거운 반 light 가벼운 2. (양·정도 등이) 많은

[hévi]

The groceries were too **heavy**, so I helped her carry them.
식료품들이 너무 **무거워서**, 나는 그녀가 그것들을 옮기는 것을 도왔다.

□ 0694

flat 형 평평한, 납작한

[flæt]

There aren't many **flat** places on the mountain. 기출
산에는 **평평한** 장소들이 많지 않다.

□ 0695

low | 형 낮은 부 낮게

[lou]

The word "Netherlands" means "**low** lands." 교과서
"네덜란드"라는 단어는 "**낮은** 땅(저지대)"을 의미한다.

□ 0696

long | 형 긴 반 short 짧은 부 길게, 오래

[lɔːŋ]

An elephant picked the food up with its **long** nose. 교과서
코끼리가 그것의 **긴** 코로 음식을 집어들었다.

□ 0697

new | 형 새로운, 새 반 old 오래된

[nuː]

The man invented **new** machines for his kitchen. 교과서
남자는 자신의 부엌에 둘 **새로운** 기계들을 발명했다.

□ 0698

open | 형 열린, 열려 있는 동 열다, 열리다

[óupən]

The wind blew through the **open** window.
열린 창문을 통해 바람이 불었다.

□ 0699

wide | 형 (폭이) 넓은 반 narrow 좁은 부 넓게

[waid]

The Amazon River is very **wide**, so you cannot see the other side. 교과서
아마존강은 매우 **넓어서**, 너는 반대편을 볼 수 없다.

□ 0700

piece | 명 1. 조각, 부분 2. 작품

[piːs]

We need to cut the watermelon into **pieces** before we eat it. 기출
우리는 수박을 먹기 전에 그것을 **조각들**로 잘라야 한다.

□ 0701

rough

형 1. 거친, 고르지 않은 2. 험한 3. 대략적인

[rʌf]

The bricks have **rough** surfaces.
벽돌들은 **거친** 표면을 가지고 있다.

+ roughly 부 거칠게, 험하게

□ 0702

hard

형 1. 딱딱한, 단단한 2. 어려운, 힘든 유 difficult

[hɑːrd]

I can sleep on the **hard** floor.
나는 **딱딱한** 바닥에서 잘 수 있다.

□ 0703

slowly

부 천천히, 느리게

[slóuli]

A boat with blue sails **slowly** appeared on the river. 교과서
파란 돛을 단 보트가 **천천히** 강에 나타났다.

Plus +

접미사 ly

ly는 형용사 뒤에 붙어서 부사를 만드는 접미사예요.

slow 느린 + ly ▸ slowly 느리게
new 새로운 + ly ▸ newly 새롭게
sudden 갑작스러운 + ly ▸ suddenly 갑자기

□ 0704

helpful

형 유용한, 도움이 되는 유 useful

[hélpfəl]

Computers are really **helpful** for humans.
컴퓨터는 인간에게 정말 **유용하다**.

□ 0705

round

형 둥근, 원형의

[raund]

In a part of China, you can see **round** roofs that look like doughnuts. 교과서
중국 일부 지역에서, 너는 도넛처럼 생긴 **둥근** 지붕을 볼 수 있다.

☐ 0706

shape

명 모양, 모습 유 form 동 (~한) 모양으로 만들다

[ʃeip]

The walnut's **shape** is similar to a human brain.
호두의 **모양**은 사람의 뇌와 비슷하다.

Plus +

다양한 shape

- circle 원형
- triangle 삼각형
- rectangle 직사각형
- square 정사각형
- diamond 다이아몬드 모양
- pentagon 오각형

☐ 0707

sharp

형 날카로운, 예리한 반 dull 무딘

[ʃɑːrp]

Be careful when you use a **sharp** knife.
날카로운 칼을 사용할 때 조심해.

☐ 0708

huge

형 거대한, 엄청난 유 giant

[hjuːdʒ]

A tsunami is a **huge** wave that can cause terrible damage. 기출
쓰나미는 끔찍한 피해를 야기할 수 있는 **거대한** 파도이다.

☐ 0709

tiny

형 조그마한, 아주 작은

[táini]

The girl's family is keeping their **tiny** house warm. 기출
소녀의 가족은 그들의 **조그마한** 집을 따뜻하게 유지하고 있다.

☐ 0710

up and down

1. 위아래로 2. 좋다가 나쁘다가 하는

Elevators move **up and down**. 기출
엘리베이터는 **위아래로** 움직인다.

ADVANCED 심화 어휘

□ 0711

feature 명 특징, 특색 동 특징을 이루다

[fíːtʃər]

One of the most interesting **features** of the shark is their pointed teeth. 기출

상어의 가장 흥미로운 **특징들** 중 하나는 그들의 뾰족한 이빨이다.

□ 0712

wooden 형 나무로 된, 목제의

[wúdn]

Living in **wooden** houses is good for our health.

나무로 된 집에 사는 것은 우리 건강에 좋다.

□ 0713

pile 명 더미, 무더기 동 쌓다, 포개다

[pail]

There is a **pile** of books on the desk.

책**더미**가 책상 위에 있다.

Plus +

pile vs. file

pile과 file은 철자가 비슷하기 때문에 혼동하지 않도록 주의해야 해요. file은 '파일, 자료'라는 의미를 가져요.

- the **pile** of books 책**더미**
- upload the **file** **파일**을 올리다

□ 0714

exist 동 존재하다, 실재하다

[igzíst]

People say wormholes **exist** in theory only. 교과서

사람들은 웜홀이 오직 이론적으로만 **존재한다고** 말한다.

+ existence 명 존재

□ 0715

object

명 물체, 물건 동 [əbdʒékt] 반대하다

[ɑ́:bdʒikt]

A man picked up a shiny **object** and brushed off the dirt. 교과서

남자가 빛나는 **물체**를 집어 들어서 먼지를 털었다.

□ 0716

valuable

형 1. 값비싼, 고가의 유 expensive 2. 귀중한

[vǽljuəbl]

These jewels are very **valuable**.

이 보석들은 매우 **값비싸다**.

□ 0717

precious

형 귀중한, 값진 유 valuable

[préʃəs]

Time is **precious**.

시간은 **귀중하다**.

□ 0718

unlike

전 ~과 달리 반 like ~과 같은 형 같지 않은

[ənláik]

Unlike other paintings, the picture focuses on insects.

다른 그림들**과 달리**, 그 그림은 곤충들에 초점을 맞춘다.

□ 0719

stiff

형 뻣뻣한, 딱딱한 반 flexible 유연한

[stif]

This leather is **stiff**.

이 가죽은 **뻣뻣하다**.

□ 0720

a variety of

다양한, 여러 가지의

The hotel has **a variety of** rooms with nice views. 기출

그 호텔은 좋은 전망을 가진 **다양한** 객실들을 가지고 있다.

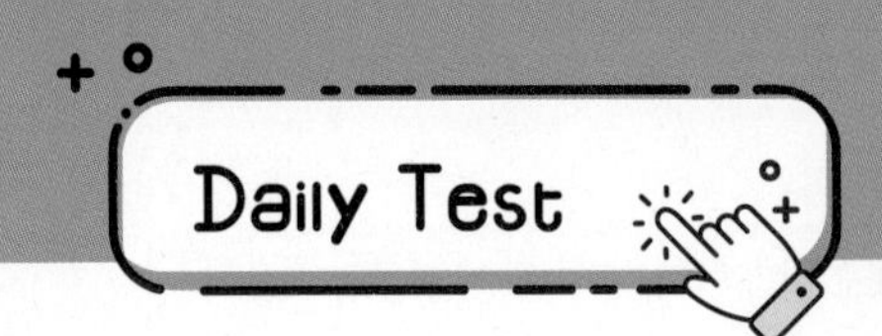

[01~10] 우리말과 같은 뜻이 되도록 빈칸에 알맞은 단어를 쓰세요.

01 거친 땅 ______________ ground

02 꽃들로 가득한 ______________ of flowers

03 아주 작은 인형 a(n) ______________ doll

04 수상한 물체 a strange ______________

05 나무로 된 집 a(n) ______________ house

06 날카로운 가위 ______________ scissors

07 느리게 가는 자동차 the car going ______________

08 내 방의 특징 a(n) ______________ of my room

09 다양한 자동차들 ______________ cars

10 케이크의 마지막 조각 the last ______________ of cake

[11~15] 빈칸에 알맞은 단어를 주어진 철자로 시작하여 쓰세요.

11 Life may e______________ on other planets such as Mars.

12 The diamond ring is v______________.

13 Ken found broken windows and an e______________ safe.

14 The boat is moving u______________ on the water because of the waves.

15 Paul's father bought him a n______________ bike.

[16~20] 다음 괄호 안에 주어진 지시에 맞게 빈칸을 채우세요.

16 shape 모양 → (유의어) ______________

17 helpful 유용한 → (유의어) ______________

18 wide 넓은 → (반의어) ______________

19 heavy 무거운→ (반의어) ______________

20 stiff 뻣뻣한 → (반의어) ______________

Picture Review

사진과 함께 오늘 배운 단어를 다시 기억해보세요.

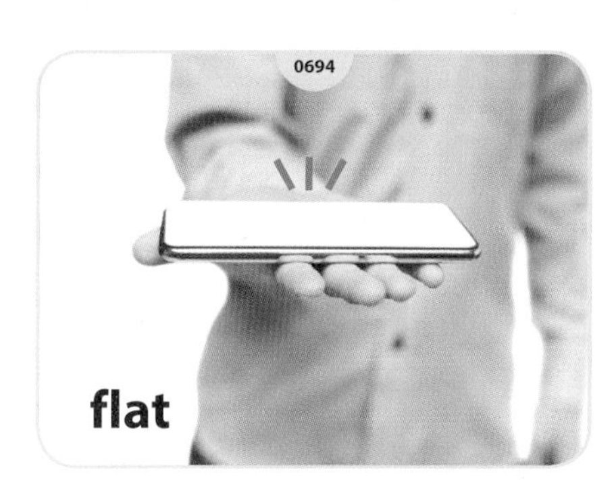

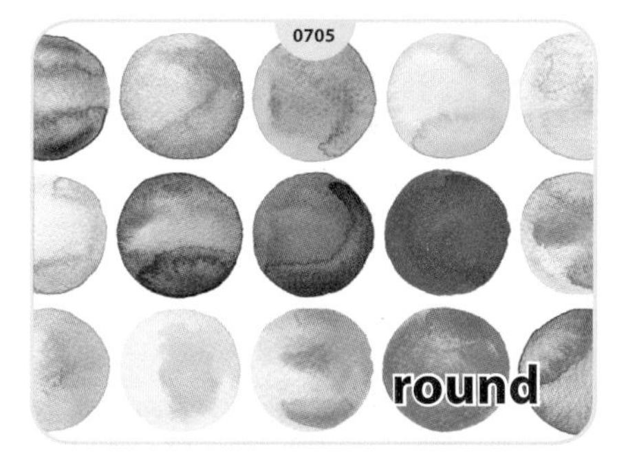

DAY 25 Describing Conditions

상태 묘사

Mood가 태도가 되지 않도록 해요!

CORE 핵심 어휘

□ 0721

terrible 형 1. 지독한, 심한 2. 끔찍한

[térəbl]

The park smelled **terrible** because of the trash.
공원이 쓰레기 때문에 **지독한** 냄새가 났다.

□ 0722

awful 형 1. 끔찍한, 무서운 2. 지독한, 심한

[ɔ́:fəl]

He had an **awful** time in the hospital.
그는 병원에서 **끔찍한** 시간을 보냈다.

□ 0723

strange 형 1. 이상한 2. 낯선, 모르는

[streindʒ]

I had a **strange** dream last night. 기출
나는 지난밤에 **이상한** 꿈을 꿨다.

□ 0724

wrong 형 1. 잘못된, 틀린 2. 나쁜, 옳지 못한

[rɔ:ŋ]

When your baby cries, you need to find out what is **wrong**. 기출
당신의 아기가 울면, 당신은 무엇이 **잘못됐는지** 알아낼 필요가 있다.

□ 0725

difficult

형 어려운, 힘든 유 hard

[dífikʌlt]

The math problems are too **difficult** for me. 기출
그 수학 문제들은 나에게 너무 **어렵다**.

□ 0726

fair

형 1. 공정한, 공평한 2. 꽤 많은, 상당한 명 박람회

[feər]

I think the judgment was **fair**.
나는 판결이 **공정했다고** 생각한다.

Plus +

world fair

world fair는 '세계 박람회'를 뜻해요. 세계 박람회는 세계 여러 나라가 자신의 기술력을 자랑하고, 문화를 알리는 역할을 해요. world fair를 다른 말로 expo라고 줄여서 부르기도 해요. 한국에서도 지난 1993년에 대전 엑스포, 2012년에 여수 엑스포가 열렸어요.

□ 0727

exactly

부 정확하게, 틀림없이

[igzǽktli]

The meat made of soy tastes **exactly** like real meat. 교과서
콩으로 만들어진 고기는 **정확하게** 실제 고기 같은 맛이 난다.

□ 0728

loud

형 시끄러운, (소리가) 큰 유 noisy 반 quiet 조용한

[laud]

The frogs in the pond were **loud**. 기출
연못에 있는 개구리들은 **시끄러웠다**.

□ 0729

silence

명 1. 정적, 고요 2. 침묵

[sáiləns]

Jane broke the **silence** by coughing. 기출
Jane이 기침함으로써 **정적**을 깼다.

□ 0730

usual

형 보통의, 평상시의 반 unusual 흔치 않은

[jú:ʒuəl]

Yesterday was just a **usual** day, because nothing interesting happened.

어제는 그저 **보통의** 날이었는데, 이는 아무런 흥미로운 일이 일어나지 않았기 때문이다.

□ 0731

especially

부 특히, 유난히

[ispéʃəli]

The food on Jeju Island was **especially** amazing. 기출

제주도의 음식은 **특히** 굉장했다.

□ 0732

mood

명 1. 기분, 감정 2. 분위기

[mu:d]

A: Do you listen to classical music? 기출

B: Sometimes. It helps me maintain a good **mood**.

A: 너는 클래식 음악을 듣니?

B: 가끔. 그것은 내가 좋은 **기분**을 유지하게 해.

Plus +

다양한 mood

mood를 묻는 문제는 듣기 시험부터 고등학교 모의고사까지 자주 등장하니 잘 알아두세요!

- cheerful 발랄한
- gloomy 침울한
- calm 차분한
- hopeful 희망에 찬
- romantic 낭만적인
- lonely 쓸쓸한
- mysterious 신비한
- humorous 재미있는

□ 0733

speed

명 1. 속도, 속력 2. 신속 동 빨리 가다 (sped-sped)

[spi:d]

The **speed** of sound is slower than the **speed** of light. 기출

소리의 **속도**는 빛의 **속도**보다 더 느리다.

☐ 0734

mystery 명 불가사의, 신비

[místəri]

Stonehenge has remained a **mystery** for a long time. 교과서

스톤헨지는 오랫동안 **불가사의**로 남아 있다.

☐ 0735

everything 대 모든 것, 모두

[évriθiŋ]

Everything is going well these days. 교과서

요즘에 **모든 것**이 잘 되고 있다.

☐ 0736

during 전 ~ 동안, ~하는 중에

[djúəriŋ]

The air conditioner keeps us cool **during** hot summer days. 기출

에어컨은 더운 여름철 **동안** 우리를 시원하게 해준다.

☐ 0737

excellent 형 훌륭한, 우수한

[éksələnt]

Her house is in **excellent** condition.

그녀의 집은 **훌륭한** 상태에 있다.

☐ 0738

surprising 형 놀라운, 의외의 유 amazing

[sərpráiziŋ]

The movie had a **surprising** ending.

그 영화는 **놀라운** 결말을 가지고 있었다.

+ surprised 형 놀란

☐ 0739

shocking 형 충격적인

[ʃáːkiŋ]

I got angry when I read the **shocking** article.

나는 그 **충격적인** 기사를 읽었을 때 화가 났다.

□ 0740

covered with ~으로 뒤덮인

Most of Antarctica is **covered with** ice and snow. 기출
남극 대륙의 대부분은 얼음과 눈**으로 뒤덮여** 있다.

ADVANCED 심화 어휘

□ 0741

dramatic 형 극적인

[drəmǽtik]

He couldn't believe the **dramatic** story.
그는 그 **극적인** 이야기를 믿을 수 없었다.

□ 0742

suddenly 부 갑자기

[sʌ́dnli]

Suddenly, my computer shut down. 기출
갑자기, 내 컴퓨터가 꺼졌다.

□ 0743

unbelievable 형 믿을 수 없는, 믿기 어려운

[ə̀nbəlívəbəl]

Lizy saw an **unbelievable** case on the news today.
Lizy는 오늘 뉴스에서 **믿을 수 없는** 사건을 보았다.

Plus +

접두사 un

un은 '부정', '반대'의 의미를 더하는 접두사예요.

un + believable 믿을 만한 ▸ unbelievable 믿을 수 없는
un + usual 보통의 ▸ unusual 특이한
un + safe 안전한 ▸ unsafe 위험한
un + comfortable 편안한 ▸ uncomfortable 불편한

□ 0744

ordinary 형 보통의, 평범한 유 usual

[ɔ́ːrdənèri]

Today was different from **ordinary** days.
오늘은 **보통의** 날들과 달랐다.

□ 0745

situation

명 상황, 처지, 입장

[sìtʃuéiʃən]

We want to avoid unpleasant **situations.** 기출
우리는 불쾌한 **상황들**을 피하고 싶다.

□ 0746

familiar

형 1. 친숙한, 익숙한 2. 잘 알고 있는, 정통한

[fəmíljər]

The new generation is **familiar** with electronic devices. 기출
신세대는 전자 기기에 **친숙하다**.

+ be familiar with ~에 친숙하다, 익숙하다

□ 0747

describe

동 묘사하다, 서술하다

[diskráib]

Advertisements usually **describe** only the merits of the product.
광고는 주로 제품의 장점만을 **묘사한다**.

□ 0748

among

전 1. ~ 중에서 2. ~에 둘러싸여

[əmʌ́ŋ]

Among the various kinds of books, novels are the most popular. 기출
다양한 종류의 책들 **중에서**, 소설이 가장 인기 있다.

□ 0749

unfortunately

부 불행하게도, 유감스럽게도

[ənfɔ́:rtʃənətli]

Unfortunately, the economy grew worse. 기출
불행하게도, 경제가 더 나빠졌다.

□ 0750

in addition

게다가, 덧붙여

The weather is cold. **In addition,** it's windy.
날씨가 춥다. **게다가**, 바람이 분다.

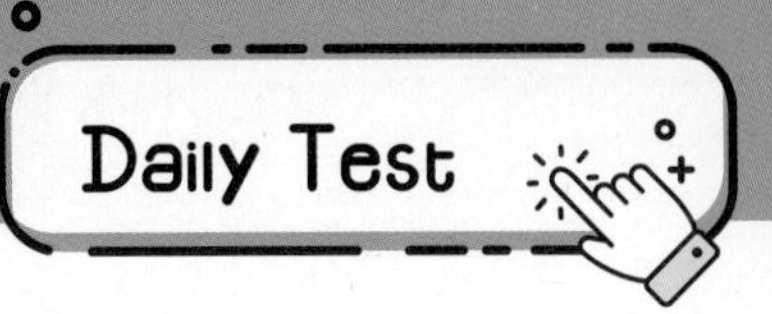

[01~05] 단어와 뜻을 알맞은 것끼리 연결하세요.

01 everything • • ⓐ 보통의

02 especially • • ⓑ 모든 것

03 during • • ⓒ 믿을 수 없는

04 usual • • ⓓ 특히

05 unbelievable • • ⓔ ~ 동안

[06~15] 우리말과 같은 뜻이 되도록 빈칸에 알맞은 단어를 쓰세요.

06 극적인 결말 ________ ending

07 더 나쁜 상황 a worse ________

08 눈으로 뒤덮인 ________ snow

09 정확하게 반대되는 것 ________ the opposite

10 좋은 기분 a good ________

11 밤의 정적 the ________ of the night

12 충격적인 소식 ________ news

13 훌륭한 요리를 하다 cook a(n) ________ dish

14 공정한 결과 a(n) ________ result

15 친숙한 음악을 연주하다 play ________ music

[16~20] 단어와 영영 풀이를 알맞은 것끼리 연결하세요.

16 awful • • ⓐ unexpectedly and without notice

17 difficult • • ⓑ not special, normal

18 mystery • • ⓒ being very unpleasant and bad

19 suddenly • • ⓓ something that is not understood or known

20 ordinary • • ⓔ being not easy to do something

Picture Review

사진과 함께 오늘 배운 단어를 다시 기억해보세요.

SECTION 5

Nature

자연

DAY 26

Plants

식물

사랑을 종종 새빨간 rose에 비유하기도 해요.

CORE 핵심 어휘

□ 0751

plant [plænt]

동 (식물 등을) 심다, (씨를) 뿌리다 명 식물

Children **planted** a tulip in a pot. 기출
아이들이 화분에 튤립을 **심었다**.

Plus + 식물과 관련된 단어들

• root 뿌리	• sprout 싹	• stem 줄기
• fruit 열매	• flower 꽃	• branch 나뭇가지

□ 0752

seed [si:d]

명 씨앗, 종자

I'm worried that we don't have enough **seeds** to plant in the garden.
나는 우리가 정원에 심을 충분한 **씨앗**을 가지지 않아 걱정스럽다.

□ 0753

soil [sɔil]

명 토양, 흙

The **soil** near a volcano is suitable for farming. 교과서
화산 근처의 **토양**은 농사에 적합하다.

□ 0754

sunlight [sʌ́nlait]

명 햇빛, 햇살

Without **sunlight**, plants can't live. 기출
햇빛 없이, 식물들은 살 수 없다.

□ 0755

water 동 물을 주다 명 물

[wɔ́:tər]

A girl is **watering** flowers in the garden.
한 소녀가 정원에 있는 꽃들에 **물을 주고** 있다.

□ 0756

ground 명 1. 흙, 토양 2. 지면, 땅 3. (-s) 운동장

[graund]

Trees soak water from the **ground**.
나무들은 **흙**에서 물을 빨아들인다.

□ 0757

cactus 명 선인장

[kǽktəs]

Cactuses usually live in deserts.
선인장들은 보통 사막에 서식한다.

□ 0758

rose 명 장미

[rouz]

Roses are very nice in the summer time.
장미들은 여름철에 정말 예쁘다.

Plus +

rose는 봄과 여름 사이에 피는 꽃으로, 사랑을 나타낼 때 쓰이기도 해요. 다른 꽃들의 영어 이름도 함께 알아볼까요?

- daisy 데이지
- lily 백합
- carnation 카네이션
- sunflower 해바라기
- tulip 튤립
- iris 붓꽃

□ 0759

branch 명 1. 나뭇가지 2. 분점, 지사

[bræntʃ]

The **branches** are swinging in the wind.
나뭇가지들이 바람에 흔들리고 있다.

□ 0760

bloom

동 (꽃을) 피우다, (꽃이) 피다 명 개화, 꽃

[bluːm]

Lotus flowers grow in muddy ponds but **bloom** beautifully. 교과서

연꽃은 진흙투성이의 연못에서 자라지만 아름답게 **꽃을 피운다**.

+ blooming 형 활짝 핀, 만발한

□ 0761

fence

명 울타리, 담

[fens]

Sunflowers have bloomed along the **fence**.

해바라기들이 **울타리**를 따라 꽃을 피웠다.

□ 0762

wild

형 야생의, 자연 그대로의 명 야생

[waild]

How much do you know about **wild** plants in Korea?

너는 한국의 **야생** 식물들에 대해 얼마나 많이 알고 있니?

+ wildlife 명 야생 생물

□ 0763

survive

동 생존하다, 살아남다

[sərváiv]

Moringa trees can **survive** almost anywhere in the world. 기출

모링가 나무들은 거의 세계 어디에서든 **생존할** 수 있다.

+ survival 명 생존

□ 0764

weed

명 잡초 동 잡초를 뽑다

[wiːd]

My garden is covered with **weeds**.

나의 정원은 **잡초**들로 뒤덮여 있다.

□ 0765

bamboo

명 대나무

[bæ̀mbúː]

Bamboo stays green all year.
대나무는 일 년 내내 푸른 상태로 있다.

□ 0766

pine

명 소나무

[pain]

There are many **pines** in the forest. 교과서
숲에는 많은 **소나무들**이 있다.

□ 0767

spring

명 1. 봄 2. 용수철 3. 샘, 수원지

[spriŋ]

The tree buds come out in **spring**.
봄에 나무의 새싹들이 돋아난다.

Plus+

hot spring

hot spring은 hot(뜨거운)과 spring(샘)이 합쳐져서 만들어진 합성어로, '온천'을 의미해요. hot spring을 '뜨거운 봄' 또는 '뜨거운 용수철'로 해석하면 안 되겠죠?

□ 0768

romantic

형 낭만적인, 로맨틱한

[roumǽntik]

Nothing is more **romantic** than roses on a special day.
어떤 것도 특별한 날의 장미보다 더 **낭만적이지** 않다.

□ 0769

maple

명 단풍나무

[méipl]

Maple leaves appear on the Canadian flag.
캐나다 국기에는 **단풍나무** 잎들이 등장한다.

□ 0770

up to

~까지

Ginkgo trees can grow **up to** 35 meters.
은행나무는 35미터**까지** 자랄 수 있다.

ADVANCED 심화 어휘

□ 0771

species | 명 종, 종류 ⊕복 species

[spíːʃiːz]

The botanical garden is famous for many **species** of flowers.
그 식물원은 많은 **종**의 꽃들로 유명하다.

□ 0772

bush | 명 덤불, 관목

[buʃ]

The southern half of Puerto Rico has many thorn **bushes**. 기출
푸에르토리코의 남반부에는 가시나무 **덤불들**이 많다.

□ 0773

bud | 명 싹, 꽃봉오리

[bʌd]

The **bud** will come out soon.
싹이 곧 나올 것이다.

□ 0774

rapidly | 부 급속히, 빨리

[rǽpidli]

The number of endangered plants is increasing **rapidly**.
멸종 위기에 처한 식물들의 수가 **급속히** 증가하고 있다.

+ rapid 형 급속한, 빠른

□ 0775

crop | 명 농작물, 수확물

[krɑːp]

Bees help produce many **crops**, such as apples and strawberries. 교과서
벌은 사과와 딸기 같은 많은 **농작물들**을 생산하는 것을 돕는다.

□ 0776

growth 명 성장, 발전

[grouθ]

Fertilizers are used to promote the **growth** of plants.
비료는 식물의 **성장**을 촉진하기 위해 사용된다.

□ 0777

absorb 동 흡수하다, 빨아들이다

[əbsɔ́:rb]

When spinach **absorbs** water, it also **absorbs** other things from the soil. 교과서
시금치는 물을 **흡수할** 때, 토양으로부터 다른 것들도 **흡수한다**.

□ 0778

ripe 형 익은, 여문

[raip]

The blueberries in the garden are not **ripe** yet.
정원에 있는 블루베리가 아직 **익지** 않았다.

+ ripen 동 익다, 익히다

□ 0779

poisonous 형 독이 있는, 유해한 유 toxic

[pɔ́izənəs]

Until the 1800s, most Americans thought that tomatoes were **poisonous**. 교과서
1800년대까지, 대부분의 미국인들은 토마토에 **독이 있다고** 생각했다.

+ poison 명 독, 독약

□ 0780

get rid of ~을 처리하다, 없애다

To have new plants in our garden, we should **get rid of** the old ones. 기출
우리 정원에 새 식물들을 두기 위해, 우리는 오래된 식물들**을 처리해야** 한다.

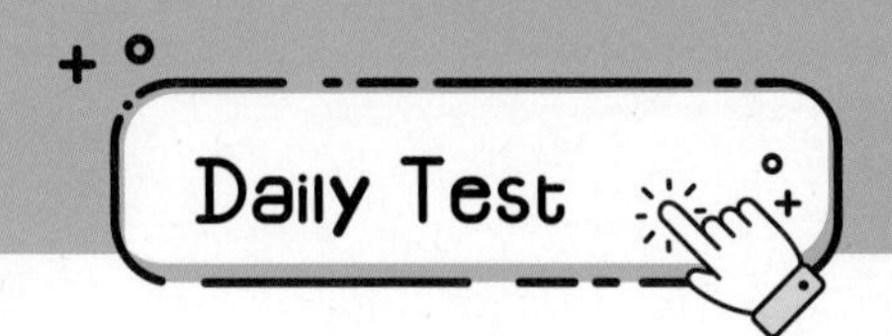

[01~10] 우리말과 같은 뜻이 되도록 빈칸에 알맞은 단어를 쓰세요.

01 독이 있는 열매 a(n) ______________ fruit

02 봄 꽃들 ______________ flowers

03 빨간 단풍나무 잎 a red ______________ leaf

04 소나무 잎 ______________ needles

05 물을 흡수하다 ______________ water

06 키가 큰 대나무 tall ______________

07 사막에서 생존하다 ______________ in a desert

08 익은 수박 a(n) ______________ watermelon

09 장미의 가시들을 없애다 ______________ the rose's thorns

10 정원에 있는 선인장 a(n) ______________ in the garden

[11~18] 빈칸에 알맞은 단어를 <보기>에서 한 번씩 골라 쓰세요.

<보기> up to soil crops wild growth seeds sunlight weed

11 Water and warm ______________ are needed for plants to grow.

12 Suzy picked some ______________ strawberries.

13 Farmers usually harvest many ______________ in fall.

14 It is amazing to see the ______________ of trees.

15 Some sunflowers grow ______________ one meter tall.

16 Paul planted one hundred tomato ______________ in the field.

17 I helped my dad ______________ the garden.

18 Most rice grows in wet ______________.

[19~20] 단어의 성격이 나머지와 다른 하나를 고르세요.

19 ① romantic ② soil ③ sunlight ④ bush ⑤ bud

20 ① ripe ② poisonous ③ excellent ④ ordinary ⑤ rapidly

Picture Review

사진과 함께 오늘 배운 단어를 다시 기억해보세요.

0751 plant

0755 water

0756 ground

0758 rose

0759 branch

0761 fence

0772 bush

0773 bud

DAY 27

Animals
동물

반려동물을 진심 어린 사랑과 애정으로 take care of해야 해요.

CORE 핵심 어휘

□ 0781

turtle 명 (바다)거북

[tə́:rtl]

Sea **turtles** can't easily find places to lay eggs as beaches are too bright at night. 교과서

바다**거북들**은 알을 낳을 장소를 쉽게 찾을 수 없는데 이는 해변이 밤에 너무 밝기 때문이다.

□ 0782

chicken 명 닭

[tʃíkən]

Chickens have wings, but they can't fly.

닭은 날개를 가지고 있지만, 날지 못한다.

□ 0783

elephant 명 코끼리

[éləfənt]

Elephants aren't able to see well at night. 교과서

코끼리들은 밤에 잘 보지 못한다.

□ 0784

hen 명 암탉

[hen]

When I lived on the farm, I used to raise **hens**. 기출

내가 농장에 살았을 때, 나는 **암탉들**을 기르곤 했다.

+ rooster 명 수탉 chick 명 병아리

□ 0785

snake 명 뱀

[sneik]

The Amazon is home to some very big **snakes.** 교과서

아마존은 일부 매우 큰 **뱀들**의 서식지이다.

□ 0786

wolf 명 늑대, 이리 복 wolves

[wulf]

The **wolves** we normally see in zoos are gray **wolves.** 기출

보통 우리가 동물원에서 보는 **늑대**는 회색**늑대**이다.

□ 0787

dolphin 명 돌고래

[dɑ́:lfin]

From birth, **dolphins** live together as a family. 기출

태어날 때부터, **돌고래들**은 한 가족으로 함께 산다.

□ 0788

kangaroo 명 캥거루

[kæ̀ŋgərú:]

Baby **kangaroos** live in a pocket on their mothers' stomachs.

아기 **캥거루들**은 그들의 어미의 배에 있는 주머니 속에 산다.

□ 0789

crow 명 까마귀 동 (수탉이) 울다

[krou]

Crows are a clever species of bird. 기출

까마귀들은 영리한 종의 새이다.

□ 0790

frog 명 개구리

[frɔ:g]

There are many **frogs** in the pond.

연못 안에 많은 **개구리들**이 있다.

□ 0791

swan 명 백조

[swɑːn]

A **swan** is swimming in the lake.
백조가 호수에서 헤엄치고 있다.

□ 0792

eagle 명 독수리

[íːgl]

Eagles can see rabbits up to 3.2 km away. 교과서
독수리들은 3.2킬로미터만큼 떨어져 있는 토끼들도 볼 수 있다.

□ 0793

dragon 명 용

[drǽgən]

A **dragon** means good luck in Korea. 기출
한국에서 **용**은 행운을 의미한다.

Plus +

상상 속의 동물들

dragon은 실제로 존재하지는 않지만, 동양과 서양의 전설 속에 등장하는 상상의 동물이에요. dragon뿐만 아니라 이마에 뿔이 달린 unicorn(유니콘), 불에 뛰어들어 환생하는 불멸의 새 phoenix(불사조), 이집트의 피라미드 앞에 서 있는 사람의 머리와 사자의 몸을 가진 sphinx(스핑크스)도 모두 전설 속의 동물들이랍니다.

□ 0794

whale 명 고래

[weil]

Whales cannot stay under the water all the time. 교과서
고래들은 항상 물속에 머무를 수는 없다.

□ 0795

donkey 명 당나귀

[dɑ́ːŋki]

In the past, **donkeys** were used to carry things.
과거에는, **당나귀들**이 물건들을 나르는 데 사용되었다.

□ 0796

giraffe 명 기린

[dʒərǽf]

Giraffes can eat leaves high on the trees.
기린들은 나무 위에 높이 있는 나뭇잎을 먹을 수 있다.

□ 0797

bull 명 황소

[bul]

Two **bulls** are fighting each other.
두 마리의 **황소**가 서로 겨루고 있다.

□ 0798

hatch 동 부화시키다, 부화하다

[hætʃ]

Female leopard sharks lay eggs and **hatch** them inside their bodies. 기출
레오파드 상어 암컷들은 자신들의 몸 안에 알을 낳고 **부화시킨다**.

□ 0799

beast 명 짐승, 야수

[bi:st]

Wild **beasts** are often found in deep forests.
야생 **짐승들**은 깊은 숲속에서 종종 발견된다.

□ 0800

take care of ~을 돌보다

When the eggs hatch, hens **take care of** their chicks.
알들이 부화하면, 암탉들은 자신들의 병아리를 **돌본다**.

ADVANCED 심화 어휘

□ 0801

feather	명 깃털
[féðər]	Some parrots have colorful **feathers**. 어떤 앵무새들은 다채로운 **깃털들**을 가지고 있다.

□ 0802

lizard	명 도마뱀
[lízərd]	Chameleons are a type of **lizard**. 카멜레온은 **도마뱀**의 한 종류이다.

□ 0803

leopard	명 표범
[lépərd]	**Leopards** have spots all over their bodies. **표범들**은 그들의 온 몸에 반점들을 가지고 있다.

□ 0804

cattle	명 소떼, 소
[kǽtl]	The **cattle** are sleeping on the grass. **소떼**가 잔디밭에서 자고 있다.

□ 0805

peacock	명 공작
[pí:kɑ:k]	**Peacocks'** feathers are colorful and impressive. **공작들**의 깃털은 다채롭고 인상적이다.

□ 0806

hippo	명 하마
[hípou]	**Hippos** live in lakes, swamps, and rivers. **하마들**은 호수, 늪, 그리고 강에 산다.

□ 0807

octopus

[ɑ́:ktəpəs]

명 문어

An **octopus** usually takes on the color of its environment. 기출

문어는 보통 그것의 주변 환경 색깔을 띤다.

Plus +

octopus의 다리 개수

문어를 나타내는 단어 octopus를 통해 문어의 다리 개수를 알 수 있다는 사실을 알고 있나요? octo가 숫자 8을 의미하기 때문이에요. 또한, 팔각형을 뜻하는 octagon의 octa도 형태는 약간 다르지만 숫자 8을 의미한답니다.

□ 0808

dinosaur

[dáinəsɔ:r]

명 공룡

Although **dinosaurs** were usually very large, no dinosaur was over 165 feet long. 기출

공룡들이 보통 매우 거대함에도 불구하고, 길이가 165피트를 넘는 공룡은 없었다.

□ 0809

wildlife

[wáildlaif]

명 야생 생물

Wildlife is threatened by light pollution. 교과서

야생 생물은 빛 공해에 의해 위협받는다.

□ 0810

watch over

지키다, 보살피다

Sheepdogs **watch over** the sheep.

양치기 개들은 양들을 **지킨다**.

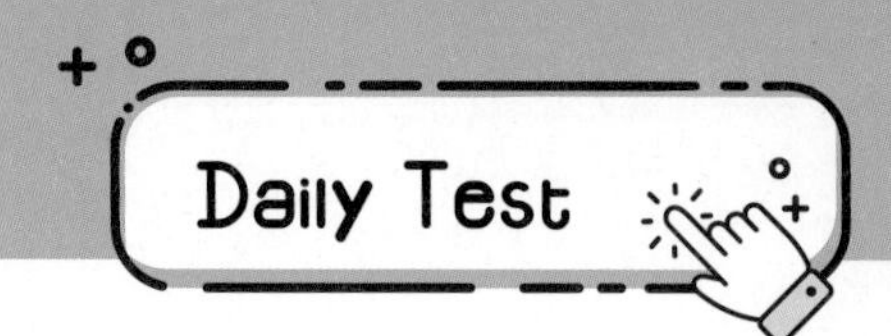

[01~05] 단어와 뜻을 알맞은 것끼리 연결하세요.

01 donkey • • ⓐ 뱀

02 snake • • ⓑ 당나귀

03 cattle • • ⓒ 소떼

04 swan • • ⓓ 백조

05 chicken • • ⓔ 닭

[06~15] 우리말과 같은 뜻이 되도록 빈칸에 알맞은 단어를 쓰세요.

06 수컷 도마뱀 a male ________________

07 알들을 부화시키다 ________________ eggs

08 바닷속에서 헤엄치는 고래 a(n) ________________ swimming in the sea

09 새의 깃털 a(n) ________________ of a bird

10 강아지를 돌보다 ________________ a puppy

11 공작의 꼬리 a(n) ________________'s tail

12 코끼리의 코 the nose of a(n) ________________

13 성난 하마 an angry ________________

14 북극곰들을 지키다 ________________ polar bears

15 거대한 공룡 a huge ________________

[16~20] 영영 풀이에 알맞은 단어를 <보기>에서 골라 쓰세요.

<보기>	hen	giraffe	kangaroo	octopus	wildlife

16 ________________ : an Australian animal that uses its powerful legs to jump around

17 ________________ : a large animal with a very long neck and dark dots on its body

18 ________________ : the animals and plants living in the wild

19 ________________ : a female chicken

20 ________________ : a sea animal with eight long arms

Picture Review

사진과 함께 오늘 배운 단어를 다시 기억해보세요.

DAY 28

Climates & Seasons

기후와 계절

MP3 바로 듣기

비 온 뒤 sunshine이 비치듯, 힘든 때가 지나면 좋은 때가 올거예요.

CORE 핵심 어휘

□ 0811

winter

명 겨울

[wíntər]

Last **winter** was very cold and long.
지난 **겨울**은 매우 춥고 길었다.

□ 0812

summer

명 여름

[sʌ́mər]

Some days in this **summer** were as warm as 30 ºC. 기출
이번 **여름**에 어떤 날들은 섭씨 30도만큼 따뜻했다.

□ 0813

cloud

명 구름

[klaud]

The dark **clouds** gathered over my head.
내 머리 위에 먹**구름**이 꼈다.

+ cloudy 형 구름이 많은, 흐린

□ 0814

rainbow

명 무지개

[réinbòu]

Rainbows usually appear after it rains.
무지개는 보통 비가 온 후에 나타난다.

□ 0815

windy | 형 바람이 많이 부는, 바람이 센 반 still 바람이 없는

[wíndi]

It gets **windy** every November.
매해 11월에는 **바람이 많이 분다**.

Plus +

접미사 y

y는 명사 뒤에 붙어서 형용사를 만드는 접미사예요.
wind 바람 + y ▸ windy 바람이 많이 부는
rain 비 + y ▸ rainy 비가 내리는
cloud 구름 + y ▸ cloudy 흐린

□ 0816

snowy | 형 눈이 내리는, 눈으로 덮인

[snóui]

Inuits live in the **snowy** Arctic region.
이누이트는 **눈이 내리는** 북극 지방에 산다.

□ 0817

hot | 형 1. 더운, 뜨거운 2. 매운

[hɑ:t]

I bought an air conditioner last summer, because it was too **hot**.
나는 지난 여름에 너무 **더워서** 에어컨을 샀다.

□ 0818

sunshine | 명 햇빛, 햇살 유 sunlight

[sʌ́nʃain]

He went out and enjoyed the **sunshine**.
그는 밖으로 나가서 **햇빛**을 즐겼다.

□ 0819

mist | 명 엷은 안개

[mist]

The **mist** is over the horizon.
엷은 안개가 수평선 위에 있다.

☐ 0820

fog | 명 안개

[fɔːg]

Because of the **fog**, the man couldn't drive safely.
안개 때문에, 남자는 안전하게 운전할 수 없었다.

+ foggy 형 안개가 낀

☐ 0821

shower | 명 1. 소나기 2. 샤워

[ʃáuər]

In Seoul, there will be **showers** all day long. 기출
서울에는, 온종일 **소나기**가 내릴 것이다.

☐ 0822

raindrop | 명 빗방울

[réindrɑːp]

The summer passed almost without a single **raindrop.** 기출
단 한 방울의 **빗방울**도 없이 여름이 거의 지나갔다.

☐ 0823

storm | 명 폭풍우, 폭풍

[stɔːrm]

According to the weather forecast, heavy **storms** are expected tomorrow. 기출
일기 예보에 따르면, 내일 강력한 **폭풍우**가 예상된다.

+ stormy 형 폭풍우가 몰아치는

☐ 0824

thunder | 명 천둥

[θʌ́ndər]

A storm came with **thunder** and lightning.
천둥과 번개를 동반한 폭풍우가 왔다.

+ thunderstorm 명 뇌우

☐ 0825

hurricane

명 허리케인, 태풍

[hə́:rəkein]

Spanish explorers who were passing through the Caribbean experienced a **hurricane.** 교과서

카리브해를 지나가던 스페인 탐험가들은 **허리케인**을 경험했다.

☐ 0826

pattern

명 1. 패턴, 양식 2. 무늬

[pǽtərn]

A volcanic eruption disturbs the usual weather **patterns.** 교과서

화산 폭발은 평상시의 날씨 **패턴**을 교란시킨다.

☐ 0827

dawn

명 새벽, 동틀 녘

[dɔ:n]

At **dawn**, it rained heavily.

새벽에, 비가 많이 왔다.

Plus +

하루의 시간을 나타내는 표현들

- morning 아침
- noon 정오
- afternoon 오후
- evening 저녁
- midnight 자정

☐ 0828

daytime

명 낮, 주간

[déitaim]

It kept snowing during the **daytime.**

낮 동안 계속해서 눈이 내렸다.

☐ 0829

still

부 여전히 형 1. 고요한 2. 바람이 없는

[stil]

It's **still** too cold, even though winter ended.

겨울이 끝났음에도 불구하고 **여전히** 너무 춥다.

0830

put off (시간·날짜를) 미루다, 연기하다

I had to **put off** my trip because of the snowstorm.
눈보라 때문에 나는 내 여행을 **미뤄야** 했다.

ADVANCED 심화 어휘

0831

climate 명 기후

[kláimit]

In tropical **climates**, the weather is hot and humid.
열대 **기후**에서는, 날씨가 덥고 습하다.

0832

freeze 동 얼다, 얼리다 (froze-frozen)

[fri:z]

The lake **froze** over because of the cold weather.
추운 날씨 때문에 호수가 온통 **얼었다**.

+ freezer 명 냉동고 freezing 형 몹시 추운

0833

disaster 명 재해, 재앙

[dizǽstər]

People thought that it was a **disaster** when the trees burned in a forest. 기출
숲에서 나무들이 불탔을 때 사람들은 그것이 **재해**라고 생각했다.

+ natural disaster 명 자연재해

0834

sticky 형 1. 무더운 2. 끈적거리는, 달라붙는

[stíki]

It was too humid and **sticky** this summer.
이번 여름은 너무 습하고 **무더웠다**.

+ stick 동 달라붙다, 붙이다

☐ 0835

harsh

[hɑːrʃ]

형 1. 혹독한, 가혹한 2. (성질·태도가) 엄한

People had to put up with the **harsh** cold.
사람들은 **혹독한** 추위를 참고 견뎌야 했다.

☐ 0836

breeze

[briːz]

명 산들바람, 미풍

The tree's shade and the **breeze** were fantastic.
나무 그늘과 **산들바람**이 환상적이었다.

☐ 0837

temperature

[témpərətʃər]

명 1. 기온, 온도 2. 체온

In the Sahara Desert in Egypt, **temperatures** can reach up to 50 °C. 교과서
이집트의 사하라 사막에서는, **기온**이 섭씨 50도까지 이를 수 있다.

☐ 0838

drought

[draut]

명 가뭄 반 flood 홍수

During the **drought**, crops dried up.
가뭄 동안, 농작물들이 말라버렸다.

☐ 0839

expect

[ikspékt]

동 예상하다, 기대하다

The snow is **expected** to continue for three days.
눈이 삼 일 동안 계속될 것으로 **예상된다**.

+ expectation 명 예상, 기대

☐ 0840

according to

~에 따르면

According to all weather experts, the tornado was a very rare event in the area. 기출
모든 기상 전문가들**에 따르면**, 토네이도는 그 지역에서 매우 드문 사건이었다.

Daily Test

[01~10] 우리말과 같은 뜻이 되도록 빈칸에 알맞은 단어를 쓰세요.

01 가벼운 산들바람 a light ______________

02 서늘한 기온 a cool ______________

03 강력한 허리케인 a strong ______________

04 혹독한 겨울 a(n) ______________ winter

05 이른 새벽 early ______________

06 천둥과 번개 ______________ and lightning

07 사막 기후 desert ______________

08 눈이 내리는 날 a(n) ______________ day

09 구름의 패턴을 알아차리다 notice the cloud ______________

10 최악의 폭풍 the worst ______________

[11~15] 다음 괄호 안에 주어진 지시에 맞게 빈칸을 채우세요.

11 fog 안개 → (형용사형) ______________

12 windy 바람이 많이 부는 → (반의어) ______________

13 sunshine 햇빛, 햇살 → (유의어) ______________

14 expect 예상하다, 기대하다 → (명사형) ______________

15 drought 가뭄 → (반의어) ______________

[16~20] 단어와 영영 풀이를 알맞은 것끼리 연결하세요.

16 sticky • • ⓐ a short period of rain

17 shower • • ⓑ the time of a day between morning and evening

18 daytime • • ⓒ a serious accident such as an earthquake or a flood

19 disaster • • ⓓ being hot and full of humidity

20 put off • • ⓔ to delay something

Picture Review

사진과 함께 오늘 배운 단어를 다시 기억해보세요.

DAY 29 Nature & Ecosystem

자연과 생태계

지구 온난화로 매년 약 3천억 톤의 glacier가 녹고 있대요.

CORE 핵심 어휘

□ 0841

nature 명 1. 자연 2. 성질, 본성

[néitʃər]

In harmony with **nature**, people built wooden houses for a long time. 교과서

자연과 조화를 이루며, 사람들은 오랫동안 나무로 된 집들을 지었다.

+ natural 형 자연의 by nature 선천적으로

□ 0842

forest 명 숲

[fɔ́:rist]

There is a thick **forest** around the lake.

호수 주위에 울창한 **숲**이 있다.

□ 0843

desert 명 사막

[dézərt]

The Gobi **Desert** is in China.

고비 **사막**은 중국에 있다.

□ 0844

island 명 섬

[áilənd]

Dokdo has two big **islands.** 교과서

독도는 두 개의 큰 **섬들**을 가지고 있다.

□ 0845

ocean

[óuʃən]

명 바다, 대양 ㊒ sea

There are a lot of interesting fish in the **ocean.** 교과서
바다에는 많은 흥미로운 물고기들이 있다.

□ 0846

field

[fiːld]

명 1. 밭, 들판 2. 경기장 3. 분야

Rich **fields** are surrounded by lakes.
비옥한 **밭들**이 강에 의해 둘러싸여 있다.

□ 0847

river

[rívər]

명 강, 하천

The **river** flows in curved lines.
그 **강**은 곡선으로 흐른다.

□ 0848

cave

[keiv]

명 동굴, 굴

The deepest **cave** in the world is located near the Black Sea coast.
세계에서 가장 깊은 **동굴**은 흑해 해안 근처에 위치해 있다.

□ 0849

light

[lait]

명 빛, 전등 형 1. 밝은 2. 가벼운

Life on Earth relies on the Sun's **light.** 기출
지구상의 생명체는 태양의 **빛**에 의존한다.

□ 0850

sunrise

[sʌ́nraiz]

명 일출, 해돋이

A: I want to see the **sunrise.**
B: Then, you have to wake up early tomorrow.
A: 나는 **일출**을 보고 싶어.
B: 그럼, 너는 내일 일찍 일어나야 해.

□ 0851

wave | 명 파도, 물결 동 1. 파도치다 2. 흔들다, 흔들리다

[weiv]

The **waves** were high, and the rain poured down. 교과서
파도는 높았고, 비가 쏟아졌다.

□ 0852

mud | 명 진흙

[mʌd]

Elephants' skin is too sensitive, but **mud** protects it from the sun. 교과서
코끼리들의 피부는 너무 민감하지만, **진흙**이 태양으로부터 그들의 피부를 보호한다.

+ muddy 형 진흙투성이의

□ 0853

clay | 명 점토, 찰흙

[klei]

The man discovered the **clay** layer near the ocean.
남자는 바다 근처에서 **점토**층을 발견했다.

□ 0854

sand | 명 모래

[sænd]

The **sand** on the beach was very soft.
그 해변의 **모래**는 매우 부드러웠다.

□ 0855

stone | 명 돌, 돌멩이 형 돌의, 돌로 된

[stoun]

Rain cut down the **stones** and made them sharp. 교과서
비가 **돌들**을 깎아서 그것들을 날카롭게 만들었다.

□ 0856

rock | 명 1. 암석, 바위 2. 록 음악

[rɑːk]

People drilled into **rocks** to make tunnels.
사람들은 터널을 만들기 위해 **암석**을 뚫었다.

□ 0857

tide 명 조수, 조류

[taid]

Tides happen because of the Moon's gravity.
조수는 달의 중력 때문에 생긴다.

□ 0858

insect 명 곤충, 벌레 ㊌ bug

[ínsekt]

Harmful chemicals kill not only bad **insects**, but also good **insects**. 교과서
해로운 화학 물질들은 나쁜 **곤충들**뿐만 아니라, 좋은 **곤충들**도 죽인다.

Plus +

insect의 종류

• bee 벌	• ant 개미	• fly 파리
• mosquito 모기	• butterfly 나비	• ladybug 무당벌레

□ 0859

vary 동 1. 다양하다, 다르다 2. 바꾸다, 바뀌다

[véəri]

Species of plants **vary** from country to country.
식물들의 종은 나라마다 **다양하다**.

+ various 형 다양한 variety 명 다양함

□ 0860

care for ~을 위하다, 돌보다

Living a "green lifestyle" is to **care for** nature. 기출
"환경친화적인 생활 방식"으로 사는 것은 자연을 **위하는** 것이다.

ADVANCED 심화 어휘

□ 0861

bay 명 (바다·호수의) 만

[bei]

The **bay** freezes easily in the winter.
만은 겨울에 쉽게 언다.

□ 0862

earthquake

명 지진

[ə́:rθkweik]

I have never experienced an **earthquake.**
나는 **지진**을 경험한 적이 없다.

Plus +

자연재해의 종류

- drought 가뭄
- flood 홍수
- typhoon 태풍
- landslide 산사태
- volcanic eruption 화산 폭발

□ 0863

fossil

명 화석

[fά:səl]

We continued to find **fossils** of dinosaurs. 기출
우리는 공룡의 **화석들**을 찾는 것을 계속했다.

+ fossil fuel 명 화석 연료

□ 0864

pebble

명 조약돌, 자갈

[pébl]

You can find **pebbles** at the beach and in the river.
너는 해변과 강에서 **조약돌**을 찾을 수 있다.

□ 0865

volcano

명 화산

[vɑ:lkéinou]

Olympus Mons on Mars is the largest **volcano** in the solar system. 교과서
화성에 있는 올림푸스 몬스는 태양계에서 가장 큰 **화산**이다.

□ 0866

glacier

명 빙하

[gléiʃər]

The **glaciers** in the arctic are melting rapidly.
북극의 **빙하들**이 빠르게 녹고 있다.

□ 0867

creature

명 1. 생물, 생명체 2. 창조물

[kríːtʃər]

Bacteria are tiny **creatures.** 교과서
박테리아는 아주 작은 **생물**이다.

+ create 동 창조하다, 만들다

□ 0868

continent

명 대륙

[kɑ́ːntənənt]

The Amazon runs across the South American **continent**, through seven countries. 교과서
아마존강은 일곱 개 나라들을 지나며 남아메리카 **대륙**을 가로질러 흐른다.

Plus +

오대양 육대주

지구에는 다섯 개의 큰 바다와 여섯 개의 큰 대륙이 있어요. 미국과 같은 일부 국가에서는 Antarctica(남극 대륙)를 포함해서 칠대륙이라고 표현하기도 한답니다.

- 오대양 (five oceans)
  Pacific 태평양 Atlantic 대서양 Indian 인도양
  Arctic 북극해 Southern 남극해
- 육대주 (six continents)
  Asia 아시아 North America 북아메리카 South America 남아메리카
  Africa 아프리카 Europe 유럽 Oceania 오세아니아

□ 0869

evolve

동 1. 진화하다 2. (서서히) 발전하다

[ivɑ́ːlv]

Some people believe that humans **evolved** from apes.
어떤 사람들은 인간이 유인원에서 **진화했다고** 믿는다.

□ 0870

run out of

~이 바닥나다, ~을 다 써버리다

The world is **running out of** natural resources.
지구는 천연자원**이 바닥나고** 있다.

Daily Test

[01~05] 단어와 뜻을 알맞은 것끼리 연결하세요.

01 desert	ⓐ ~을 위하다
02 tide	ⓑ 생물, 창조물
03 care for	ⓒ ~이 바닥나다
04 run out of	ⓓ 조수
05 creature	ⓔ 사막

[06~15] 우리말과 같은 뜻이 되도록 빈칸에 알맞은 단어를 쓰세요.

06 산악 빙하 a mountain ____________

07 진화하고 변화하다 ____________ and change

08 아프리카 대륙 the ____________ of Africa

09 심한 지진 a heavy ____________

10 새해 첫 일출 the first ____________ of the new year

11 진흙 속의 조개 a clam in the ____________

12 뜨거운 모래 hot ____________

13 들판의 벼 rice in a(n) ____________

14 자연의 아름다움 the beauty of ____________

15 단단한 암석 a hard ____________

[16~20] 단어와 영영 풀이를 알맞은 것끼리 연결하세요.

16 stone	ⓐ the brightness that lets you see things
17 light	ⓑ a small piece of rock that you can see on the ground
18 insect	ⓒ raised water on the surface of the sea
19 forest	ⓓ a broad area where trees grow together
20 wave	ⓔ a small animal that has six legs

Picture Review

사진과 함께 오늘 배운 단어를 다시 기억해보세요.

DAY 30

Environmental Problems

환경 문제

지구를 protect하기 위해 우리 모두 plastic 사용을 줄여보아요!

CORE 핵심 어휘

□ 0871

waste [weist]

명 1. 쓰레기 2. 낭비 동 낭비하다

Upcycling can reduce the amount of **waste**. 교과서

업사이클링은 **쓰레기**의 양을 감소시킬 수 있다.

Plus +

zero waste

'zero waste'는 포장을 줄이거나 재활용이 가능한 재료를 사용해서 쓰레기 배출량을 줄이고자 하는 세계적인 환경운동이랍니다. '0, 무'를 뜻하는 zero와 '쓰레기'를 뜻하는 waste가 합쳐져서 만들어진 합성어예요.

□ 0872

trash [træʃ]

명 쓰레기 ㊌ garbage, waste

A: What are you doing here? 기출

B: I'm picking up some **trash**.

A: 여기서 뭐 하고 있어?

B: 나는 **쓰레기**를 좀 줍고 있어.

□ 0873

cause [kɔːz]

동 야기하다, 초래하다 명 원인, 이유

The tsunami **caused** a great damage to the town.

쓰나미는 마을에 큰 피해를 **야기했다**.

□ 0874

care [keər]

동 1. 관심을 가지다 2. 돌보다 명 돌봄, 보살핌

People don't seem to **care** about the environment. 기출

사람들이 환경에 **관심을 가지는** 것처럼 보이지 않는다.

□ 0875

recycle

동 재활용하다

[rìːsáikl]

Recycle your empty bottles.
너의 빈 병들을 **재활용해라**.

□ 0876

plastic

형 플라스틱으로 된 명 플라스틱

[plǽstik]

Lots of sea animals die from eating **plastic** waste. 교과서
많은 바다 동물들이 **플라스틱으로 된** 쓰레기를 먹고 죽는다.

□ 0877

environmental

형 환경의

[invàiərənméntl]

You should care about **environmental** problems.
너는 **환경** 문제들에 관심을 가져야 한다.

+ environment 명 환경

□ 0878

smoke

동 담배를 피우다, 연기를 내다 명 연기

[smouk]

We shouldn't **smoke** in forests.
우리는 숲에서 **담배를 피우면** 안 된다.

□ 0879

save

동 1. 구하다 2. 절약하다, 저축하다 반 waste 낭비하다

[seiv]

The organization continues to do various projects to **save** animals. 교과서
그 단체는 동물들을 **구하기** 위해 다양한 프로젝트들을 계속하고 있다.

Plus +

save data

컴퓨터에서 파일을 작성할 때 save 버튼을 누르는 것을 잊어버리지 마세요! 이때, save는 '저장하다'라는 뜻의 동사로 쓰였어요.

- **save** data 데이터를 **저장하다**
- **save** a file in the usb 파일을 usb에 **저장하다**

☐ 0880

protect | 동 보호하다, 지키다

[prətékt]

It is necessary for us to find ways to **protect** the environment. 교과서

우리가 환경을 **보호하기** 위한 방법들을 찾는 것이 필요하다.

+ protection 명 보호

☐ 0881

share | 동 1. 공유하다 2. 분배하다 명 몫

[ʃeər]

The students **shared** their own ways to save electricity.

학생들은 전기를 절약하기 위한 그들만의 방법들을 **공유했다**.

☐ 0882

smog | 명 스모그

[smɑːg]

Smog is caused by gases from cars.

스모그는 자동차에서 나오는 가스에 의해 야기된다.

☐ 0883

toxic | 형 유독한, 독성의 유 poisonous

[tɑ́ːksik]

Toxic gases from the forest fire polluted the air.

산불에서 나온 **유독한** 가스가 공기를 오염시켰다.

☐ 0884

destroy | 동 파괴하다, 파멸시키다

[distrɔ́i]

Catching too many fish in one place can **destroy** the ocean. 교과서

한 장소에서 너무 많은 물고기를 잡는 것은 바다를 **파괴할** 수 있다.

□ 0885

effect 명 1. 영향, 결과 ⓑ cause 원인 2. 효과

[ifékt]

Ozone has a serious **effect** on the climate. 기출
오존은 기후에 심각한 **영향**을 미친다.

+ effective 형 효과적인

□ 0886

pollution 명 오염, 공해

[pəlúːʃən]

Most of us are familiar with air **pollution**. 교과서
우리 대부분은 대기 **오염**에 익숙하다.

+ pollute 동 오염시키다

□ 0887

exhaust 동 고갈시키다, 다 써버리다 명 배기가스

[igzɔ́ːst]

Fossil fuels are being **exhausted**, so scientists are focusing on alternative energy.
화석 연료가 **고갈되고** 있어서, 과학자들은 대체 에너지에 집중하고 있다.

□ 0888

worldwide 형 전 세계적인 부 전 세계에

[wə́ːrldwaid]

Global warming is a **worldwide** problem.
지구 온난화는 **전 세계적인** 문제이다.

□ 0889

campaign 명 캠페인, (사회·정치적) 운동

[kæmpéin]

The club will have a "Clean the Earth" **campaign**. 기출
그 동아리는 "지구를 청소하기" **캠페인**을 벌일 것이다.

□ 0890

be in trouble 곤경[어려움]에 처하다

The global environment **is in trouble** now.
현재 전 세계의 환경은 **곤경에 처해 있다**.

ADVANCED 심화 어휘

□ 0891

acid 형 산성의

[ǽsid]

Acid rain can even damage buildings.
산성비는 건물들도 망가뜨릴 수 있다.

□ 0892

reduce 동 감소시키다, 줄이다

[ridjú:s]

They created a project about how to **reduce** plastic waste. 교과서
그들은 플라스틱 쓰레기를 **감소시키는** 방법에 관한 프로젝트를 만들었다.

+ reduction 명 감소

□ 0893

shortage 명 부족, 결핍

[ʃɔ́:rtidʒ]

Water **shortages** are common in Africa.
아프리카에서 물 **부족**은 흔하다.

□ 0894

electricity 명 전기, 전력

[ilèktrísəti]

Volcanoes can be used to produce **electricity**. 교과서
화산은 **전기**를 생산하는 데 이용될 수 있다.

+ electric 형 전기의

□ 0895

threat 명 위협, 협박

[θret]

Food waste can be a **threat** to the environment.
음식물 쓰레기는 환경에 **위협**이 될 수 있다.

+ threaten 동 위협하다

□ 0896

endangered

형 멸종 위기에 처한, 위험에 처한

[indéindʒərd]

I'm interested in helping **endangered** animals. 교과서
나는 **멸종 위기에 처한** 동물들을 돕는 데 관심이 있다.

□ 0897

extinct

형 멸종된, 사라진

[ikstíŋkt]

Buffalo are nearly **extinct**.
버팔로들은 거의 **멸종되었다**.

+ extinction 명 멸종

Plus +

extinct species

지구에서 멸종된 공룡, 매머드와 같은 동물들을 extinct species(멸종된 종)라고 해요. 이와 비슷하게, 완전히 멸종되지는 않았지만 멸종 위기에 있는 호랑이, 오랑우탄, 자이언트 판다와 같은 동물들은 endangered species(멸종 위기에 처한 종)라고 해요.

□ 0898

greenhouse

명 온실

[gríːnhàus]

Fossil fuels can cause the **greenhouse** effect. 기출
화석 연료는 **온실** 효과를 야기할 수 있다.

□ 0899

continuous

형 계속되는, 끊임없는

[kəntínjuəs]

The drought has been **continuous** for two months.
가뭄이 두 달 동안 **계속되었다**.

□ 0900

lead to

~으로 이어지다

Burning garbage **leads to** environmental problems.
쓰레기를 태우는 것은 환경 문제들**로 이어진다**.

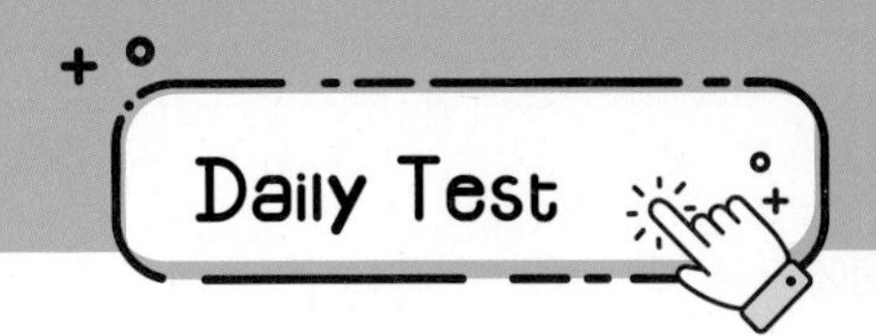

[01~10] 우리말과 같은 뜻이 되도록 빈칸에 알맞은 단어를 쓰세요.

01 독성의 폐기물 ______________ waste

02 산성비 ______________ rain

03 홍수를 초래하다 ______________ a flood

04 기후에 대한 영향 ______________ on the climate

05 멸종된 공룡들 ______________ dinosaurs

06 "쓰레기 없애기" 캠페인 "No waste" ______________

07 온실 효과 the ______________ effect

08 환경의 문제들 ______________ problems

09 물 부족 water ______________

10 멸종 위기에 처한 식물들 ______________ plants

[11~15] 빈칸에 알맞은 단어를 <보기>에서 한 번씩 골라 쓰세요.

<보기>	worldwide	share	care	are in trouble	lead to

11 People should ______________ about the problems caused by fine dust.

12 There has been ______________ climate change.

13 We should ______________ nature with animals and plants.

14 Polar bears ______________ because of global warming.

15 Too much use of plastic will ______________ serious waste production.

[16~17] 단어의 성격이 나머지와 다른 하나를 고르세요.

16 ① protect ② smog ③ destroy ④ evolve ⑤ vary

17 ① toxic ② worldwide ③ environmental ④ pollution ⑤ effective

[18~20] 다음 괄호 안에 주어진 지시에 맞게 빈칸을 채우세요.

18 electricity 전기 → (형용사형) ______________

19 threat 위협 → (동사형) ______________

20 reduce 감소시키다 → (명사형) ______________

Picture Review

사진과 함께 오늘 배운 단어를 다시 기억해보세요.

SECTION 6

Science & Technology

과학과 기술

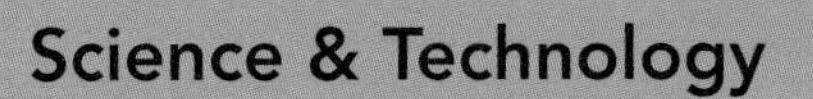

DAY 31

Space

우주

Sun과 moon은 언제나 같은 자리에서 우리를 비춰줘요. 참 고마운 존재들이에요.

CORE 핵심 어휘

□ 0901

sun [sʌn]

명 1. 태양, 해 2. 햇빛, 햇볕

The Earth goes around the **Sun**.
지구는 **태양** 주위를 돈다.

□ 0902

moon [mu:n]

명 1. 달 2. 위성

The **moon** is shining brightly in the sky.
달이 하늘에서 밝게 빛나고 있다.

+ moonlight 명 달빛

□ 0903

earth [ə:rθ]

명 1. 지구 2. 땅, 육지 3. 흙

Mars is farther away from the Sun than **Earth**. 교과서
화성은 **지구**보다 태양으로부터 더 멀리 떨어져 있다.

+ earthquake 명 지진

□ 0904

star [stɑ:r]

명 별, 항성

A: Wow, there are lots of **stars** in the sky.
B: I can't even count them.
A: 와, 하늘에 **별들**이 많아.
B: 나는 그것들을 셀 수조차 없어.

+ starry 형 별이 빛나는

□ 0905

rocket | 명 로켓 동 1. 로켓을 발사하다 2. 급증하다

[rɑ́:kit]

The space **rocket** will be launched next month.
우주 **로켓**은 다음 달에 발사될 것이다.

Plus +

skyrocket

skyrocket(급등하다)은 '하늘'을 뜻하는 sky와 '치솟다'라는 뜻의 rocket이 합쳐져서 만들어진 단어예요.

The oil prices will **skyrocket.** 석유 가격이 **급등할** 것이다.

□ 0906

universe | 명 우주 유 space

[jú:nəvə̀:rs]

Earth isn't the center of the **universe.** 교과서
지구는 **우주**의 중심이 아니다.

+ universal 형 우주의, 보편적인

□ 0907

planet | 명 행성

[plǽnit]

Life may exist on other **planets.**
다른 **행성들**에 생명체가 존재할지도 모른다.

□ 0908

spaceship | 명 우주선

[spéisʃip]

In the movie *Passengers*, a **spaceship** traveled to a different planet. 교과서
영화 「패신저스」에서, **우주선**이 다른 행성으로 이동했다.

□ 0909

crew | 명 1. 승무원 2. 팀

[kru:]

About 100 passengers and **crew** boarded a spaceship.
약 100명의 승객들과 **승무원**이 우주선에 탑승했다.

☐ 0910

lunar

형 달의

[lú:nər]

Some people believed rabbits live on the **lunar** surface.
어떤 사람들은 토끼들이 **달의** 표면에 산다고 믿었다.

☐ 0911

solar

형 태양의

[sóulər]

Mars is the second smallest planet in the **solar** system. 교과서
화성은 **태양**계에서 두 번째로 작은 행성이다.

Plus +

solar가 사용된 표현들

- a **solar** system **태양**계
- **solar** energy **태양** 에너지
- a **solar** eclipse **일**식
- **solar** panels **태양** 전지판

☐ 0912

comet

명 혜성

[ká:mət]

Comets are usually predictable. 기출
혜성들은 보통 예측할 수 있다.

☐ 0913

flash

동 번쩍이다 명 번쩍임, 섬광

[flæʃ]

A shooting star **flashed** in the sky.
별똥별이 하늘에서 **번쩍였다**.

☐ 0914

footprint

명 발자국

[fútprìnt]

Someday, I want to leave my **footprint** on the moon.
언젠가, 나는 달에 내 **발자국**을 남기고 싶다.

□ 0915

Mercury

명 1. 수성 2. 수은

[mə́:rkjuri]

Mercury is known as the closest planet to the Sun.
수성은 태양에 가장 가까운 행성으로 알려져 있다.

□ 0916

Jupiter

명 목성

[dʒú:pitər]

Jupiter is eleven times larger than Earth.
목성은 지구보다 열한 배 더 크다.

□ 0917

Mars

명 화성

[mɑ:rz]

Mars is much colder than Earth.
화성은 지구보다 훨씬 더 춥다.

□ 0918

Milky Way

명 은하수

The **Milky Way** is best seen on summer nights.
은하수는 여름밤에 가장 잘 보인다.

□ 0919

consist

동 (부분·요소로) 이루어져 있다, 구성되다

[kənsíst]

The solar system **consists** of eight planets.
태양계는 여덟 개의 행성들로 **이루어져 있다**.

+ consist of ~으로 이루어져 있다, 구성되다

□ 0920

get out of

~에서 나가다

Getting out of a black hole is impossible.
블랙홀**에서 나가는** 것은 불가능하다.

ADVANCED 심화 어휘

□ 0921

astronomer 명 천문학자

[əstrɑ́:nəmər]

Mr. Tombaugh, an American **astronomer**, discovered Pluto in 1930.
미국의 **천문학자**인 Mr. Tombaugh는 1930년에 명왕성을 발견했다.

+ astronomy 명 천문학

□ 0922

explore 동 탐험하다, 답사하다

[iksplɔ́:r]

The astronauts **explored** the Moon.
우주 비행사들은 달을 **탐험했다**.

+ exploration 명 탐험 explorer 명 탐험가

□ 0923

float 동 (물위·공중에) 뜨다, 떠오르다 반 sink 가라앉다

[flout]

Some UFOs were **floating** in the sky in my dream.
내 꿈에서 몇몇 미확인 비행 물체들이 하늘에 **떠** 있었다.

□ 0924

gravity 명 중력

[grǽvəti]

The Moon's **gravity** causes ocean waves on Earth.
달의 **중력**은 지구에 파도를 일으킨다.

□ 0925

eclipse 명 (해·달의) 식 동 (천체를) 가리다

[iklíps]

We stayed up all night to watch the total **eclipse** of the Moon. 기출
우리는 개기 월**식**을 보기 위해 밤을 새웠다.

+ solar eclipse 명 일식 lunar eclipse 명 월식

□ 0926

alien

명 외계인, 외국인 형 외계의, 외국의

[éiljən]

Some people believe that **aliens** exist.
어떤 사람들은 **외계인**이 존재한다고 믿는다.

□ 0927

galaxy

명 은하, 은하계 유 Milky Way

[gǽləksi]

Astronomers have discovered a new **galaxy**.
천문학자들은 새로운 **은하**를 발견했다.

□ 0928

telescope

명 망원경

[téləskoup]

We can see the mountains on the Moon through a **telescope.** 기출
우리는 **망원경**으로 달에 있는 산을 볼 수 있다.

□ 0929

circulate

동 1. 돌다, 돌리다 2. 순환하다, 순환시키다

[sə́:rkjuleit]

The Moon **circulates** around the Earth.
달은 지구 주위를 **돈다.**

□ 0930

familiar with

~에 친숙한, 익숙한

Many of us are not **familiar with** the environment in space.
우리 대다수는 우주의 환경**에 친숙하지** 않다.

Daily Test

[01~05] 단어와 뜻을 알맞은 것끼리 연결하세요.

01 get out of • • ⓐ 천문학자

02 astronomer • • ⓑ ~에서 나가다

03 explore • • ⓒ 돌다, 순환하다

04 circulate • • ⓓ 탐험하다

05 familiar with • • ⓔ ~에 친숙한

[06~15] 우리말과 같은 뜻이 되도록 빈칸에 알맞은 단어를 쓰세요.

06 일식 a(n) ______________ of the Sun

07 태양계 the ______________ system

08 혜성의 궤도 the path of a(n) ______________

09 수성과 지구 ______________ and the Earth

10 빛나는 은하수 the shiny ______________

11 외계인들에 의한 공격 an attack by ______________

12 지구의 중력 Earth's ______________

13 공중에 뜨다 ______________ in the air

14 우주선을 제작하다 build a(n) ______________

15 달의 풍경 a(n) ______________ landscape

[16~20] 영영 풀이에 알맞은 단어를 <보기>에서 골라 쓰세요.

<보기>	universe	crew	consist	flash	planet

16 ______________ : a large and round object in space that moves around a star

17 ______________ : all of space, including the planets, stars, any other thing in it

18 ______________ : the people who work on a ship, an airplane, or a spaceship

19 ______________ : to be formed from some parts

20 ______________ : to shine quickly with a bright light

Picture Review

사진과 함께 오늘 배운 단어를 다시 기억해보세요.

DAY 32 Energy
에너지

Future에 이루고 싶은 꿈을 향해서 한 발씩 한 발씩 나아가고 있나요? :)

CORE 핵심 어휘

□ 0931

energy [énərdʒi]

명 1. 에너지, 동력 자원 2. 힘, 활기

We have to find some ways to save **energy** at home. 기출
우리는 가정에서 **에너지**를 절약할 몇 가지 방법들을 찾아야 한다.

Plus +

친환경 에너지

환경 보호를 위해서 친환경 에너지를 개발하고 사용하는 것에 대한 관심이 높아지고 있어요. 친환경 에너지의 종류에 대해 알아볼까요?

- hydrogen **energy** 수소 **에너지**
- wind **energy** 풍력 **에너지**
- solar **energy** 태양 **에너지**
- ocean **energy** 해양 **에너지**

□ 0932

power [páuər]

명 1. 동력, 힘 유 force 2. 능력

Bicycles usually have two wheels and don't need electric **power**. 기출
자전거는 보통 두 개의 바퀴를 가지고 있고 전기 **동력**이 필요하지 않다.

+ powerful 형 강력한

□ 0933

engine [éndʒin]

명 엔진, 기관

The boat **engine** stopped. 기출
보트 **엔진**이 멈췄다.

☐ 0934

oil

명 1. 석유 2. 기름

[ɔil]

The **oil** spill in the Gulf of Mexico caused big problems. 기출

멕시코만의 **석유** 유출은 큰 문제들을 야기했다.

+ oily 형 기름의, 기름기가 많은

☐ 0935

coal

명 석탄

[koul]

Coal is still one of the largest energy sources today.

석탄은 여전히 오늘날 가장 큰 에너지원들 중 하나이다.

☐ 0936

steam

명 증기, 수증기 동 증기를 내다

[stiːm]

The **steam** engine was invented in the 17th century.

증기 기관은 17세기에 발명되었다.

☐ 0937

mine

명 광산, 탄광 동 채굴하다

[main]

Many people worked in **mines** during the Industrial Revolution.

많은 사람들이 산업 혁명 동안 **광산**에서 일했다.

☐ 0938

battery

명 배터리, 전지

[bǽtəri]

My cell phone **battery** is dead.

내 휴대폰 **배터리**가 다 닳았다.

☐ 0939

natural gas

명 천연가스

Natural gas is cheaper than electricity.

천연가스는 전기보다 더 저렴하다.

□ 0940

heat

명 1. 열, 열기 2. 더위 동 가열하다

[hi:t]

The **heat** of the Sun can be turned into electricity. 기출
태양의 **열**은 전기로 바뀔 수 있다.

+ heater 명 히터, 난방기

□ 0941

dam

명 댐, 둑

[dæm]

The **dam** utilizes water pressure.
댐은 수압을 활용한다.

□ 0942

future

명 미래, 장래 형 미래의, 장래의

[fjú:tʃər]

In the near **future**, fossil fuels will be exhausted.
가까운 **미래**에, 화석 연료는 고갈될 것이다.

□ 0943

pedal

명 페달, 발판

[pédl]

To go forward, you have to keep pushing the **pedals** of a bike. 기출
앞으로 가기 위해서, 너는 자전거의 **페달**을 계속 밀어야 한다.

□ 0944

crisis

명 위기, 고비 복 crises

[kráisis]

The energy **crisis** is getting more serious.
에너지 **위기**는 점점 더 심각해지고 있다.

□ 0945

produce

동 생산하다, 만들다

[prədjú:s]

Coal can be used to **produce** energy.
석탄은 에너지를 **생산하는** 데 사용될 수 있다.

+ producer 명 생산자, 제작자

□ 0946

introduce

동 1. 도입하다 2. 소개하다

[ìntrədjú:s]

Wind energy has been **introduced** to the country.
풍력 에너지가 그 나라에 **도입되었다**.

+ introduction 명 도입, 소개

□ 0947

allow

동 허락하다, 허용하다 유 permit

[əláu]

My mom didn't **allow** me to use much electricity at night.
나의 엄마는 내가 밤에 많은 전기를 사용하는 것을 **허락하지** 않았다.

□ 0948

entire

형 전체의, 완전한 유 whole

[intáiər]

The **entire** usage of electricity in my apartment has increased.
내 아파트의 **전체** 전기 사용량이 증가했다.

+ entirely 부 전체적으로, 완전히

□ 0949

successful

형 성공적인, 성공한

[səksésfəl]

The development of renewable energy was **successful**.
재생 가능한 에너지의 개발은 **성공적이었다**.

+ successfully 부 성공적으로

□ 0950

in fact

사실은, 실제로

In fact, the efficiency of solar energy is not that high.
사실은, 태양 에너지의 효율은 그렇게 높지 않다.

ADVANCED 심화 어휘

□ 0951

rely 동 1. 의존하다, 의지하다 유 depend 2. 믿다, 신뢰하다

[rilái]

We can't **rely** on oil anymore.
우리는 더 이상 석유에 **의존할** 수 없다.

+ rely on ~에 의존하다

□ 0952

generate 동 만들어내다, 발생시키다 유 produce

[dʒénəreit]

Solar panels **generate** electricity.
태양 전지판은 전기를 **만들어낸다**.

□ 0953

generation 명 1. 발생 2. 세대, 동시대의 사람들

[dʒènəréiʃən]

The experts studied the **generation** of energy to make solar energy less expensive.
전문가들은 태양 에너지를 덜 비싸게 만들기 위해서 에너지의 **발생**을 연구했다.

□ 0954

nuclear 형 원자력의, 핵의

[njú:kliər]

Nuclear power makes up about 30% of Korea's energy.
원자력 발전은 한국 에너지의 약 30퍼센트를 차지한다.

□ 0955

windmill 명 풍력발전기, 풍차

[wíndmil]

Windmills are used to generate power from wind.
풍력발전기는 바람으로 동력을 발생시키기 위해 사용된다.

□ 0956

foundation

명 1. 기반, 토대 2. 재단

[faundéiʃən]

Eco-friendly energy is a **foundation** for future energy.
친환경 에너지는 미래 에너지의 **기반**이다.

□ 0957

expand

동 1. 팽창시키다, 팽창하다 2. 확장시키다, 확장하다

[ikspǽnd]

The steam turbine **expands** the steam with heat to make power.
증기 터빈은 동력을 만들기 위해서 열을 사용해 증기를 **팽창시킨다**.

Plus +

expand vs. extend

expand는 주로 넓이를 늘리는 3차원적인 확장을 의미하지만, extend는 주로 길이를 늘이는 2차원적인 확장을 의미해요.

- **expand** the room 공간을 **확장하다**
- **extend** the road 도로를 **연장하다**

□ 0958

efficient

형 효율적인, 능률적인 반 inefficient 비효율적인

[ifíʃənt]

To save energy, the **efficient** use of energy is needed.
에너지를 절약하기 위해, 에너지의 **효율적인** 사용이 요구된다.

+ efficiently 부 효율적으로

□ 0959

sufficient

형 충분한 유 enough 반 insufficient 불충분한

[səfíʃənt]

My car doesn't have **sufficient** oil.
내 차는 **충분한** 기름을 가지고 있지 않다.

□ 0960

turn A into B

A를 B로 바꾸다

Iceland actively **turns** its volcanoes' heat energy **into** electricity. 교과서
아이슬란드는 적극적으로 화산들의 열에너지**를** 전기**로 바꾼다**.

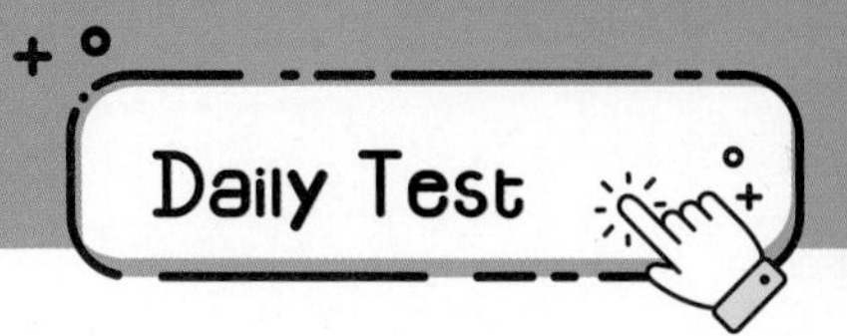

[01~05] 영어는 우리말로, 우리말은 영어로 쓰세요.

01 produce ________________

02 crisis ________________

03 A를 B로 바꾸다 ________________

04 효율적인 ________________

05 사실은 ________________

[06~15] 우리말과 같은 뜻이 되도록 빈칸에 알맞은 단어를 쓰세요.

06 금 광산 a gold ________________

07 풍력 에너지 wind ________________

08 전기 동력 electric ________________

09 원자력 발전소 a(n) ________________ plant

10 천연가스의 사용 the use of ________________

11 화석 연료에 의존하다 ________________ on fossil fuels

12 댐을 확장하다 ________________ the dam

13 태양에서 나오는 열기 the ________________ from the sun

14 미래의 드론 택시 a drone taxi in the ________________

15 전기의 발생 the ________________ of electricity

[16~20] 다음 괄호 안에 주어진 지시에 맞게 빈칸을 채우세요.

16 entire 전체의 → (유의어) ________________

17 allow 허락하다 → (유의어) ________________

18 introduce 도입하다, 소개하다 → (명사형) ________________

19 sufficient 충분한 → (반의어) ________________

20 successful 성공적인 → (부사형) ________________

Picture Review

사진과 함께 오늘 배운 단어를 다시 기억해보세요.

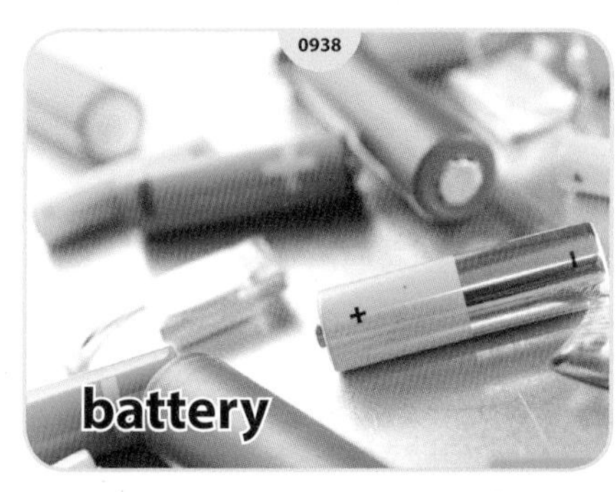

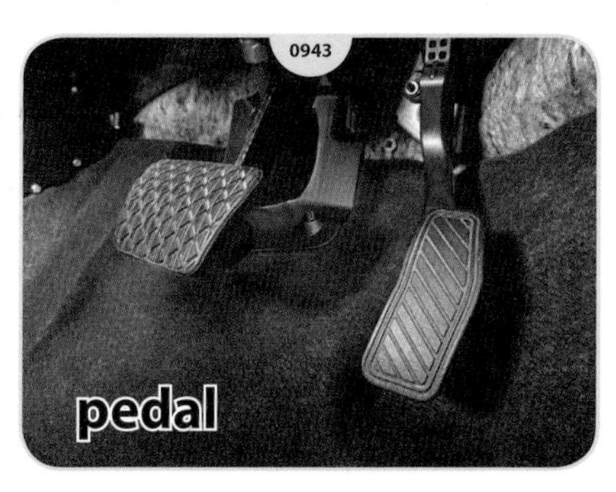

DAY 33 Science & Technology

과학과 기술

Result가 전부는 아니에요. 과정도 중요하답니다.

CORE 핵심 어휘

☐ 0961

data | 명 자료, 정보

[déitə]

With digital documents, you can search for **data** within seconds. 기출

디지털 문서들을 가지고, 너는 몇 초 내로 **자료**를 검색할 수 있다.

☐ 0962

machine | 명 기계

[məʃíːn]

The woman is having a problem with her new washing **machine.** 기출

여자는 새로운 세탁**기**에 문제를 겪고 있다.

☐ 0963

invent | 동 발명하다, 창작하다

[invént]

A: I **invented** a cleaning robot to help people. 기출

B: I'm sure many people will like it.

A: 나는 사람들을 돕기 위해 청소용 로봇을 **발명했어**.

B: 나는 많은 사람들이 그것을 좋아할 거라고 확신해.

+ invention 명 발명, 발명품 inventor 명 발명가

☐ 0964

brain | 명 뇌, 두뇌

[brein]

Researchers use MRI to study people's **brains.** 기출

연구원들은 사람들의 **뇌**를 연구하기 위해 자기 공명 영상법(MRI)을 사용한다.

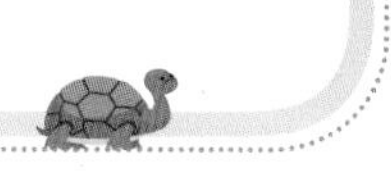

□ 0965

cell

명 1. 세포 2. 방, 칸

[sel]

Plant **cells** differ from animal **cells** in terms of structure.

식물 **세포**는 구조의 측면에서 동물 **세포**와 다르다.

□ 0966

easily

부 쉽게, 용이하게

[í:zili]

I moved the boxes **easily** with the help of a robot.

나는 로봇의 도움으로 **쉽게** 박스들을 옮겼다.

+ ease 명 쉬움, 용이함

□ 0967

result

명 결과, 성과 반 cause 원인 동 발생하다, 생기다

[rizʌ́lt]

Too much technological development can cause negative **results**.

기술의 지나친 발달은 부정적인 **결과들**을 초래할 수 있다.

+ as a result 결과적으로 result in ~을 초래하다

□ 0968

error

명 오류, 잘못

[érər]

Scientists can make **errors** in the progress of their experiments.

과학자들은 실험 과정에서 **오류**를 범할 수 있다.

□ 0969

fail

동 1. 실패하다 반 succeed 성공하다 2. (시험에) 떨어지다

[feil]

The test **failed** twice, but the scientists didn't give up.

그 테스트는 두 번 **실패했으나**, 과학자들은 포기하지 않았다.

+ failure 명 실패

□ 0970

research 명 연구, 조사 동 연구하다, 조사하다

[rísəːrtʃ]

According to recent **research**, drinking too much water is as bad as drinking too little. 기출

최근 **연구**에 따르면, 너무 많은 물을 마시는 것은 너무 적게 마시는 것만큼이나 안 좋다.

+ researcher 명 연구원

□ 0971

focus 동 집중하다, 집중시키다 명 초점, 중점

[fóukəs]

It's difficult for students to **focus** on their studies because of smartphones.

스마트폰 때문에 학생들이 공부에 **집중하는** 것이 어렵다.

+ focus on ~에 집중하다

□ 0972

develop 동 개발하다, 발전시키다

[divéləp]

The company **developed** new computer software.

그 회사는 새로운 컴퓨터 소프트웨어를 **개발했다**.

+ development 명 개발

□ 0973

inspect 동 점검하다, 조사하다 유 examine

[inspékt]

A technician **inspected** the elevators in the building.

기술자는 건물에 있는 엘리베이터들을 **점검했다**.

+ inspection 명 점검, 조사 inspector 명 조사관

□ 0974

impossible 형 불가능한, 있을 수 없는 반 possible 가능한

[impáːsəbl]

A robot does the task that seemed **impossible**.

로봇은 **불가능해** 보였던 일을 한다.

☐ 0975

means 명 수단, 방법

[mi:nz]

The most common **means** of communication is the cell phone.
가장 흔한 통신 **수단**은 휴대 전화이다.

☐ 0976

virtual 형 1. 가상의 2. 사실상의

[vəːrtʃuəl]

A **virtual** reality device has been developed.
가상 현실 장치가 개발되었다.

☐ 0977

visible 형 1. (눈에) 보이는 반 invisible 보이지 않는 2. 분명한, 명백한

[vízəbl]

A virus is **visible** through a digital microscope.
바이러스는 디지털 현미경을 통해 **눈에 보인다**.

☐ 0978

mobile 형 이동하기 쉬운, 이동하는

[móubəl]

Vehicles have made people become more **mobile**.
차량은 사람들이 더 **이동하기 쉽도록** 만들었다.

☐ 0979

prove 동 1. 증명하다 2. (~임이) 드러나다 (proved-proven)

[pru:v]

A study **proved** that the temperature of the brain falls through breathing. 기출
연구는 호흡을 통해 뇌의 온도가 떨어진다는 것을 **증명했다**.

☐ 0980

come true 이루어지다, 실현되다

Developments in technology can make our dreams **come true**.
기술의 발달은 우리의 꿈이 **이루어지게** 만들 수 있다.

ADVANCED 심화 어휘

☐ 0981

experiment 명 실험, 시험 ⓤ test 동 실험하다, 시도하다

[ikspérəmənt]

The result of the **experiment** was successful. 기출
실험의 결과는 성공적이었다.

☐ 0982

adapt 동 1. 적응하다 2. 맞추다, 조정하다

[ədǽpt]

Some elders are trying to **adapt** to new technologies. 기출
일부 노인들은 새로운 기술에 **적응하려고** 노력하고 있다.

+ adaptation 명 적응, 조정 adapt to ~에 적응하다

Plus +

adapt vs. adopt

adapt와 adopt는 철자가 비슷하기 때문에 혼동하지 않도록 주의해야 해요. '적응하다, 조정하다'라는 뜻을 가지는 adapt는 [어댑트]라고 읽지만, '채택하다, 입양하다'라는 뜻을 가지는 adopt는 [어답트]라고 발음해요.

☐ 0983

replace 동 1. 교체하다, 바꾸다 2. 대신하다

[ripléis]

Through software updates, they **replaced** the old system.
소프트웨어 업데이트를 통해, 그들은 오래된 시스템을 **교체했다**.

☐ 0984

widespread 형 널리 퍼진, 광범위한

[wáidspred]

High-speed communications networks are **widespread** in the country.
고속 통신망은 그 나라에 **널리 퍼져** 있다.

DAY 33

해커스 보카 중학 필수

□ 0985

beyond [bijά:nd]

전 1. (범위를) 넘어서 2. 저편에, 너머에 3. (시간이) 지나

Telescopes help us see **beyond** the limits of the naked eye. 기출
망원경은 우리가 육안의 한계를 **넘어서** 볼 수 있도록 돕는다.

□ 0986

delete [dilí:t]

동 삭제하다, 지우다

I **deleted** unnecessary files.
나는 불필요한 파일들을 **삭제했다**.

□ 0987

formula [fɔ́:rmjulə]

명 공식, 방식

The computer engineer used a simple **formula** to upgrade the system.
컴퓨터 기술자가 시스템을 개선하기 위해 간단한 **공식**을 사용했다.

□ 0988

multiply [mʌ́ltiplai]

동 1. 증가하다, 증가시키다 2. 곱하다

Germs **multiply** rapidly without medication.
세균들은 약이 없으면 빠르게 **증가한다**.

□ 0989

chemical [kémikəl]

형 화학적인, 화학의 명 화학 물질

Erosion is a **chemical** reaction. 기출
부식은 **화학적인** 반응이다.

□ 0990

work out

1. 찾아내다, 해결하다 2. 운동하다

Scientists tried hard to **work out** the solution.
과학자들은 해결책을 **찾아내기** 위해 열심히 노력했다.

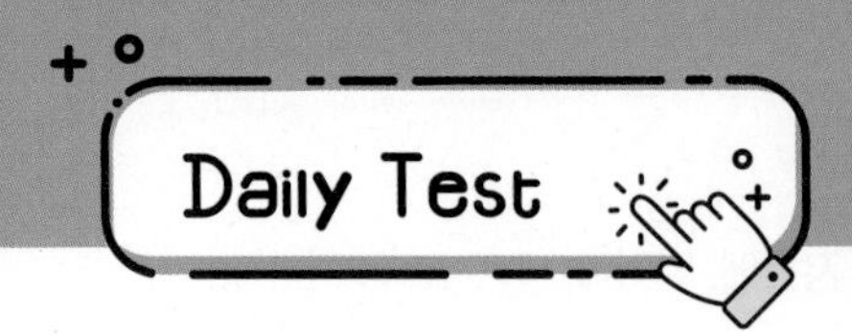

[01~05] 단어와 뜻을 알맞은 것끼리 연결하세요.

01 mobile • • ⓐ (범위를) 넘어서, 저편에, (시간이) 지나
02 beyond • • ⓑ 적응하다, 맞추다
03 adapt • • ⓒ 찾아내다, 운동하다
04 work out • • ⓓ 이루어지다
05 come true • • ⓔ 이동하기 쉬운

[06~15] 우리말과 같은 뜻이 되도록 빈칸에 알맞은 단어를 쓰세요.

06 파일을 삭제하다 ______________ the file
07 오래된 휴대폰을 교체하다 ______________ an old cell phone
08 광범위한 통신망 a(n) ______________ communications network
09 미디어에 대한 연구 ______________ on media
10 쉽게 온라인에서 검색하다 search online ______________
11 화학 반응 a(n) ______________ reaction
12 가상 현실 ______________ reality
13 로봇 개발의 성과 the ______________ of robotic development
14 인공 지능에 집중하다 ______________ on artificial intelligence
15 의사소통 수단으로 SNS를 사용하다
use SNS as a(n) ______________ of communication

[16~20] 단어와 영영 풀이를 알맞은 것끼리 연결하세요.

16 impossible • • ⓐ being unable to happen or be done
17 visible • • ⓑ to increase in number or amount
18 fail • • ⓒ to make something become more advanced
19 multiply • • ⓓ being able to be seen
20 develop • • ⓔ to not succeed in doing something

Picture Review

사진과 함께 오늘 배운 단어를 다시 기억해보세요.

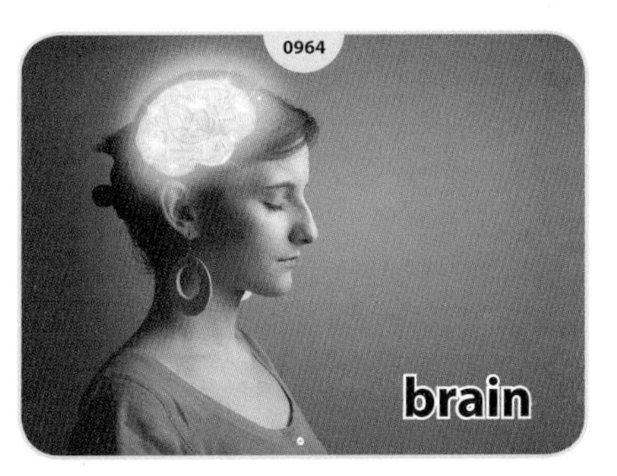

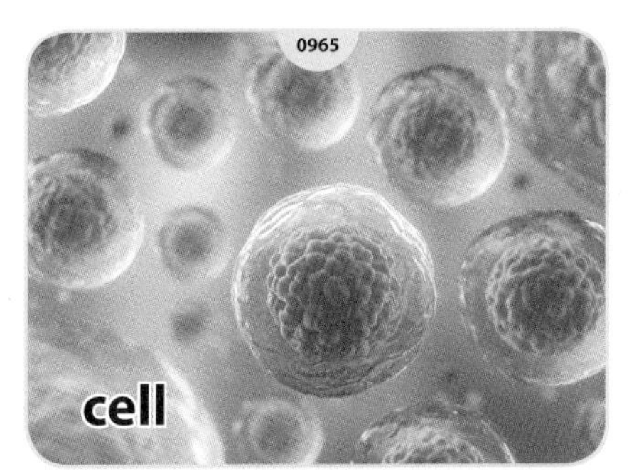

DAY 34

Computers & Tools

컴퓨터와 도구

단어를 잘 외우는 tip은 바로 매일매일 꾸준하게 외우는 거예요~

CORE 핵심 어휘

□ 0991

computer

명 컴퓨터

[kəmpjúːtər]

Computers and the Internet were the best inventions of the last century. 기출

컴퓨터와 인터넷은 지난 세기 최고의 발명품이었다.

□ 0992

e-mail

명 이메일, 전자 우편

[íːmeil]

It is wise not to open **e-mails** from unknown users. 기출

모르는 사용자로부터 받은 **이메일**을 열지 않는 것이 현명하다.

□ 0993

Internet

명 인터넷

[íntərnet]

We need to follow the rules of netiquette when we communicate on the **Internet**. 기출

우리는 **인터넷**상에서 의사소통할 때 네티켓 규칙을 따라야 한다.

□ 0994

website

명 웹사이트

[wébsait]

There are popular **websites** where we can search for information.

우리가 정보를 찾을 수 있는 인기 있는 **웹사이트들**이 있다.

☐ 0995

search

동 찾아보다, 조사하다 명 검색, 찾기

[səːrtʃ]

I **searched** the Internet, but couldn't find useful information. 기출

나는 인터넷을 **찾아보았지만**, 유용한 정보를 찾을 수 없었다.

Plus +

Google

Google은 원래 검색 포털 사이트와 그 사이트를 운영하는 기업을 나타내는 고유명사예요. 하지만 전 세계의 많은 사람들이 온라인으로 검색을 할 때 google을 사용하면서 google이라는 단어 자체가 '검색하다'라는 동사 의미를 갖게 되었답니다!

☐ 0996

type

동 타자를 치다 명 종류, 유형 유 kind

[taip]

How fast can you **type**?

너는 얼마나 빠르게 **타자를 칠** 수 있니?

☐ 0997

fix

동 1. 수리하다, 고치다 유 repair 2. 고정시키다

[fiks]

I need to **fix** my cell phone because the screen is broken. 기출

화면이 깨졌기 때문에 나는 내 휴대폰을 **수리해야** 한다.

☐ 0998

switch

명 스위치 동 바꾸다, 전환하다

[switʃ]

Turn on the **switch**.

스위치를 켜라.

☐ 0999

screen

명 화면, 스크린

[skriːn]

Screens allow you to see what you're doing on the computer.

화면은 네가 컴퓨터로 무엇을 하고 있는지를 볼 수 있게 한다.

☐ 1000

tip | 명 1. 비법, 조언 2. 팁, 봉사료 3. 끝부분

[tip]

Do you have any **tips** for searching quickly? 기출

너는 빠르게 검색하는 **비법**을 가지고 있니?

☐ 1001

link | 동 연결하다 명 관련, 관계

[liŋk]

People in different cities are **linked** together by the Internet. 기출

각기 다른 도시에 있는 사람들은 인터넷으로 함께 **연결된다**.

☐ 1002

file | 명 파일, 자료

[fail]

Downloading **files** takes time. 기출

파일들을 다운로드하는 것은 시간이 걸린다.

☐ 1003

click | 동 (마우스의 버튼을) 누르다, 클릭하다 명 클릭하는 소리

[klik]

We can access a world of information by **clicking** the mouse. 기출

우리는 마우스를 **누름으로써** 정보의 세계에 접속할 수 있다.

☐ 1004

code | 명 암호, 부호

[koud]

Enter the **code** to unlock the screen.

화면을 열기 위해 **암호**를 입력하세요.

☐ 1005

online | 형 온라인의 부 온라인으로

[ɔ̀:nláin]

I signed up for an **online** class.

나는 **온라인** 수업을 신청했다.

☐ 1006

edit

동 1. 편집하다 2. 수정하다

[édit]

I **edit** videos for my blog every day.
나는 내 블로그에 올릴 영상들을 매일 **편집한다**.

+ editor 명 편집자

☐ 1007

laptop

명 노트북[휴대용] 컴퓨터

[lǽptɑːp]

The **laptop** is light enough to carry.
그 **노트북 컴퓨터**는 가지고 다니기에 충분히 가볍다.

Plus +

laptop

laptop은 lap(무릎)과 top(위, 위에 놓다)이 합쳐져서 만들어진 합성어예요. 무릎 위에 올리고 사용할 수 있을 만큼 가볍고 휴대하기 편한 노트북 컴퓨터를 의미한답니다. 일반적으로 책상에 놓고 사용하는 컴퓨터는 desktop이라고 해요.

☐ 1008

device

명 기기, 장치

[diváis]

Students use electronic **devices** a lot. 기출
학생들은 전자 **기기들**을 많이 사용한다.

☐ 1009

system

명 시스템, 체계

[sístəm]

Most computer **systems** have a button to return to the previous page or the main menu. 기출
대부분의 컴퓨터 **시스템들**은 이전 페이지나 메인 메뉴로 돌아갈 수 있는 버튼이 있다.

☐ 1010

thanks to

~ 덕분에, 때문에

Thanks to the computers, we can find information with just a few clicks. 기출
컴퓨터 **덕분에**, 우리는 단지 몇 번의 클릭만으로 정보를 찾을 수 있다.

ADVANCED 심화 어휘

☐ 1011

technology 명 (과학) 기술

[teknɑ́:lədʒi]

Technology is progressing faster than ever before. 기출

과학 기술은 이전 어느 때보다도 더 빠르게 발전하고 있다.

☐ 1012

browse 동 둘러보다, 훑어보다

[brauz]

You can **browse** the web and watch movies with computers. 기출

너는 컴퓨터로 웹을 **둘러볼** 수 있고 영화를 볼 수 있다.

Plus +

I'm just browsing.

browse는 인터넷을 둘러보는 것뿐만 아니라, 가게 등을 구경할 때도 사용할 수 있어요. 그냥 가게를 구경하는 중인데, 점원이 도움이 필요한지 물어볼 때는 이렇게 말해보세요!

No, I'm just **browsing.** 아니요, 저는 그냥 **둘러보고** 있어요.

☐ 1013

capture 동 1. 캡처하다, 포착하다 2. 붙잡다, 포획하다 ㊒ catch

[kǽptʃər]

Sometimes, you aren't allowed to **capture** a screen with sensitive information.

때때로, 네가 민감한 정보가 있는 화면을 **캡처하는** 것이 허용되지 않는다.

☐ 1014

communicate 동 소통하다, 통신하다

[kəmjú:nikèit]

Tom started a blog to **communicate** with his family far away. 기출

Tom은 멀리 떨어져 있는 그의 가족들과 **소통하기** 위해 블로그를 시작했다.

+ communication 명 의사소통

☐ 1015

vaccine

명 백신, 바이러스 예방 프로그램

[væksí:n]

Vaccines prevent computers from getting a virus.
백신은 컴퓨터가 바이러스에 걸리는 것을 방지한다.

☐ 1016

operator

명 (기계를) 조작하는 사람, 기사

[ɑ́:pərèitər]

The **operator** fixed the computer problem.
기계를 조작하는 사람이 컴퓨터 문제를 해결했다.

➕ operate 동 조작하다, 가동하다

☐ 1017

combination

명 조합, 결합

[kɑ̀:mbinéiʃən]

The **combination** of many programs can slow down the computer.
많은 프로그램들의 **조합**은 컴퓨터를 느리게 만들 수 있다.

☐ 1018

access

명 1. 접속 2. 접근, 접근권 동 접속하다, 접근하다

[ǽkses]

How can I get Internet **access** in this room? 기출
내가 이 방에서 어떻게 인터넷 **접속**을 할 수 있니?

☐ 1019

disturb

동 방해하다, 어지럽히다

[distə́:rb]

Light from digital devices **disturbs** people's sleep.
디지털 기기들에서 나오는 빛은 사람들의 수면을 **방해한다**.

☐ 1020

get used to

~에 익숙해지다

Finally, my parents **got used to** using the new computer.
마침내, 나의 부모님은 새 컴퓨터를 사용하는 것**에 익숙해졌다**.

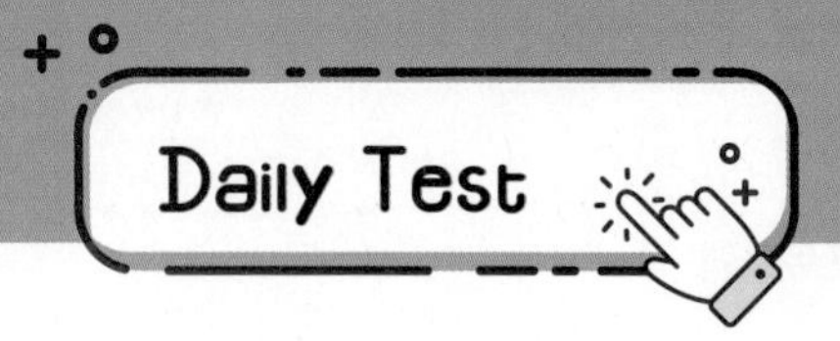

[01~10] 우리말과 같은 뜻이 되도록 빈칸에 알맞은 단어를 쓰세요.

01 백신을 얻다 get a(n) ______________

02 유용한 기술 useful ______________

03 암호를 잊어버리다 forget the ______________

04 컴퓨터 시스템 the computer ______________

05 전원을 끄는 스위치를 누르다 press the off ______________

06 마우스를 두 번 클릭하다 ______________ the mouse twice

07 고장난 컴퓨터를 수리하다 ______________ the broken computer

08 전자제품 가게를 둘러보다 ______________ an electronics store

09 정보를 검색하는 비법 a(n) ______________ for searching information

10 기계를 조작하는 숙련된 사람 a skilled machine ______________

[11~17] 빈칸에 알맞은 단어를 주어진 철자로 시작하여 쓰세요.

11 Many people c______________ through media these days.

12 I can't imagine life without the I______________.

13 There is a pretty picture on the computer s______________.

14 Amy is trying to g______________ the upgraded computer software.

15 Paul has not been given a______________ to the file yet.

16 I couldn't c______________ some images of the website.

17 Don't d______________ me while I'm playing computer games.

[18~20] 단어의 성격이 나머지와 다른 하나를 고르세요.

18 ① technology ② computer ③ file ④ edit ⑤ machine

19 ① browse ② combination ③ communicate ④ fix ⑤ prove

20 ① online ② tip ③ system ④ code ⑤ telescope

Picture Review

사진과 함께 오늘 배운 단어를 다시 기억해보세요.

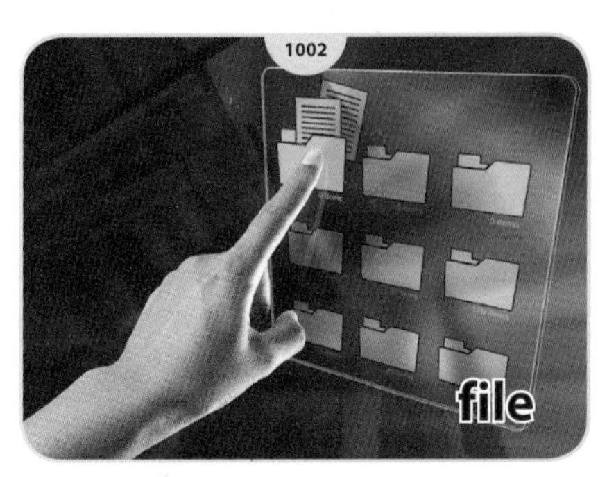

SECTION 7

World & Society

세계와 사회

DAY 35 Society

사회

이 세상의 모든 사람들은 unique한 특징을 가지고 있어요! 서로를 존중해줘요.

CORE 핵심 어휘

□ 1021

social

형 1. 사회적인, 사회의 2. 사교적인

[sóuʃəl]

Helping the poor is an important **social** responsibility.
빈곤층을 돕는 것은 중요한 **사회적** 책임이다.

□ 1022

citizen

명 시민, 국민

[sítizən]

All people are **citizens** of the world community. 기출
모든 사람들은 세계 공동체의 **시민**이다.

Plus +

citizenship

'시민권'을 뜻하는 citizenship은 citizen(시민)에 지위·신분을 나타내는 접미사 ship이 붙어서 만들어진 단어예요. 주로 앞에 국적을 나타내는 말과 함께 쓰여요.

• Korean **citizenship** 한국 **시민권** • Canadian **citizenship** 캐나다 **시민권**

□ 1023

culture

명 문화

[kʌ́ltʃər]

Every person belongs to a certain **culture** and society. 기출
모든 사람은 특정한 **문화**와 사회에 속한다.

□ 1024

lead | 동 이끌다, 안내하다 (led-led) 반 follow 따르다

[li:d]

Jack is **leading** our city as the mayor.
Jack이 시장으로서 우리 도시를 **이끌고** 있다.

+ leader 명 지도자

□ 1025

case | 명 1. 경우 2. 상자, 용기

[keis]

Keeping promises is important in most **cases**.
약속을 지키는 것은 대부분의 **경우**에 중요하다.

□ 1026

common | 형 1. 흔한, 보통의 유 ordinary 2. 공통의

[kά:mən]

Songs can be a **common** conversation topic. 기출
노래는 **흔한** 대화 주제가 될 수 있다.

□ 1027

value | 명 가치 유 worth 동 가치 있게 여기다, 평가하다

[vǽlju:]

Many people put more **value** in actions than words. 기출
많은 사람들은 말보다 행동에 더 많은 **가치**를 둔다.

□ 1028

freedom | 명 자유, 해방

[frí:dəm]

Freedom is a basic human right.
자유는 인간의 기본적인 권리이다.

□ 1029

symbol | 명 1. 상징 2. 기호, 부호

[símbəl]

The circle on the Korean flag is a **symbol** of balance.
한국 국기에 있는 원은 균형의 **상징**이다.

+ symbolic 형 상징적인 symbolize 동 상징하다

□ 1030

local 형 지역의, 현지의

[lóukəl]

You can meet **local** people and learn about their lives. 기출

너는 **지역** 사람들을 만날 수 있고 그들의 삶에 대해 배울 수 있다.

□ 1031

public 형 대중의, 공공의 반 private 개인의 명 대중

[pʌ́blik]

Citizens use **public** transportation to get around. 기출

시민들은 돌아다니기 위해 **대중**교통을 이용한다.

Plus +

public이 사용된 표현들

- **public** transportation 대중교통
- a **public** place 공공장소
- a **public** library 공공 도서관

□ 1032

happen 동 발생하다, 일어나다 유 take place, occur

[hǽpən]

An economic crisis **happened** across the world this year. 기출

경제 위기가 올해 전 세계에 걸쳐 **발생했다**.

□ 1033

region 명 지역, 지방 유 area

[ríːdʒən]

Those living in warmer **regions** use hand gestures more than average. 기출

따뜻한 **지역**에 사는 사람들은 손짓을 평균보다 많이 사용한다.

□ 1034

various 형 다양한, 여러 가지의

[véəriəs]

Humans created **various** languages to communicate. 기출

인간은 의사소통하기 위해 **다양한** 언어들을 창조했다.

☐ 1035

powerful 형 강력한, 영향력 있는

[páuərfəl]

Talking online is not as **powerful** as direct communication. 기출
온라인으로 말하는 것은 직접적인 의사소통만큼 **강력하지** 않다.

☐ 1036

unit 명 1. 구성 단위 2. 한 개, 한 단위

[jú:nit]

The family is the basic **unit** of society.
가정은 사회의 기본적인 **구성 단위**이다.

☐ 1037

solve 동 해결하다, 풀다

[sɑ:lv]

Citizens should work together to **solve** many social problems.
시민들은 많은 사회적인 문제들을 **해결하기** 위해 함께 일해야 한다.

☐ 1038

fame 명 명성, 평판

[feim]

She used her **fame** to raise money for children in need.
그녀는 어려움에 처한 아이들을 위해 모금하는 것에 자신의 **명성**을 이용했다.

☐ 1039

each 형 각각의, 각자의 대 각각, 각자

[i:tʃ]

Each person brings one's own culture and changes the society into one big melting pot. 기출
각각의 사람은 자신의 문화를 가져와서 사회를 하나의 커다란 용광로로 바꾼다.

☐ 1040

on purpose 고의로, 일부러

We shouldn't break social rules **on purpose**.
우리는 **고의로** 사회적 규칙을 어겨서는 안 된다.

ADVANCED 심화 어휘

☐ 1041

affair 명 사건, 일

[əféər]

The local news reported the **affair** in detail.
지역 신문은 그 **사건**을 자세히 보도했다.

☐ 1042

predict 동 예측하다, 예견하다

[pridíkt]

It's hard to **predict** the reactions of citizens.
시민들의 반응을 **예측하는** 것은 어렵다.

☐ 1043

generally 부 일반적으로, 보통 유 usually

[dʒénərəli]

People **generally** don't go outside the box that society creates for them. 기출
사람들은 **일반적으로** 사회가 그들을 위해 만드는 상자 밖으로 나가지 않는다.

☐ 1044

community 명 지역 사회, 공동체

[kəmjú:nəti]

The local university has established a good relationship with the **community**.
지역 대학교가 **지역 사회**와 좋은 관계를 맺었다.

☐ 1045

unique 형 1. 독특한, 특이한 2. 유일한

[ju:ní:k]

Some societies have created **unique** ways of managing conflict. 기출
어떤 사회는 갈등을 관리하는 **독특한** 방법들을 창출했다.

□ 1046

charity

명 자선 단체, 자선

[tʃǽrəti]

I try to donate my unnecessary things to local **charities.**

나는 필요 없는 내 물건들을 지역 **자선 단체들**에 기부하려 한다.

□ 1047

difference

명 차이, 다름 반 similarity 비슷함

[dífərəns]

Little things can make a **difference** in our society. 기출

작은 것들이 우리 사회에 **차이**를 만들 수 있다.

□ 1048

organization

명 1. 단체, 조직 2. 구조, 구성

[ɔ̀:rgənizéiʃən]

The **organization** builds houses for the poor all over the world.

그 **단체**는 전 세계에 가난한 사람들을 위한 집을 짓는다.

□ 1049

tradition

명 전통, 관습 유 custom

[trədíʃən]

Korea is a society based on Confucian **traditions.**

한국은 유교 **전통**에 기반을 둔 사회이다.

+ traditional 형 전통적인

□ 1050

in return

대가로, 보답으로

When people do community service, they usually don't expect something **in return.** 기출

사람들이 지역 봉사활동을 할 때, 그들은 대개 **대가로** 무언가를 기대하지 않는다.

Daily Test

[01~05] 단어와 뜻을 알맞은 것끼리 연결하세요.

01 symbol	•	•	ⓐ 사건
02 affair	•	•	ⓑ 상징, 기호
03 culture	•	•	ⓒ 고의로
04 on purpose	•	•	ⓓ 문화
05 in return	•	•	ⓔ 대가로

[06~15] 우리말과 같은 뜻이 되도록 빈칸에 알맞은 단어를 쓰세요.

06 지역 대학 a(n) ______________ university

07 다양한 직업들 ______________ jobs

08 사회적인 지위 ______________ status

09 강력한 지도력 ______________ leadership

10 미래 사회를 예측하다 ______________ the future society

11 보건 단체 the health ______________

12 공공의 이익 ______________ interest

13 흔한 결혼 풍습 a(n) ______________ marriage custom

14 도시의 독특한 특징 a(n) ______________ feature of the city

15 사회의 기본 구성 단위 the basic ______________ of society

[16~20] 영영 풀이에 알맞은 단어를 <보기>에서 골라 쓰세요.

<보기> citizen region case happen value

16 ______________ : a large area of land that has certain geographical characteristics

17 ______________ : a particular situation or incident

18 ______________ : to occur as a result of an event

19 ______________ : the importance of something

20 ______________ : someone who lives in a city and belongs to that city

Picture Review

사진과 함께 오늘 배운 단어를 다시 기억해보세요.

DAY 36 Economy

경제

많은 어휘 교재들 중에서 이 책을 select한 것은 최고의 선택이에요~♡

CORE 핵심 어휘

□ 1051

economy [ikɑ́:nəmi]

명 경제, 경기

The **economy** is one of the necessary parts of society.
경제는 사회의 필수적인 부분들 중 하나이다.

□ 1052

company [kʌ́mpəni]

명 1. 회사 ㊒ firm 2. 단체, 집단

Kay's **company** is worth over 450 million dollars today. 기출
Kay의 **회사**는 오늘날 4억 5천만 달러 이상의 가치가 있다.

□ 1053

poor [puər]

형 1. 가난한, 빈곤한 ㊎ rich 부유한 2. 불쌍한

Companies put effort into helping **poor** people.
기업들이 **가난한** 사람들을 돕는 데 공을 들였다.

□ 1054

rich [ritʃ]

형 1. 부유한, 돈 많은 ㊒ wealthy 2. 풍부한

The government hoped to make its country **rich.**
정부는 자신의 나라를 **부유하게** 만들기를 희망했다.

☐ 1055

wealth 명 부, 재산

[welθ]

The businessman's goal is to create as much **wealth** as possible.
그 사업가의 목적은 가능한 많은 **부**를 만들어내는 것이다.

☐ 1056

deal 명 거래 동 1. 거래하다 2. 다루다, 처리하다 (dealt-dealt)

[di:l]

The two countries made a new economic **deal**.
두 나라는 새로운 경제적 **거래**를 했다.

+ deal with ~을 처리하다, 다루다

☐ 1057

cost 명 비용, 값 유 price 동 (비용이) 들다

[kɔ:st]

The **cost** of raising children in a big city is high. 기출
대도시에서 아이들을 양육하는 **비용**은 높다.

☐ 1058

check 동 확인하다, 점검하다 명 1. 확인, 점검 2. 수표

[tʃek]

Economists **check** the exchange rate every day.
경제학자들은 환율을 매일 **확인한다**.

☐ 1059

rise 동 증가하다, 오르다 명 증가, 상승

[raiz]

The unemployment rate is **rising** in my country.
우리나라에서 실업률이 **증가하고** 있다.

☐ 1060

borrow 동 빌리다

[bá:rou]

The poor country **borrowed** some money from the rich country.
가난한 나라가 부유한 나라로부터 약간의 돈을 **빌렸다**.

☐ 1061

lend 　 동 빌려주다 (lent-lent) 반 borrow 빌리다

[lend]

ABC bank **lent** the company 100 million won at a low interest rate.
ABC 은행은 낮은 이자율로 회사에 1억 원을 **빌려줬다**.

☐ 1062

saving 　 명 1. (-s) 저축, 저금 2. 절약

[séiviŋ]

A: How can I help you? 기출
B: I'd like to open a **savings** account.
A: 어떻게 도와드릴까요?
B: 저는 **저축** 계좌를 개설하고 싶습니다.

☐ 1063

select 　 동 선택하다, 고르다 유 choose, pick

[silékt]

Two economic experts were **selected** for the company.
두 명의 경제 전문가들이 회사를 위해 **선택되었다**.

☐ 1064

trade 　 동 거래하다, 무역하다 명 거래, 무역

[treid]

Countries often **trade** with each other.
국가들은 종종 서로 **거래한다**.

☐ 1065

whole 　 형 전체의, 모든 유 entire 명 전체

[houl]

Businesses play an important role in the **whole** economy.
기업들은 **전체의** 경제에서 중요한 역할을 한다.

☐ 1066

stable 　 형 안정된, 안정적인 반 unstable 불안정한

[stéibl]

Currently, the economy seems pretty **stable**.
현재, 경기는 꽤 **안정된** 것처럼 보인다.

□ 1067

owe 동 빚지고[신세지고] 있다

[ou]

Ethan **owed** the bank 1,000 dollars due to loans for his company.
Ethan은 자신의 회사를 위한 대출 때문에 은행에 1,000달러를 **빚지고 있었다**.

Plus +

IOU

IOU는 '나는 너에게 빚을 졌다.'라는 뜻의 'I owe you.'를 소리 나는 대로 표기한 말이에요. 책과 같은 공식적인 문서보다는 주로 채팅과 같은 비격식적인 대화에서 사용하는 표현이에요.

□ 1068

fee 명 수수료, 요금 ㊒ charge

[fiː]

You need to pay a 2% **fee** for the banking service.
너는 은행 서비스에 대해 2퍼센트의 **수수료**를 지불해야 한다.

□ 1069

offer 동 1. 제시하다, 제안하다 2. 제공하다

[ɔ́ːfər]

The seller **offered** me a lower price. 기출
판매자는 나에게 더 낮은 가격을 **제시했다**.

□ 1070

on average 평균적으로, 보통

On average, bank interest rates are about 2% per year.
평균적으로, 은행 이자율은 일 년에 2퍼센트이다.

ADVANCED 심화 어휘

□ 1071

output 명 생산량, 산출량

[áutput]

The **output** of the factory increased.
공장의 **생산량**이 증가했다.

□ 1072

provide 동 공급하다, 제공하다 ㊒ supply

[prəváid]

The government started to **provide** funding to small businesses.
정부는 중소기업들에 자금을 **공급하는** 것을 시작했다.

+ provide A with B A에게 B를 제공하다

□ 1073

product 명 제품, 생산품 ㊒ goods

[prá:dʌkt]

The price of the **product** includes tax. 기출
그 **제품**의 가격은 세금을 포함한다.

+ productive 형 생산적인

□ 1074

profit 명 이익, 수익 ㊌ loss 손실

[prá:fit]

Last quarter, our **profit** increased by 10 percent. 기출
지난 분기에, 우리의 **이익**이 10퍼센트만큼 증가했다.

Plus +

Non-Profit Organization (NPO)

Non-Profit Organization은 이익을 추구하지 않는, 비영리단체를 나타내며 줄여서 NPO라고도 해요. profit 앞에 '~이 아닌'의 의미를 가지는 접두사 non이 붙은 non-profit은 '이익이 없는, 비영리의'라는 뜻이랍니다.

□ 1075

promote 동 1. 촉진하다 2. 홍보하다 3. 승진시키다

[prəmóut]

There are many policies that were made to **promote** the economy.
경제를 **촉진하기** 위해 만들어졌던 많은 정책들이 있다.

□ 1076

outcome 명 결과, 성과 ㊒ result

[áutkʌm]

Officials analyzed the **outcome** of the economic policy. 기출
공무원들이 경제 정책의 **결과**를 분석했다.

☐ 1077

fortune

명 1. 재산, 부 2. 운 ㊒ luck

[fɔ́:rtʃən]

Most of the millionaires in America made their **fortunes** in one generation. 기출

미국의 대부분의 백만장자들은 **재산**을 한 세대에 모았다.

Plus +

행운을 부르는 쿠키

과자를 반으로 가르면 행운의 메시지가 나오는 fortune cookie를 본 적이 있나요? fortune cookie는 '행운'을 뜻하는 fortune과 '쿠키'를 뜻하는 cookie가 합쳐져서 만들어진 '포춘 쿠키, 행운의 과자'를 뜻해요. 쿠키 속에 있는 종이에는 운명이 적혀 있고, 뒷면에는 로또 번호가 적혀 있기도 하답니다!

☐ 1078

expense

명 지출, 비용

[ikspéns]

The government tried to reduce **expenses** as much as possible.

정부는 가능한 한 많이 **지출**을 줄이기 위해 노력했다.

☐ 1079

commercial

형 상업적인, 상업의 명 광고 방송

[kəmə́:rʃəl]

The city council developed **commercial** spaces for the city to grow.

시의회는 도시가 성장하도록 **상업적인** 공간들을 개발했다.

☐ 1080

rely on

~에 의존하다, 기대다

The economies of some countries like Nigeria **rely on** selling oil.

나이지리아 같은 몇몇 국가들의 경제는 석유를 판매하는 것**에 의존한다**.

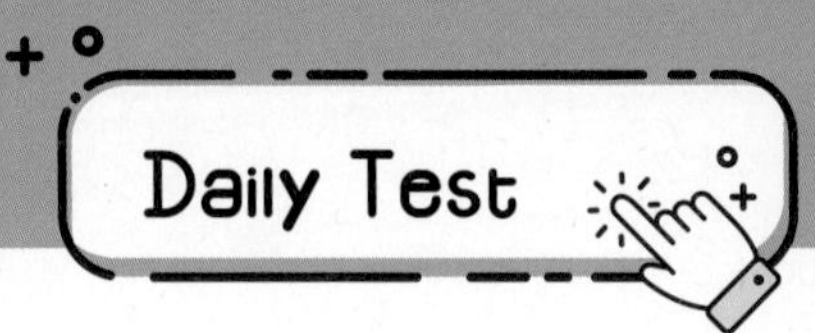

[01~05] 영어는 우리말로, 우리말은 영어로 쓰세요.

01 economy ________________

02 deal ________________

03 borrow ________________

04 수수료, 요금 ________________

05 전체의, 전체 ________________

[06~11] 우리말과 같은 뜻이 되도록 빈칸에 알맞은 단어를 쓰세요.

06 저축 계좌 ________________ account

07 안정된 수입 a(n) ________________ income

08 재산을 모으다 make a(n) ________________

09 제품의 생산량 ________________ of the product

10 상업적인 성공 ________________ success

11 지출을 줄이다 reduce a(n) ________________

[12~15] 빈칸에 알맞은 단어를 주어진 철자로 시작하여 쓰세요.

12 I o________________ the bank 1,000 dollars now.

13 Sandra l________________ me some money last month.

14 Kate doesn't r________________ her parents for money.

15 O________________, the workers of the company earn 300 dollars per month.

[16~20] 다음 괄호 안에 주어진 지시에 맞게 빈칸을 채우세요.

16 poor 가난한 → (반의어) ________________

17 cost 비용 → (유의어) ________________

18 profit 이익 → (반의어) ________________

19 provide 공급하다 → (유의어) ________________

20 outcome 결과 → (유의어) ________________

Picture Review

사진과 함께 오늘 배운 단어를 다시 기억해보세요.

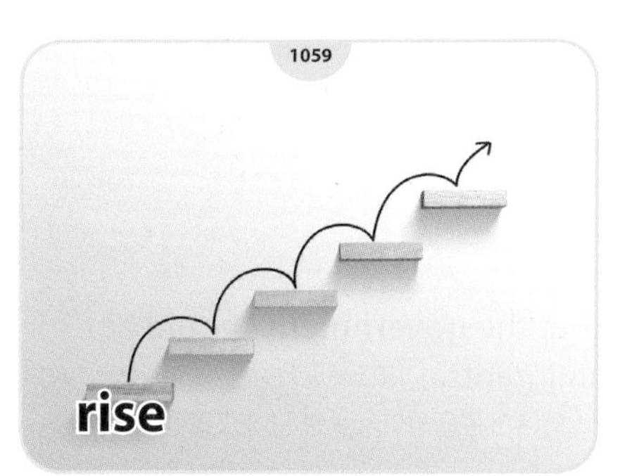

DAY 37 Politics
정치

책 속에는 우리의 삶을 풍요롭게 해주는 wisdom이 가득해요.

CORE 핵심 어휘

□ 1081

politics
명 정치, 정치학

[pá:lətiks]

Susan was actively engaged in **politics** and worked for women. 기출
Susan은 **정치**에 적극적으로 관여했고 여성들을 위해 일했다.

□ 1082

vote
동 투표하다 명 투표

[vout]

It is important to **vote** for good politicians.
좋은 정치인들에게 **투표하는** 것은 중요하다.

+ vote for ~에 투표하다

□ 1083

government
명 정부, 정권

[gʌ́vərnmənt]

Many people say that the **government** should not shut its door to immigrants. 기출
많은 사람들이 **정부**가 이민자들에게 문을 닫아서는 안 된다고 말한다.

Plus +

인터넷 주소 속의 'go'

정부와 관련된 기관들의 인터넷 홈페이지 주소를 보면 끝부분이 go.kr로 끝나는 것을 확인할 수 있어요. 여기서 go는 '정부'를 뜻하는 단어 government의 앞 두 글자예요.

☐ 1084

leader

명 지도자, 선도자

[líːdər]

Good political **leaders** are respected by the public.
훌륭한 정치 **지도자들**은 국민들에게 존경받는다.

+ leadership 명 지도력, 리더십

☐ 1085

official

명 공무원 형 1. 공무상의 2. 공식적인

[əfíʃəl]

Mr. Kim is an **official** in the Korean government.
Mr. Kim은 한국 정부의 **공무원**이다.

☐ 1086

justice

명 정의, 공정성

[dʒʌ́stis]

Justice is an important idea in politics.
정의는 정치에서 중요한 개념이다.

☐ 1087

wisdom

명 지혜, 현명함

[wízdəm]

People who work for the government should have political **wisdom**.
정부를 위해 일하는 사람들은 정치적 **지혜**를 가지고 있어야 한다.

Plus +

wisdom teeth

wisdom teeth는 '사랑니'의 영어 표현으로, '지혜'를 뜻하는 wisdom과 '치아'를 뜻하는 teeth가 합쳐져서 만들어진 단어예요. 사랑니를 이렇게 부르는 이유는 보통 철이 들고 지혜가 생기는 스무 살 무렵에 사랑니가 나기 때문이라고 해요!

☐ 1088

policy

명 정책, 방침

[pάləsi]

The new **policy** has proven to be very effective. 기출
새 **정책**은 매우 효과적인 것으로 드러났다.

☐ 1089

necessary

형 필요한, 필수적인 유 essential

[nésəseri]

The leader should take the **necessary** actions about the complaints. 기출

지도자는 불만 사항들에 관해 **필요한** 조치를 취해야 한다.

☐ 1090

majority

명 1. 대부분 2. 과반수

[mədʒɔ́:rəti]

The **majority** of politicians seem to agree with the opinion.

정치인들의 **대부분**이 그 의견에 동의하는 것처럼 보인다.

☐ 1091

minority

명 소수, 소수 집단

[mainɔ́:rəti]

Only a **minority** of the citizens voted for the candidate for the mayor.

오직 **소수**의 시민들만이 그 시장 후보에게 투표했다.

☐ 1092

normal

형 정상적인, 보통의

[nɔ́:rməl]

I don't think the changed policy is **normal.**

나는 바뀐 정책이 **정상적이라고** 생각하지 않는다.

+ normally 부 정상적으로, 보통

Plus +

접미사 al

al은 명사 뒤에 붙어서 '~의', '~과 관련된'의 의미를 더하는 접미사예요.

norm 표준 + al ▸ normal 평범한
natur(e) 자연 + al ▸ natural 자연의
logic 논리 + al ▸ logical 논리적인
music 음악 + al ▸ musical 음악의

☐ 1093

support

명 지지, 지원 동 지지하다, 지원하다

[səpɔ́:rt]

Political **support** is important to making a better society.

더 나은 사회를 만드는 데 정치적인 **지지**가 중요하다.

□ 1094

survey 명 (설문) 조사 동 (설문) 조사하다

[sə́ːrvei]

The government performed a **survey** about the new law.
정부는 새로운 법에 대한 **설문 조사**를 실시했다.

□ 1095

personal 형 개인적인, 개인의 유 private

[pə́ːrsənl]

Whom you choose to vote for is a **personal** decision.
네가 누구에게 투표할지 선택하는 것은 **개인적인** 결정이다.

□ 1096

quickly 부 신속히, 빨리 유 fast

[kwíkli]

The president moved **quickly** to carry out his policies.
대통령은 자신의 정책들을 실행하기 위해서 **신속히** 움직였다.

□ 1097

pressure 명 압력, 압박

[préʃər]

There is some political **pressure** to increase taxes.
세금을 인상하고자 하는 정치적인 **압력**이 있다.

□ 1098

decide 동 1. 결정하다 2. 결심하다

[disáid]

There are so many things to **decide** in a country. 기출
나라 안에서 **결정해야** 할 아주 많은 것들이 있다.

+ decision 명 결정, 결심

□ 1099

correctly 부 바르게, 정확하게

[kəréktli]

The government's budget will be used **correctly**.
정부의 예산은 **바르게** 사용될 것이다.

□ 1100

focus on ~에 초점을 맞추다, 주력하다

Politics should **focus on** making people's lives better.
정치는 사람들의 삶을 더 낫게 만드는 것**에 초점을 맞춰야** 한다.

ADVANCED 심화 어휘

□ 1101

democracy 명 민주주의

[dimá:krəsi]

Greece is the home of **democracy**.
그리스는 **민주주의**의 고향이다.

□ 1102

govern 동 통치하다, 다스리다 유 rule

[gʌ́vərn]

Those who **govern** the public must listen to its opinion.
국민을 **통치하는** 사람들은 국민의 의견에 귀를 기울여야 한다.

□ 1103

elect 동 선출하다, 뽑다

[ilékt]

The man is the strongest candidate, and he will be **elected**. 기출
그 남자는 가장 강력한 후보이고, 그가 **선출될** 것이다.

+ election 명 당선, 선거

□ 1104

conclusion 명 결론

[kənklú:ʒən]

The politician argued against his opponent's **conclusions**.
정치인이 상대편의 **결론**을 반박했다.

+ conclude 동 결론을 내리다

☐ 1105

diplomat 명 외교관

[dípləmæt]

Amy wants to be a **diplomat** and work for her country.
Amy는 **외교관**이 되어 그녀의 나라를 위해 일하기를 원한다.

☐ 1106

protest 명 항의 동 항의하다, 이의를 제기하다

[próutest]

There was a big **protest** outside City Hall.
시청 바깥에서 큰 **항의**가 있었다.

☐ 1107

dispute 명 논쟁, 분쟁 동 논쟁하다, 분쟁하다

[dispjúːt]

The two parties had a **dispute** over race problems.
두 정당은 인종 문제에 대해 **논쟁**을 벌였다.

☐ 1108

immediate 형 즉각적인, 당장의

[imíːdiət]

The president made an **immediate** decision on the problem.
대통령은 그 문제에 대해서 **즉각적인** 결정을 내렸다.

+ immediately 부 즉시, 당장

☐ 1109

appropriate 형 적절한, 적당한 유 proper

[əpróupriət]

The government let all people receive **appropriate** medical services.
정부는 모든 사람들이 **적절한** 의료 서비스를 받도록 했다.

☐ 1110

stick to ~을 고수하다

According to reports, the president decided to **stick to** his plan.
보도에 따르면, 대통령은 그의 계획을 **고수하기로** 결정했다.

Daily Test

[01~05] 단어와 뜻을 알맞은 것끼리 연결하세요.

01 govern • • ⓐ 통치하다
02 stick to • • ⓑ ~에 초점을 맞추다
03 focus on • • ⓒ ~을 고수하다
04 appropriate • • ⓓ 민주주의
05 democracy • • ⓔ 적절한

[06~15] 우리말과 같은 뜻이 되도록 빈칸에 알맞은 단어를 쓰세요.

06 교육 정책 an educational ______________
07 보통의 시민 a(n) ______________ citizen
08 개인의 견해 a(n) ______________ view
09 시장을 선출하다 ______________ a mayor
10 소수 사람들의 의견 the opinion of a(n) ______________ of people
11 한국 정부 the Korean ______________
12 정당에 대한 지지 ______________ for the party
13 정치인의 지혜 the ______________ of the politician
14 한 나라의 지도자 the ______________ of a country
15 안건에 대해 신속히 결정하다 decide ______________ about the agenda

[16~20] 단어와 영영 풀이를 알맞은 것끼리 연결하세요.

16 immediate • • ⓐ the actions associated with acquiring and using power in a county or society
17 necessary • • ⓑ a person who works in a national organization
18 conclusion • • ⓒ happening without any delay
19 official • • ⓓ a decision about something after thinking about it
20 politics • • ⓔ being needed for something

Picture Review

사진과 함께 오늘 배운 단어를 다시 기억해보세요.

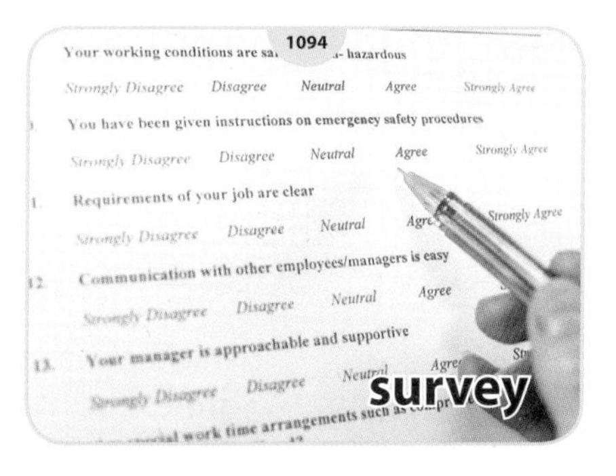

DAY 38 Law & Order

법과 질서

Promise를 잘 지키는 행동은 타인에게 신뢰를 준답니다!

CORE 핵심 어휘

□ 1111

crime 명 범죄

[kraim]

Local police are trying to prevent **crime.**
지역 경찰들이 **범죄**를 예방하기 위해 노력하고 있다.

□ 1112

prison 명 교도소, 감옥

[prízn]

Michael was sent to **prison** for stealing jewels from a store. 기출
Michael은 가게에서 보석들을 훔친 것으로 **교도소**에 보내졌다.

□ 1113

proof 명 증거, 증명 유 evidence

[pru:f]

There is no **proof** that the man is guilty.
그 남자가 유죄라는 **증거**가 없다.

□ 1114

neighbor 명 이웃 형 이웃의, 근처에 사는

[néibər]

You should not make noise that can disturb your **neighbors.** 기출
너는 **이웃들**을 방해할 수 있는 소음을 내서는 안 된다.

+ neighborhood 명 이웃, 근처

□ 1115

court

명 법원, 법정

[kɔːrt]

The Korean Supreme **Court** is located in Seoul.
한국의 대**법원**은 서울에 위치해 있다.

□ 1116

kill

동 죽이다, 목숨을 빼앗다

[kil]

We don't allow people to drink and drive because it could **kill** someone.
우리는 사람들이 술을 마시고 운전하는 것을 허용하지 않는데 이는 그것이 누군가를 **죽일** 수 있기 때문이다.

Plus +

시간을 죽이다?

kill time은 '죽이다'라는 뜻의 kill과 '시간'이라는 뜻의 time이 합쳐진 단어예요. 말 그대로 '시간을 죽이다'라는 뜻으로, '~을 하면서 시간을 때우다'라는 뜻을 가진답니다.

Watching a movie is a great way to **kill time.**
영화를 보는 것은 **시간을 때우기에** 좋은 방법이다.

□ 1117

chase

동 뒤쫓다, 추적하다 명 추격, 추적

[tʃeis]

The police **chased** the thief.
경찰이 도둑을 **뒤쫓았다**.

+ chase away 쫓아내다

□ 1118

rule

명 규칙, 법규 동 통치하다, 지배하다

[ruːl]

You must follow safety **rules** to reduce the possibility of accidents. 기출
너는 사고의 가능성을 줄이기 위해 안전 **규칙들**을 따라야 한다.

□ 1119

jail

명 감옥, 구치소 유 prison

[dʒeil]

A person who breaks the law goes to **jail.**
법을 어기는 사람은 **감옥**에 간다.

□ 1120

control

동 통제하다, 지배하다 명 통제, 지배

[kəntróul]

Traffic lights are signaling devices used to **control** the flow of traffic. 기출

신호등은 교통의 흐름을 **통제하는** 데 사용되는 신호 장치이다.

□ 1121

thief

명 도둑, 절도범 복 thieves

[θi:f]

A: I heard you saw the **thief** last night. 기출
B: Yes. I saw him running out of the store.

A: 저는 당신이 지난밤에 **도둑**을 보았다고 들었습니다.
B: 맞습니다. 저는 그가 가게에서 뛰쳐나오는 것을 보았습니다.

□ 1122

steal

동 훔치다, 도둑질하다 (stole-stolen)

[sti:l]

To **steal** someone's money is bad behavior.

누군가의 돈을 **훔치는** 것은 나쁜 행위이다.

Plus +

steal vs. steel

steal과 steel은 철자가 비슷하기 때문에 혼동하지 않도록 주의해야 해요. steel은 '강철'이라는 뜻의 명사랍니다.

- **steal** his wallet 그의 지갑을 **훔치다**
- hard **steel** 단단한 **강철**

□ 1123

cheat

동 1. 속이다, 사기치다 유 trick 2. (시험에서) 부정행위를 하다

[tʃi:t]

A stranger tried to **cheat** me and take my money.

낯선 사람이 나를 **속이고** 내 돈을 가져가려고 했다.

□ 1124

escape

동 탈출하다, 벗어나다 명 탈출, 도망

[iskéip]

The prisoner tried to **escape** from prison.

죄수가 교도소에서 **탈출하려고** 했다.

□ 1125

punish

동 처벌하다, 응징하다

[pʌ́niʃ]

How harshly should drunk drivers be **punished**? 기출

음주 운전자들은 얼마나 엄하게 **처벌받아야** 하니?

+ punishment 명 처벌, 징벌

□ 1126

rob

동 (가게 등을) 털다, 도둑질하다

[rɑːb]

The thieves **robbed** the bank yesterday.

도둑들이 어제 은행을 **털었다**.

Plus +

rob vs. steal

rob과 steal은 모두 '도둑질하다'를 뜻하지만, rob 뒤에는 주로 bank(은행), house(집)와 같은 도둑질한 장소를 써요. steal 뒤에는 money(돈), wallet(지갑)과 같은 도둑질한 물건을 쓴답니다.

- **rob** the bank 은행을 **도둑질하다**
- **steal** money 돈을 **훔치다**

□ 1127

reject

동 거절하다, 거부하다 유 refuse 반 accept 받아들이다

[ridʒékt]

The lawyer **rejected** the offer.

변호사는 제안을 **거절했다**.

□ 1128

promise

동 약속하다 명 약속

[prɑ́ːmis]

Ted **promised** to obey the social rules.

Ted는 사회의 규칙을 지키겠다고 **약속했다**.

□ 1129

insult

동 모욕하다, 무례한 짓을 하다 명 [ínsʌlt] 모욕

[insʌ́lt]

We should not **insult** other people.

우리는 다른 사람들을 **모욕해서는** 안 된다.

☐ 1130

calm down 진정시키다, 진정하다

The mayor tried to **calm down** the city's residents after the earthquake.
시장은 지진이 난 후에 도시의 주민들을 **진정시키기** 위해 노력했다.

ADVANCED 심화 어휘

☐ 1131

disorder 명 1. 무질서, 혼란 2. 장애, 이상

[disɔ́:rdər]

The town was in **disorder**, with large amounts of violent crime.
그 마을은 많은 폭력적인 범죄로 **무질서** 속에 있었다.

☐ 1132

suspect 명 용의자 동 의심하다, 수상하게 여기다 유 doubt

[səspékt]

A few crime experts investigated the **suspect**.
몇몇 범죄 전문가들이 그 **용의자**를 조사했다.

☐ 1133

regulation 명 1. 규범, 규칙 2. 규제, 단속

[règjuléiʃən]

All people should follow social **regulations**.
모든 사람들은 사회적 **규범**을 따라야 한다.

+ regulate 동 규제하다, 단속하다

☐ 1134

evident 형 분명한, 명백한 유 obvious

[évidənt]

There is an **evident** connection between drugs and crime.
마약과 범죄 사이에는 **분명한** 연관성이 있다.

☐ 1135

accuse 동 1. 고발하다, 기소하다 2. 비난하다

[əkjú:z]

Nick **accused** the man of stealing his wallet.
Nick은 그 남자를 그의 지갑을 훔친 혐의로 **고발했다**.

+ accuse A of B A를 B의 혐의로 고발[기소]하다

☐ 1136

statement 명 진술, 성명

[stéitmənt]

The person's **statements** in court were totally false.
법정에서의 그 사람의 **진술들**은 완전히 거짓이었다.

☐ 1137

prohibit 동 금지하다 유 forbid, ban 반 permit 허가하다

[prouhíbit]

Some countries **prohibit** smoking in public places by law. 기출
몇몇 나라들은 공공장소에서 흡연하는 것을 법으로 **금지한다**.

☐ 1138

arrest 동 체포하다, 검거하다 명 체포, 검거

[ərést]

The police arrived on the scene and **arrested** the thieves. 기출
경찰이 현장에 도착해서 도둑들을 **체포했다**.

☐ 1139

investigate 동 수사하다, 조사하다

[invéstəgeit]

A detective **investigated** the robbery.
형사가 강도 사건을 **수사했다**.

+ investigation 명 수사, 조사

☐ 1140

keep in mind 명심하다, 잊지 않고 있다

Keep in mind that we must obey the law.
우리가 법을 준수해야 한다는 것을 **명심해라**.

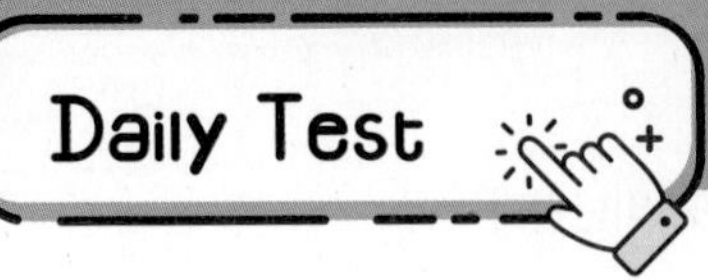

[01~10] 우리말과 같은 뜻이 되도록 빈칸에 알맞은 단어를 쓰세요.

01 감옥에 가다 go to ______________

02 폭력적인 범죄 violent ______________

03 규칙들을 따르다 follow ______________

04 도둑을 처벌하다 ______________ the thief

05 누군가를 속이다 ______________ someone

06 무질서와 혼란 ______________ and chaos

07 보석 가게를 털다 ______________ a jewelry shop

08 사건을 조사하다 ______________ the case

09 법정에서의 진술 a(n) ______________ in court

10 법으로 사회를 통제하다 ______________ society by law

[11~15] 빈칸에 알맞은 단어를 <보기>에서 한 번씩 골라 쓰세요.

<보기>	escaped	insult	killed	keep in mind	regulations

11 The bank robber quickly ______________ from the scene last night.

12 People should obey all traffic ______________.

13 It is rude to ______________ others under any situations.

14 The car accident that happened yesterday ______________ many people.

15 ______________ that you must not break any laws.

[16~20] 다음 괄호 안에 주어진 지시에 맞게 빈칸을 채우세요.

16 reject 거절하다 → (반의어) ______________

17 proof 증거 → (유의어) ______________

18 prohibit 금지하다 → (반의어) ______________

19 suspect 의심하다 → (유의어) ______________

20 evident 분명한 → (유의어) ______________

Picture Review

사진과 함께 오늘 배운 단어를 다시 기억해보세요.

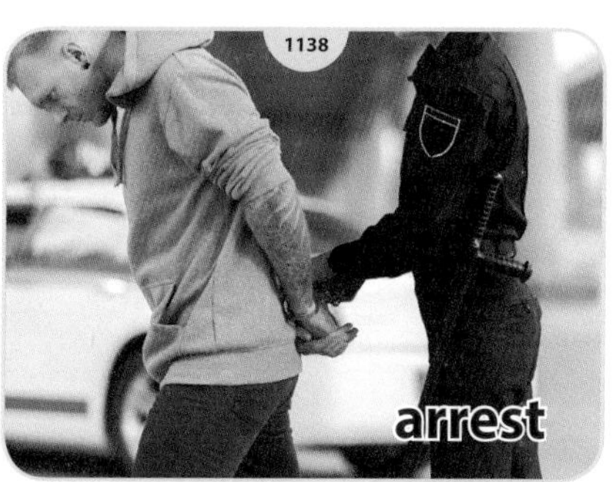

DAY 39

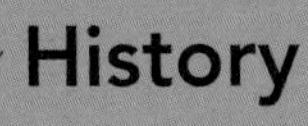

History
역사

이 책으로 단어를 공부하며 gradually 실력이 오른 것이 느껴지나요?

CORE 핵심 어휘

□ 1141

history 명 역사

[hístəri]

Studying **history** helps us ask and answer humanity's big questions. 기출
역사를 공부하는 것은 우리가 인류의 중요한 질문들을 묻고 답하는 것에 도움이 된다.

+ historical 형 역사의 historic 형 역사적으로 중요한

□ 1142

truth 명 진실, 사실 유 fact

[tru:θ]

The **truth** of history never disappears.
역사의 **진실**은 절대 사라지지 않는다.

□ 1143

national 형 1. 국가의, 국민의 2. 국립의

[nǽʃənəl]

Namdaemun is Korea's No. 1 **national** treasure, but it was once burned down. 기출
남대문은 한국의 **국가** 보물 1호이지만, 그것은 한때 불에 타버렸다.

□ 1144

war 명 전쟁, 전투 유 battle

[wɔ:r]

There have been many **wars** throughout history.
역사를 통틀어 많은 **전쟁들**이 있어 왔다.

□ 1145

army 명 군대 유 military

[ά:rmi]

The emperor of Rome wanted to increase the size of his **army**. 기출

로마의 황제는 자신의 **군대**의 규모를 확대하기를 원했다.

□ 1146

weapon 명 무기

[wépən]

In the past, archers made their own **weapons**. 기출

과거에, 궁수들은 그들 자신의 **무기**를 만들었다.

Plus +

무기와 관련된 단어들

- sword 검
- spear 창
- shield 방패
- arrow 화살
- gun 총

□ 1147

enemy 명 적군, 적

[énəmi]

The king collected his soldiers and fought against the **enemy**. 기출

왕이 자신의 병사들을 모았고 **적군**에 맞서 싸웠다.

□ 1148

attack 동 공격하다 명 공격

[ətǽk]

Japan **attacked** Pearl Harbor in 1941.

일본은 1941년에 진주만을 **공격했다**.

□ 1149

kingdom 명 왕국

[kíŋdəm]

After uniting separate **kingdoms**, Qin Shi Huang enjoyed national peace. 기출

분리된 **왕국들**을 통합한 후에, 진시황은 국가적인 평화를 누렸다.

□ 1150

royal

형 왕실의 명 왕족

[rɔ́iəl]

Leather shoes were only for the **royal** family or rich people in ancient Egypt. 기출

고대 이집트에서 가죽 신발은 오직 **왕실** 가족과 부유한 사람들을 위한 것이었다.

Plus +

royal vs. loyal

royal과 loyal은 철자가 비슷하기 때문에 혼동하지 않도록 주의해야 해요.
loyal은 '충실한'의 뜻을 가지는 형용사예요.

• a **royal** family **왕실** 가족 • a **loyal** worker **충실한** 직원

□ 1151

honor

동 기리다, 존경하다 명 명예, 영예

[ɑ́:nər]

We often **honor** great men by making statues.

우리는 종종 조각상들을 만듦으로써 위인들을 **기린다**.

□ 1152

global

형 전 세계의, 지구의

[glóubəl]

In 1973, the oil shock had an impact on the **global** economy.

1973년에, 석유 파동은 **전 세계의** 경제에 영향을 주었다.

□ 1153

strength

명 세력, 힘

[streŋkθ]

China is expanding its political **strength** around the world.

중국은 전 세계적으로 정치적인 **세력**을 확장하고 있다.

□ 1154

appear

동 1. 생기다, 나타나다 반 disappear 사라지다 2. ~인 것 같다

[əpíər]

Gondolas first **appeared** in the 11th century. 기출

곤돌라는 11세기에 처음 **생겼다**.

+ appearance 명 출현

□ 1155

century

명 세기, 100년

[séntʃəri]

For **centuries**, humankind has developed various cultures.
수 **세기** 동안, 인류는 다양한 문화들을 발전시켜 왔다.

□ 1156

original

형 1. 최초의, 원래의 2. 독창적인

[ərídʒənl]

The **original** people to live in Alaska were Inuits. 기출
알래스카에 산 **최초의** 사람들은 이누이트 족이었다.

+ originally 부 원래, 최초에, 독창적으로

□ 1157

period

명 1. 시대, 시기 2. 기간

[pí:əriəd]

Leonardo Da Vinci lived in a **period** called the Renaissance. 기출
레오나르도 다빈치는 르네상스라 불리는 **시대**에 살았다.

□ 1158

forever

부 영원히, 끊임없이

[fərévər]

History will go on **forever**.
역사는 **영원히** 계속될 것이다.

□ 1159

language

명 언어, 말

[lǽŋgwidʒ]

All **languages** change, but the rate of change can vary. 기출
모든 **언어**들은 변하지만, 변화의 속도는 다양할 수 있다.

Plus +

sign language

sign language는 '신호'라는 뜻을 가지는 sign과 '언어'라는 뜻을 가지는 language가 합쳐져서 만들어진 단어로 '수화, 수어'를 의미해요. 세상에 다양한 언어가 존재하는 것처럼 나라별로 sign language도 다르답니다.

☐ 1160

find out 알아내다, 발견하다

Let's **find out** all about the history of our city.
우리 도시의 역사에 대한 모든 것을 **알아내자**.

ADVANCED 심화 어휘

☐ 1161

treasure 명 보물

[tréʒər]

We can learn our history through our precious national **treasures**.
우리는 우리의 귀중한 국가 **보물들**을 통해 우리 역사를 배울 수 있다.

☐ 1162

empire 명 제국

[émpaiər]

The Roman **Empire** ended in 1453.
로마 **제국**은 1453년에 끝났다.

☐ 1163

dynasty 명 왕조, 왕가

[dáinəsti]

Folk paintings were popular in the late Joseon **Dynasty.** 교과서
민화는 조선 **왕조** 후기에 인기 있었다.

☐ 1164

invade 동 침략하다, 침입하다

[invéid]

The Muslims **invaded** southern Europe in the eighth century. 기출
이슬람교도들은 8세기에 남유럽을 **침략했다**.

+ invasion 명 침략, 침입

☐ 1165

tribe

명 **부족, 종족**

[traib]

Some Chinese **tribes** struggled for their own freedom.
일부 중국의 **부족들**은 그들 자신의 자유를 위해서 투쟁했다.

☐ 1166

population

명 **인구**

[pὰ:pjuléiʃən]

The global **population** increased rapidly due to the Industrial Revolution.
전 세계 **인구**는 산업혁명으로 인해 빠르게 증가했다.

☐ 1167

gradually

부 **서서히, 차츰** 반 suddenly 갑자기

[grǽdʒuəli]

It's easy to forget the past, as time passes **gradually**.
시간이 **서서히** 지남에 따라, 과거의 역사를 잊기 쉽다.

☐ 1168

defeat

동 **무찌르다, 패배시키다**

[difí:t]

The Greeks **defeated** the enormous Persian army in 490 B.C.
그리스인들은 기원전 490년에 거대한 페르시아 군대를 **무찔렀다**.

☐ 1169

threaten

동 **위협하다, 협박하다**

[θrétn]

The use of guns has always **threatened** mankind.
총기의 사용은 늘 인류를 **위협해** 왔다.

☐ 1170

go through

겪다, 경험하다

Korea **went through** a war from 1950 to 1953.
한국은 1950년에서 1953년까지 전쟁을 **겪었다**.

Daily Test

[01~05] 단어와 뜻을 알맞은 것끼리 연결하세요.

01 empire • • ⓐ 생기다, ~인 것 같다

02 gradually • • ⓑ 시대, 기간

03 period • • ⓒ 제국

04 find out • • ⓓ 서서히

05 appear • • ⓔ 알아내다

[06~15] 우리말과 같은 뜻이 되도록 빈칸에 알맞은 단어를 쓰세요.

06 적국 a(n) ____________ country

07 국가의 상징 the ____________ symbol

08 역사의 중요성 the importance of ____________

09 세기말 the end of the ____________

10 거대한 왕조 a huge ____________

11 전 세계의 전쟁 ____________ war

12 왕을 존경하다 ____________ the king

13 역사적 진실을 찾다 find the historical ____________

14 왕국을 통치하다 rule over the ____________

15 다른 나라를 침략하다 ____________ another country

[16~20] 영영 풀이에 알맞은 단어를 <보기>에서 골라 쓰세요.

<보기>	go through	threaten	defeat	population	strength

16 ____________ : to win a victory over an enemy in a battle

17 ____________ : to present a danger to someone or something

18 ____________ : all the people who live in a region

19 ____________ : the power or influence that a person or a country has

20 ____________ : to experience something

Picture Review

사진과 함께 오늘 배운 단어를 다시 기억해보세요.

DAY 40

Religion
종교

꿈과 courage를 잃지 않고, 행복하게 살아가는 여러분이 되기를 언제나 응원할게요! :)

CORE 핵심 어휘

□ 1171

god 명 신, 하느님

[gɑːd]

I prayed to a **god** for the first time in my life. 기출
나는 내 인생에서 처음으로 **신**에게 기도했다.

□ 1172

belief 명 신념, 믿음 유 faith

[bilíːf]

Maria kept fighting for her religious **beliefs** until she died. 기출
Maria는 죽을 때까지 자신의 종교적 **신념**을 위해 싸우는 것을 계속했다.

□ 1173

forgive 동 용서하다 (forgave-forgiven)

[fərgív]

I **forgave** the thief who stole my wallet.
나는 내 지갑을 훔친 도둑을 **용서했다**.

□ 1174

human 명 (-s) 인간 형 인간의

[hjúːmən]

Humans want someone to love them, or be there for them. 기출
인간은 누군가 그들을 사랑해주거나, 그들을 위해 있어주기를 원한다.

☐ 1175

evil

[íːvəl]

형 사악한, 나쁜 명 악 반 good 착한; 선

The Chinese first made fireworks to scare away **evil** ghosts. 기출

중국인들은 **사악한** 유령들을 쫓아버리기 위해서 최초로 폭죽을 만들었다.

☐ 1176

angel

[éindʒəl]

명 천사

I saw an **angel** in my dream last night.

나는 지난밤 내 꿈에서 **천사**를 보았다.

☐ 1177

meaning

[míːniŋ]

명 1. 의미, 뜻 2. 의의, 중요성

Some people try to find **meaning** in their gods' words.

어떤 사람들은 그들의 신의 말에서 **의미**를 찾기 위해 노력한다.

+ meaningful 형 의미 있는, 중요한

☐ 1178

mission

[míʃən]

명 사명, 임무

It is Jim's **mission** in life to serve the poor.

가난한 사람들에게 봉사하는 것은 Jim의 평생 **사명**이다.

☐ 1179

serve

[səːrv]

동 1. 섬기다, 봉사하다 2. (음식을) 제공하다

Pastors **serve** the believers at their churches.

목사들은 그들의 교회 신도들을 **섬긴다**.

☐ 1180

glory

[glɔ́ːri]

명 영광, 영예 유 honor

Religious people give **glory** to their gods.

종교인들은 그들의 신에게 **영광**을 돌린다.

□ 1181

beg

동 1. 간청하다, 애원하다 2. 구걸하다, 빌다

[beg]

The man in need **begged** the heavens for mercy.
어려움에 처한 남자는 하늘에 자비를 **간청했다**.

□ 1182

miracle

명 기적

[mírəkl]

Not many people seem to believe in **miracles**.
기적을 믿는 사람들이 많지 않아 보인다.

□ 1183

death

명 1. 죽음, 사망 반 birth 탄생 2. 종말

[deθ]

Do you believe in life after **death**?
너는 **죽음** 후의 삶을 믿니?

□ 1184

someday

부 언젠가, 훗날

[sʌ́mdei]

Jane wants to find her life's meaning **someday**.
Jane은 **언젠가** 자기 인생의 의미를 찾기를 원한다.

□ 1185

Christmas

명 크리스마스, 성탄절

[krísməs]

Christmas is a Christian holiday that celebrates the birth of Jesus.
크리스마스는 예수의 탄생을 축하하는 기독교의 휴일이다.

□ 1186

Christian

명 기독교 신자 형 기독교의

[krístʃən]

Many **Christians** say a prayer before having a meal.
많은 **기독교 신자**들은 식사하기 전에 기도한다.

☐ 1187

Buddhism

명 불교

[bú:dizm]

Buddhism prohibits eating meat.
불교는 고기 먹는 것을 금지한다.

+ Buddhist 명 불교 신자 형 불교의

Plus +

종교의 종류

- Buddhism 불교
- Hinduism 힌두교
- Christianity 기독교
- Roman Catholicism 천주교
- Islam 이슬람교

☐ 1188

choir

명 성가대, 합창단

[kwáiər]

Sharon used to sing in the church **choir**.
Sharon은 교회 **성가대**에서 노래하곤 했다.

☐ 1189

imagination

명 상상, 상상력

[imæ̀dʒənéiʃən]

Some people say god only exists in people's **imaginations**.
어떤 사람들은 신이 사람들의 **상상** 속에서만 존재한다고 말한다.

+ imaginary 형 상상의

☐ 1190

in need

어려움에 처한

Religions can be helpful to people **in need**.
종교는 **어려움에 처한** 사람들에게 도움이 될 수 있다.

ADVANCED 심화 어휘

☐ 1191

spirit — 명 1. 영혼 2. 정신, 마음 유 soul

[spírit]

Koreans used to believe evil **spirits** go away when a rooster cries. 교과서

한국인들은 수탉이 울면 사악한 **영혼들**이 떠나간다고 믿곤 했다.

☐ 1192

courage — 명 용기

[kə́:ridʒ]

His **courage** comes from religious belief.

그의 **용기**는 종교적 신념에서 나온다.

☐ 1193

shelter — 명 1. 피난처, 은신처 2. 보호소

[ʃéltər]

A lot of people try to find **shelter** in religion.

많은 사람들이 종교에서 **피난처**를 찾으려고 노력한다.

☐ 1194

relieve — 동 (불안감·고통 등을) 완화하다, 덜다

[rilí:v]

Prayer **relieved** my stress.

기도는 나의 스트레스를 **완화했다**.

☐ 1195

connect — 동 연결하다, 잇다 유 link

[kənékt]

Religion has always been **connected** with art.

종교는 항상 예술과 **연결되어** 왔다.

+ connection 명 연결, 관련성

□ 1196

mentor

명 멘토, 지도자

[méntɔːr]

My priest acted as a **mentor** throughout my life.
나의 신부님은 나의 삶 내내 **멘토**의 역할을 했다.

□ 1197

possible

형 가능한, 있음직한 ⓑ impossible 불가능한

[pάːsəbl]

In Korea, having two religions at the same time is **possible.**
한국에서는, 동시에 두 개의 종교를 갖는 것이 **가능하다**.

Plus +

ASAP

ASAP는 '가능한 한 빨리'를 의미하는 as soon as possible에서 각 단어의 앞 글자를 따서 만든 줄임말이에요. 약속에 늦는 친구에게 가능한 한 빨리 오라고 메시지를 보낼 때, 'Come ASAP'라고 보낼 수 있어요!

□ 1198

essential

형 1. 본질적인 2. 필수적인 ㊎ necessary

[isénʃəl]

Love and generosity are **essential** values in many religions.
사랑과 관대함은 많은 종교에서 **본질적인** 가치이다.

□ 1199

probably

부 아마 ㊎ maybe

[prάːbəbli]

The earliest music was **probably** related to religion. 기출
초기 음악은 **아마** 종교와 관련이 있었을 것이다.

□ 1200

stay away

가까이 하지 않다, 거리를 두다

Monks try to **stay away** from the world.
수도승들은 속세를 **가까이 하지 않으려** 한다.

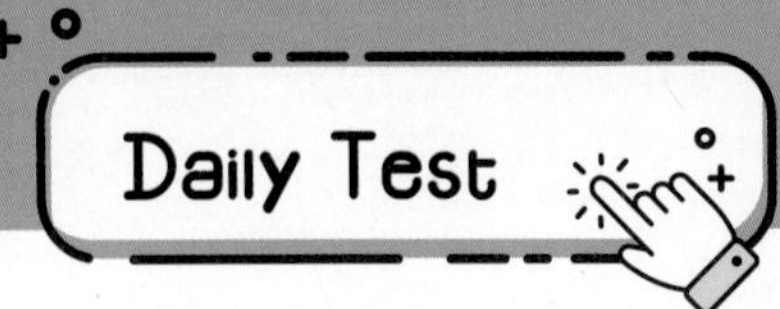

[01~10] 우리말과 같은 뜻이 되도록 빈칸에 알맞은 단어를 쓰세요.

01 종교적 신념 religious ______________

02 안전한 피난처 a safe ______________

03 신을 예배하다 worship a(n) ______________

04 종교 모임의 지도자 the ______________ of the religious gathering

05 죽음의 공포 fear of ______________

06 본질적인 문제 a(n) ______________ problem

07 신성한 영혼 the holy ______________

08 종교들의 의미 the ______________ of religions

09 적을 용서하다 ______________ an enemy

10 사람들에게 용기를 주다 give people ______________

[11~15] 빈칸에 알맞은 단어를 <보기>에서 한 번씩 골라 쓰세요.

<보기>	stay away	glory	in need	probably	relieve

11 Meditation is helpful to ______________ my stress.

12 I saw the angels full of ______________ in a painting.

13 Help the people who are ______________, as Jesus did.

14 Christians should try to ______________ from bad things.

15 Some people ______________ think that they don't need religion.

[16~20] 단어와 영영 풀이를 알맞은 것끼리 연결하세요.

16 serve •   • ⓐ to do useful work for a person or an organization

17 miracle •   • ⓑ to make people or things joined together

18 someday •   • ⓒ at a certain time in the future

19 mission •   • ⓓ the important activities or work that people have to do

20 connect •   • ⓔ a surprising event that is considered to be caused by God

Picture Review

사진과 함께 오늘 배운 단어를 다시 기억해보세요.

ANSWER KEYS

DAY 01

p. 16

01 ⓑ	02 ⓐ	03 ⓒ	04 ⓔ	05 ⓓ
06 어리석은, 바보 같은		07 쾌활한, 명랑한	08 attitude	09 brave
10 shy	11 pretended	12 modest	13 get along	14 optimistic
15 honesty	16 ⓓ	17 ⓐ	18 ⓑ	19 ⓒ
20 ⓔ				

16 부드럽거나, 차분하거나, 화내지 않고
17 다른 사람들에게 나쁜 태도로 행동하는
18 다른 사람들의 도움 없이
19 당신을 웃게 만드는 어떤 것
20 흔하지 않은 해결 방법을 찾을 정도로 똑똑한

DAY 02

p. 24

01 ⓔ	02 ⓒ	03 ⓓ	04 ⓐ	05 ⓑ
06 사랑스러운, 멋진	07 거인, 거대한 것, 거대한, 위대한		08 과체중의, 비만의	09 seem
10 tell A from B	11 charming	12 sideburns	13 beauty	14 different from
15 spot	16 large	17 male	18 strong	19 thin
20 handsome				

11 사진 속의 이 매력적인 소녀는 누구니?
12 그는 긴 구레나룻을 가지고 있다.
13 Amy의 진짜 아름다움은 그녀의 좋은 성격이다.
14 Mia는 그녀의 언니와 다르다.
15 나의 오른손에 큰 점이 있다.
16 큰
17 남성
18 강한
19 마른
20 잘생긴

DAY 03

p. 32

01 (e)nter	02 (p)ass	03 (w)ander	04 (h)old on to	05 (m)ovement
06 (a)pproached	07 (t)urned	08 (w)ake up	09 (l)ift	10 (b)ent
11 spun	12 lay	13 stand	14 hung	15 bitten
16 hide	17 lay	18 step	19 follow	20 chew

11 회전했다
12 누웠다
13 서다

14 걸었다
15 물어뜯긴
16 쉽게 보이거나 발견될 수 없는 장소에 무언가를 두다
17 무언가를 어떤 곳에 내려놓다
18 발을 들어올려서 다른 장소에 내려놓다
19 누군가나 무언가의 뒤를 따라 움직이다
20 삼키기 전에 치아를 사용해서 음식을 부수다

DAY 04

p. 40

01 ⓐ	02 ⓕ	03 ⓑ	04 ⓔ	05 ⓒ
06 ⓓ	07 be afraid of	08 worried	09 happiness	10 horror
11 lonely	12 miss	13 make fun of	14 ②	15 ①
16 ④	17 amuse	18 glad	19 dislike	20 confusion

14 scary는 형용사이고 나머지는 모두 명사이다.
15 sympathy는 명사이고 나머지는 모두 동사이다.
16 anger는 명사이고 나머지는 모두 형용사이다.
17 즐겁게 해주다
18 기쁜
19 싫어하다
20 혼란

DAY 05

p. 48

01 ⓓ	02 ⓔ	03 ⓐ	04 ⓑ	05 ⓒ
06 analyze	07 contrast	08 translation	09 realize	10 reply
11 explained	12 talk to yourself		13 report	14 appreciate
15 remind	16 ⓒ	17 ⓐ	18 ⓑ	19 ⓔ
20 ⓓ				

16 생각하거나 느끼는 것을 보여주다
17 같은 것을 다시 하거나 말하다
18 무언가가 사실이 아니라고 주장하다
19 당신이 해낸 좋은 무언가에 대해 만족해하는
20 논의하거나 쓰고 있는 주제

DAY 06

p. 58

01 ⓔ	02 ⓐ	03 ⓑ	04 ⓒ	05 ⓓ
06 roof	07 throw away	08 bulb	09 ceiling	10 daily
11 clock	12 ask, for	13 pet	14 garden	15 floor
16 tap	17 pick	18 tools	19 lawn	20 edge

16 화장실의 수도꼭지가 고장났다.
17 잡초를 꺾는 게 어때?
18 나의 아빠는 차고를 수리하기 위해 많은 도구들이 필요하다.
19 정원사는 일주일에 한 번 잔디를 깎는다.
20 Helen은 소파의 가장자리에 앉았다.

DAY 07

p. 66

01 ⓔ	02 ⓑ	03 ⓐ	04 ⓒ	05 ⓓ
06 noodle	07 dessert	08 cereal	09 diet	10 fish
11 milk	12 soup	13 sugar	14 pork	15 beef
16 meal	17 powder	18 extra	19 delicious	20 lunch

16 사람들이 규칙적인 때에 먹는 음식
17 건조한 다량의 매우 작고 미세한 조각들
18 기존의 양이나 수에 추가된
19 맛이 정말 좋은
20 아침 식사와 저녁 식사 사이에 당신이 먹는 음식

DAY 08

p. 74

01 태우다, 타다, 데우다, 데다　02 감싸다, 두르다　03 싸다, 꾸리다, 짐, 꾸러미
04 잔, 유리잔, 유리　05 pick up　06 instead　07 learn　08 jar
09 eat　10 pan　11 bake　12 set up　13 handle
14 oven　15 recipe　16 slice　17 ingredient　18 mix
19 completely　20 include

18 섞다
19 완전히
20 포함하다

DAY 09

p. 82

01 ⓑ	02 ⓒ	03 ⓔ	04 ⓐ	05 ⓓ
06 jacket	07 jeans	08 wool	09 shorts	10 mask
11 fur	12 overalls	13 try on	14 blouse	15 loose
16 ⓑ	17 ⓓ	18 ⓐ	19 ⓔ	20 ⓒ

16 발을 감싸고 보호하는 것
17 옷으로 덮혀 있지 않은
18 무언가나 누군가를 장식하기 위해 사용되는 값비싼 원석
19 따뜻한 날씨에, 특히 여름에 신는 가벼운 신발
20 누군가가 어디에 속해 있는지 알려주는 옷 한 벌

DAY 10

p. 90

01 지도	02 선생님, 교사	03 대학	04 제출하다	05 행동하다
06 club	07 course	08 examine	09 cafeteria	10 lesson
11 project	12 education	13 average	14 advise	15 pay attention
16 ③	17 ①	18 failure	19 junior	20 topic

16 elementary는 형용사이고 나머지는 모두 명사이다.
17 attend는 동사이고 나머지는 모두 명사이다.
18 실패
19 하급생, 연소자
20 주제

DAY 11

p. 98

01 ⓓ	02 ⓔ	03 ⓒ	04 ⓑ	05 ⓐ
06 police	07 farmer	08 clerk	09 soldier	10 grow up
11 writer	12 occupation	13 lawyer	14 pilot	15 guard
16 carpenter	17 physician	18 cashier	19 photographer	20 teller

16 나무로 된 것들을 만드는 것이 직업인 사람
17 의사 자격이 있고 환자들을 치료하는 어떤 사람
18 가게에서 손님들이 돈을 지불하는 사람
19 사진을 찍는 것이 직업인 사람
20 은행에서 돈을 수령하고 지급하는 근로자

DAY 12

p. 106

01 역량, 기량, 기술	02 고용하다	03 목적, 의도	04 worker	05 industry
06 (p)rocess	07 (w)age	08 (i)nformation	09 (c)ontract	10 (p)ractical
11 unable	12 peer	13 suggest	14 salary	15 fail
16 ⓓ	17 ⓐ	18 ⓒ	19 ⓔ	20 ⓑ

11 ~할 수 없는
12 동료, 친구
13 제안하다
14 급여
15 실패하다

16 성공적이지 않은 행위
17 직업과 같은 무언가에 대한 고려를 위해 스스로를 제시하다
18 자신의 일을 성공적으로 하다
19 무언가를 하는 것을 멈추다
20 함께 일하는 사람들

DAY 13

p. 114

01 ⓔ 02 ⓑ 03 ⓒ 04 ⓓ 05 ⓐ
06 전화하다, 부르다, 전화 07 분야, 영역, 지역, 구역 08 잡지
09 서류, 문서, 종이 10 printer 11 member 12 appointment 13 client
14 factory 15 envelope 16 notice 17 scissors 18 ④
19 ② 20 ①

13 변호사는 어제 그의 사무실에서 의뢰인을 만났다.
14 그 의류 공장은 올해 폐쇄될 것이다.
15 Kate는 봉투에 영수증을 넣었다.
16 나는 통보 없이 해고되었다.
17 내가 종이를 자르기 위해서 너의 가위를 빌려도 될까?
18 message는 명사이고 나머지는 모두 동사이다.
19 important는 형용사이고 나머지는 모두 명사이다.
20 comfortable은 형용사이고 나머지는 모두 명사이다.

DAY 14

p. 122

01 도로, 길 02 교통량, 교통 03 앞으로, 앞쪽의 04 노선, 경로, 길
05 일직선으로, 똑바로, 곧은, 똑바른 06 through 07 convenient 08 deliver
09 drive 10 sidewalk 11 accident 12 go 13 ahead of
14 everywhere 15 stop 16 ⓐ 17 ⓒ 18 ⓑ
19 ⓓ 20 ⓔ

11 어제 자동차 사고가 있었다.
12 나는 걸어서 학교에 간다.
13 건물 앞에 신호등이 있다.
14 너는 이 도시의 곳곳에서 버스를 발견할 수 있다.
15 기차는 서울역에서 멈출 것이다.
16 버스, 지하철, 택시, 비행기, 보트, 또는 기차를 타기 위해 지불하는 돈
17 보통 그것을 따라 집들이 있는, 도시나 마을의 도로
18 움직이는 중에 우연히 무언가를 치다
19 잠깐 동안 자동차나 오토바이를 특정한 공간에 두다
20 지하의 철도

DAY 15

p. 130

01 ⓓ	02 ⓐ	03 ⓔ	04 ⓒ	05 ⓑ
06 (b)ar	07 (b)undle	08 (a)mount	09 (o)rder	10 (f)ill in
11 (i)tems	12 (t)otal	13 (f)resh	14 (w)ipe	15 bill
16 owner	17 recommend	18 bakery	19 condition	20 rare

15 제가 계산서를 받을 수 있을까요?
16 이 카페의 주인이 누구니?
17 제게 이 식당의 최고의 품목을 추천해줄 수 있나요?
18 내가 빵집에서 산 딸기 케이크는 아주 맛있다.
19 오늘 시장에 있는 돼지고기는 좋은 상태에 있다.
20 빈티지 옷 가게는 희귀한 옷들을 판다.

DAY 16

p. 138

01 tower	02 address	03 give a hand	04 sky	05 pasture
06 agriculture	07 scarecrow	08 cage	09 distance	10 hometown
11 center	12 downtown	13 migrate	14 harvest	15 sooner or later
16 dirt	17 urban	18 scenery	19 plain	20 surprise

11 나는 영어를 배우기 위해서 일주일에 두 번 주민 센터에 간다.
12 나의 사무실은 도심에 있다.
13 너는 다른 도시로 이주할 거니?
14 농부들은 수확 동안 바쁘다.
15 그들은 머지않아 도시로 이사할 것이다.
16 먼지
17 도시의
18 경치
19 평범한
20 놀라게 하다

DAY 17

p. 146

01 ⓔ	02 ⓒ	03 ⓓ	04 ⓑ	05 ⓐ
06 (f)lu	07 (m)edicine	08 (b)lind	09 (r)elax	10 (d)isease
11 (d)igest	12 (i)njured	13 (p)revent	14 (s)uffer	15 (h)ealth
16 safety	17 sore	18 Watch out	19 passed away	20 trouble

16 해변에 가면, 안전이 가장 중요한 것이다.
17 너의 쓰라린 발은 좀 어때?
18 여름 동안에 식중독을 조심해라.
19 일주일 전에, 나의 할머니가 돌아가셨다.
20 내 등에 문제가 있다.

DAY 18

p. 156

01 유명한	02 방문객, 손님	03 도착하다, 도달하다		04 scenery
05 site	06 insurance	07 foreign	08 get to	09 landmark
10 memory	11 hang out with	12 depart	13 experiences	14 abroad
15 arrive	16 schedule	17 impressive	18 ①	19 ③
20 ①				

14 나는 일 년에 두 번 해외로 여행한다.
15 다음 기차는 언제 도착하니?
16 Tom은 꽉 찬 여행 일정 때문에 피곤했다.
17 내가 베트남에서 먹었던 음식은 매우 인상적이었다.
18 flight는 명사이고 나머지는 모두 동사이다.
19 cancel은 동사이고 나머지는 모두 명사이다.
20 refresh는 동사이고 나머지는 모두 명사이다.

DAY 19

p. 164

01 ⓔ	02 ⓑ	03 ⓓ	04 ⓒ	05 ⓐ
06 shop	07 sell	08 gift	09 spend	10 mall
11 buy	12 goods	13 tax	14 advertisement	
15 expensive	16 choice	17 cheap	18 give away	19 weekend
20 pay				

16 당신이 고를 수 있는 몇 가지 것들
17 비싸지 않은
18 무언가를 선물로 주다
19 토요일과 일요일
20 당신이 무언가를 사기 때문에 누군가에게 돈을 내다

DAY 20

p. 172

01 read	02 dance	03 visit	04 chess	05 magic
06 zoo	07 circus	08 favorite	09 playground	10 swing
11 paint	12 interest	13 sign up for	14 walk	15 instead of
16 sing	17 painting	18 film	19 riddle	20 gather

11 소녀는 종이에 무언가를 칠하는 것을 좋아한다.
12 너는 축구에 관심이 있니?
13 너는 테니스 동아리에 가입할 거니?
14 나는 보통 저녁을 먹고 산책을 하러 밖에 나간다.
15 Ted는 TV 드라마 대신에 영화를 보는 것을 즐긴다.
16 나는 스트레스를 받을 때 종종 크게 노래를 부른다.

[17~20] <보기>의 단어들은 유의어 관계이다.
17 그림 - 그림
18 영화 - 영화
19 수수께끼 - 수수께끼
20 모으다 - 모으다

DAY 21

p. 180

01 ⓔ	02 ⓒ	03 ⓐ	04 ⓓ	05 ⓑ
06 player	07 exercise	08 gym	09 baseball	10 swim
11 bike	12 throw	13 bet	14 winner	15 competition
16 ⓔ	17 ⓐ	18 ⓑ	19 ⓓ	20 ⓒ

16 아주 놀라운
17 걷는 것보다 발로 더 빨리 이동하다
18 보드 위에서 바다의 파도를 타다
19 당신이 덥다고 느낄 때 당신의 몸에서 나오는 액체
20 운동선수들을 가르치고 훈련시키는 사람

DAY 22

p. 188

01 theater	02 opera	03 poem	04 musician	05 perfect
06 scene	07 museum	08 instrument	09 popular	10 shoot
11 publish	12 rhythm	13 performance	14 artificial	15 exhibit
16 deal with	17 ①	18 ①	19 ②	20 ③

12 Linda는 비트박스에서 나오는 리듬을 즐기는 것처럼 보이지 않는다.
13 너는 Richard의 피아노 연주가 좋았니?
14 그 예술품은 조화로 만들어졌다.
15 미술관은 몇몇의 유명한 그림을 전시할 것이다.
16 그 뮤지컬들은 사랑이라는 주제를 다룬다.
17 admire는 동사이고 나머지는 모두 명사이다.
18 audience는 명사이고 나머지는 모두 형용사이다.
19 harmony는 명사이고 나머지는 모두 동사이다.
20 well-known은 형용사이고 나머지는 모두 명사이다.

DAY 23

p. 196

01 ⓒ	02 ⓔ	03 ⓓ	04 ⓑ	05 ⓐ
06 decorate	07 event	08 look forward to		09 vacation
10 special	11 honeymoon	12 balloon	13 host	14 riddle
15 thankful	16 party	17 crowded	18 prepare	19 guest
20 launch				

16 사람들이 모여서 먹기, 마시기 그리고 춤추기와 같은 것들을 즐기는 사회적인 행사
17 사람들로 가득 찬
18 행사를 준비하다
19 어떤 행사에 초대되어 참석하는 사람들
20 특정한 행사를 시작하다

SECTION 4 Things & Conditions 사물과 상태

DAY 24

p. 206

01 rough	02 full	03 tiny	04 object	05 wooden
06 sharp	07 slowly	08 feature	09 a variety of	10 piece
11 (e)xist	12 (v)aluable	13 (e)mpty	14 (u)p and down	
15 (n)ew	16 form	17 useful	18 narrow	19 light
20 flexible				

11 생명체가 화성과 같은 다른 행성에 존재할지도 모른다.
12 다이아몬드 반지는 값비싸다.
13 Ken은 깨진 창문들과 빈 금고를 발견했다.
14 보트가 파도 때문에 물위에서 위아래로 움직이고 있다.
15 Paul의 아버지가 그에게 새 자전거를 사주었다.
16 형태
17 유용한
18 좁은
19 가벼운
20 유연한

DAY 25

p. 214

01 ⓑ	02 ⓓ	03 ⓔ	04 ⓐ	05 ⓒ
06 dramatic	07 situation	08 covered with	09 exactly	10 mood
11 silence	12 shocking	13 excellent	14 fair	15 familiar
16 ⓒ	17 ⓔ	18 ⓓ	19 ⓐ	20 ⓑ

16 매우 불쾌하고 나쁜
17 무언가를 하기 쉽지 않은
18 이해되지 않거나 알려지지 않은 어떤 것
19 예상치 못하게 그리고 예고 없이
20 특별하지 않은, 평범한

DAY 26

p. 224

01 poisonous	02 spring	03 maple	04 pine	05 absorb
06 bamboo	07 survive	08 ripe	09 get rid of	10 cactus
11 sunlight	12 wild	13 crops	14 growth	15 up to
16 seeds	17 weed	18 soil	19 ①	20 ⑤

11 물과 따뜻한 햇빛은 식물들이 자라는 데 필요하다.
12 Suzy는 야생 딸기를 조금 땄다.
13 농부들은 보통 가을에 많은 농작물들을 수확한다.
14 나무들의 성장을 보는 것은 굉장하다.
15 몇몇 해바라기들은 키가 일 미터까지 자란다.
16 Paul은 밭에 토마토 씨앗 백 개를 심었다.
17 나는 아빠가 정원의 잡초를 뽑는 것을 도왔다.
18 대부분의 벼는 축축한 토양에서 자란다.
19 romantic은 형용사이고 나머지는 모두 명사이다.
20 rapidly는 부사이고 나머지는 모두 형용사이다.

DAY 27

p. 232

01 ⓑ	02 ⓐ	03 ⓒ	04 ⓓ	05 ⓔ
06 lizard	07 hatch	08 whale	09 feather	10 take care of
11 peacock	12 elephant	13 hippo	14 watch over	15 dinosaur
16 kangaroo	17 giraffe	18 wildlife	19 hen	20 octopus

16 강한 다리를 이용해 주위를 뛰어다니는 호주의 동물
17 매우 긴 목과 몸에 짙은 반점들을 가지고 있는 큰 동물
18 야생에 사는 동물들과 식물들
19 암컷 닭
20 여덟 개의 긴 팔을 가진 바다 동물

DAY 28

p. 240

01 breeze	02 temperature	03 hurricane	04 harsh	05 dawn
06 thunder	07 climate	08 snowy	09 pattern	10 storm
11 foggy	12 still	13 sunlight	14 expectation	15 flood
16 ⓓ	17 ⓐ	18 ⓑ	19 ⓒ	20 ⓔ

11 안개가 낀
12 바람이 없는
13 햇빛, 햇살
14 예상, 기대
15 홍수
16 덥고 습기로 가득 찬

17 짧은 기간의 비
18 아침과 저녁 사이의 하루의 시간
19 지진이나 홍수와 같은 심각한 사고
20 무언가를 미루다

DAY 29

p. 248

01 ⓔ	02 ⓓ	03 ⓐ	04 ⓒ	05 ⓑ
06 glacier	07 evolve	08 continent	09 earthquake	10 sunrise
11 mud	12 sand	13 field	14 nature	15 rock
16 ⓑ	17 ⓐ	18 ⓔ	19 ⓓ	20 ⓒ

16 땅에서 볼 수 있는 작은 바위 조각
17 사물들을 보게 해주는 밝음
18 여섯 개의 다리를 가진 작은 동물
19 나무들이 함께 자라는 넓은 지역
20 바다의 표면에 솟아오른 물

DAY 30

p. 256

01 toxic	02 acid	03 cause	04 effect	05 extinct
06 campaign	07 greenhouse	08 environmental		09 shortage
10 endangered	11 care	12 worldwide	13 share	14 are in trouble
15 lead to	16 ②	17 ④	18 electric	19 threaten
20 reduction				

11 사람들은 미세 먼지에 의해 생긴 문제들에 관심을 가져야 한다.
12 전 세계적인 기후 변화가 있어 왔다.
13 우리는 동식물들과 자연을 공유해야 한다.
14 북극곰들은 지구 온난화 때문에 곤경에 처해 있다.
15 지나친 플라스틱의 사용은 심각한 쓰레기 생산으로 이어질 것이다.
16 smog는 명사이고 나머지는 모두 동사이다.
17 pollution은 명사이고 나머지는 모두 형용사이다.
18 전기의
19 위협하다
20 감소

DAY 31

p. 266

01 ⓑ	02 ⓐ	03 ⓓ	04 ⓒ	05 ⓔ
06 eclipse	07 solar	08 comet	09 Mercury	10 Milky Way
11 aliens	12 gravity	13 float	14 spaceship	15 lunar
16 planet	17 universe	18 crew	19 consist	20 flash

16 별 주위를 도는 크고 둥근 우주의 물체
17 안에 있는 행성들, 별들과 다른 모든 것을 포함하는 우주 전체
18 배, 비행기, 또는 우주선에서 일하는 사람들
19 몇몇 부분들로 구성되다
20 밝은 빛으로 빠르게 빛나다

DAY 32

p. 274

01 생산하다, 만들다		02 위기, 고비	03 turn A into B	04 efficient
05 in fact	06 mine	07 energy	08 power	09 nuclear
10 natural gas	11 rely	12 expand	13 heat	14 future
15 generation	16 whole	17 permit	18 introduction	19 insufficient
20 successfully				

16 전체의
17 허락하다
18 도입, 소개
19 불충분한
20 성공적으로

DAY 33

p. 282

01 ⓔ	02 ⓐ	03 ⓑ	04 ⓒ	05 ⓓ
06 delete	07 replace	08 widespread	09 research	10 easily
11 chemical	12 virtual	13 result	14 focus	15 means
16 ⓐ	17 ⓓ	18 ⓔ	19 ⓑ	20 ⓒ

16 일어나거나 행해질 수 없는
17 보일 수 있는
18 무언가를 하는 데 성공하지 못하다
19 수나 양이 증가하다
20 무언가가 더 발전되도록 만들다

DAY 34

p. 290

01 vaccine	02 technology	03 code	04 system	05 switch
06 click	07 fix	08 browse	09 tip	10 operator
11 (c)ommunicate		12 (I)nternet	13 (s)creen	14 (g)et used to
15 (a)ccess	16 (c)apture	17 (d)isturb	18 ④	19 ②
20 ①				

11 많은 사람들은 요즘 매체를 통해 소통한다.
12 나는 인터넷이 없는 삶을 상상할 수 없다.
13 컴퓨터 화면에 예쁜 사진이 있다.
14 Amy는 업그레이드된 컴퓨터 소프트웨어에 익숙해지려고 노력하고 있다.
15 Paul은 아직 파일에 대한 접근권을 받지 않았다.
16 나는 웹사이트의 몇몇 이미지들을 캡처할 수 없었다.
17 내가 컴퓨터 게임을 하는 동안에 나를 방해하지 마.
18 edit은 동사이고 나머지는 모두 명사이다.
19 combination은 명사이고 나머지는 모두 동사이다.
20 online은 형용사이고 나머지는 모두 명사이다.

SECTION 7 World & Society 세계와 사회

DAY 35

p. 300

01 ⓑ	02 ⓐ	03 ⓓ	04 ⓒ	05 ⓔ
06 local	07 various	08 social	09 powerful	10 predict
11 organization	12 public	13 common	14 unique	15 unit
16 region	17 case	18 happen	19 value	20 citizen

16 특정한 지리적 성질을 가진 넓은 면적의 토지
17 특정한 상황이나 사건
18 한 사건의 결과로서 발생하다
19 무언가의 중요성
20 한 도시에 살고 그 도시에 속한 누군가

DAY 36

p. 308

01 경제, 경기	02 거래, 거래하다, 다루다, 처리하다	03 빌리다	04 fee
05 whole	06 savings	07 stable	08 fortune	09 output
10 commercial	11 expense	12 (o)we	13 (l)ent	14 (r)ely on
15 (O)n average	16 rich	17 price	18 loss	19 supply
20 result				

12 나는 지금 은행에 1,000달러를 빚지고 있다.
13 Sandra는 지난달에 나에게 약간의 돈을 빌려줬다.
14 Kate는 자신의 부모님에게 금전적으로 의존하지 않는다.
15 평균적으로, 그 회사의 근로자들은 한 달에 300달러를 번다.
16 부유한
17 비용
18 손실
19 공급하다
20 결과

DAY 37

p. 316

01 ⓐ	02 ⓒ	03 ⓑ	04 ⓔ	05 ⓓ
06 policy	07 normal	08 personal	09 elect	10 minority
11 government	12 support	13 wisdom	14 leader	15 quickly
16 ⓒ	17 ⓔ	18 ⓓ	19 ⓑ	20 ⓐ

16 지체 없이 일어나는
17 무언가에 필요한
18 무언가에 대해 생각한 후에 그것에 대해 내리는 결정
19 국가 기관에서 일하는 사람
20 나라나 사회에서 권력을 획득하고 사용하는 것과 관련된 행위들

DAY 38

p. 324

01 jail	02 crime	03 rules	04 punish	05 cheat
06 disorder	07 rob	08 investigate	09 statement	10 control
11 escaped	12 regulations	13 insult	14 killed	15 Keep in mind
16 accept	17 evidence	18 permit	19 doubt	20 obvious

11 은행 강도는 지난밤에 신속히 현장을 탈출했다.
12 사람들은 모든 교통 규범들을 따라야 한다.
13 어떤 상황에서든 다른 사람들을 모욕하는 것은 무례하다.
14 어제 일어난 자동차 사고는 많은 사람들의 목숨을 빼앗았다.
15 어떤 법도 위반하면 안 된다는 것을 명심해라.
16 받아들이다
17 증거
18 허가하다
19 의심하다
20 분명한

DAY 39

p. 332

01 ⓒ	02 ⓓ	03 ⓑ	04 ⓔ	05 ⓐ
06 enemy	07 national	08 history	09 century	10 dynasty
11 global	12 honor	13 truth	14 kingdom	15 invade
16 defeat	17 threaten	18 population	19 strength	20 go through

16 전투에서 적을 상대로 승리를 거두다
17 누군가나 무언가에 위협을 표하다
18 한 지역에 사는 모든 사람들
19 사람이나 국가가 가지는 힘이나 영향력
20 무언가를 경험하다

DAY 40

p. 340

01 belief	02 shelter	03 god	04 mentor	05 death
06 essential	07 spirit	08 meaning	09 forgive	10 courage
11 relieve	12 glory	13 in need	14 stay away	15 probably
16 ⓐ	17 ⓔ	18 ⓒ	19 ⓓ	20 ⓑ

11 명상은 나의 스트레스를 완화하는 데 도움이 된다.
12 나는 그림에서 영광으로 가득한 천사들을 보았다.
13 예수가 했던 것처럼, 어려움에 처한 사람들을 도와라.
14 기독교 신자들은 나쁜 것들을 가까이하지 않으려고 노력해야 한다.
15 어떤 사람들은 아마 종교가 필요 없다고 생각할 것이다.
16 사람이나 조직을 위해 유용한 일을 하다
17 신에 의해서 일어났다고 여겨지는 놀라운 사건
18 미래의 특정한 시간에
19 사람들이 해야 하는 중요한 활동들이나 일
20 사람들이나 사물들이 함께 연결되도록 하다

INDEX

A

B

C

G

H

I

J

K

L

M

N

Q

R

S

U

V

W

Y

Z

MEMO

MEMO

교과서 및 교육부 권장 어휘 완벽 반영

해커스 보카

중학 필수

초판 5쇄 발행 2023년 2월 6일
초판 1쇄 발행 2020년 10월 21일

지은이	해커스 어학연구소
펴낸곳	(주)해커스 어학연구소
펴낸이	해커스 어학연구소 출판팀
주소	서울특별시 서초구 강남대로61길 23 (주)해커스 어학연구소
고객센터	02-537-5000
교재 관련 문의	publishing@hackers.com 해커스북 사이트(HackersBook.com) 고객센터 Q&A 게시판
동영상강의	star.Hackers.com
ISBN	본책: 978-89-6542-398-0 (54740) 세트: 978-89-6542-397-3 (54740)
Serial Number	01-05-01

해커스 보카

중학 필수

누적 테스트북

해커스 보카

중학 필수

누적 테스트북

해커스 어학연구소

누적 테스트 — 1일차

정답 바로 듣기

____ /20

1	temper	D01	11	attitude	D01
2	foolish	D01	12	wise	D01
3	clever	D01	13	serious	D01
4	pretend	D01	14	cheerful	D01
5	modest	D01	15	personality	D01
6	active	D01	16	lively	D01
7	friendly	D01	17	brave	D01
8	wonder	D01	18	rude	D01
9	shy	D01	19	character	D01
10	creative	D01	20	on one's own	D01

누적 테스트 — 2일차

정답 바로 듣기

____ /20

1	tall	D02	11	shy	D01
2	male	D02	12	appearance	D02
3	wonder	D01	13	beauty	D02
4	old	D02	14	kind	D01
5	beard	D02	15	seem	D02
6	temper	D01	16	friendly	D01
7	spot	D02	17	character	D01
8	sideburns	D02	18	on one's own	D01
9	charming	D02	19	attitude	D01
10	pale	D02	20	weak	D02

누적 테스트 3일차

정답 바로 듣기 ____ /20

1	chew	D03	11	curious	D01
2	spread	D03	12	charming	D02
3	appearance	D02	13	sideburns	D02
4	pass	D03	14	step	D03
5	pretty	D02	15	friendly	D01
6	lift	D03	16	tell A from B	D02
7	approach	D03	17	fat	D02
8	turn	D03	18	lovely	D02
9	movement	D03	19	sit	D03
10	old	D02	20	follow	D03

누적 테스트 4일차

정답 바로 듣기 ____ /20

1	lonely	D04	11	worried	D04
2	hold on (to)	D03	12	modest	D01
3	bend	D03	13	sideburns	D02
4	male	D02	14	laugh	D04
5	active	D01	15	female	D02
6	mean	D01	16	optimistic	D01
7	lovely	D02	17	step	D03
8	pale	D02	18	movement	D03
9	miss	D04	19	tall	D02
10	overweight	D02	20	lie	D03

누적 테스트 5일차

____ /20

정답 바로 듣기

1	cheerful	D01
2	kind	D01
3	delight	D04
4	spin	D03
5	disappointed	D04
6	lay	D03
7	wise	D01
8	stand	D03
9	satisfied	D04
10	short	D02
11	pull	D03
12	frustrate	D04
13	express	D05
14	foolish	D01
15	proud	D05
16	lie	D03
17	humor	D01
18	topic	D05
19	explain	D05
20	sit	D03

누적 테스트 6일차

____ /20

정답 바로 듣기

1	respond	D05
2	pet	D06
3	jump	D03
4	excited	D04
5	spin	D03
6	roof	D06
7	modest	D01
8	express	D05
9	wander	D03
10	pass	D03
11	flashlight	D06
12	ask A for B	D06
13	personality	D01
14	praise	D05
15	hang	D03
16	creative	D01
17	stretch	D03
18	stress	D05
19	edge	D06
20	tell A from B	D02

누적 테스트 7일차

____/20

정답 바로 듣기

1	respond	D05
2	daily	D06
3	seafood	D07
4	deny	D05
5	hate	D04
6	pale	D02
7	rude	D01
8	stupid	D01
9	bite	D03
10	stretch	D03
11	extra	D07
12	movement	D03
13	disappointed	D04
14	compare	D05
15	reply	D05
16	surprised	D04
17	image	D02
18	bread	D07
19	flashlight	D06
20	male	D02

누적 테스트 8일차

____/20

정답 바로 듣기

1	lie	D03
2	young	D02
3	toothbrush	D06
4	garden	D06
5	melt	D08
6	amusement	D04
7	set up	D08
8	jump	D03
9	smart	D01
10	cereal	D07
11	happiness	D04
12	report	D05
13	trust	D05
14	embarrass	D04
15	optimistic	D01
16	excited	D04
17	slice	D08
18	giant	D02
19	fold	D03
20	hold on (to)	D03

누적 테스트 9일차

____/20

정답 바로 듣기

1	egg	D07
2	respond	D05
3	lay	D03
4	miss	D04
5	spread	D03
6	upset	D04
7	try on	D09
8	jewel	D09
9	sympathy	D04
10	whisper	D05
11	delicious	D07
12	satisfied	D04
13	pet	D06
14	blanket	D06
15	explain	D05
16	horror	D04
17	appreciate	D05
18	praise	D05
19	soup	D07
20	surprised	D04

누적 테스트 10일차

____/20

정답 바로 듣기

1	soup	D07
2	mess	D04
3	interested	D04
4	fat	D02
5	senior	D10
6	wrap	D08
7	express	D05
8	tie	D09
9	mix	D08
10	burn	D08
11	laugh	D04
12	average	D10
13	plenty	D06
14	scary	D04
15	pork	D07
16	uniform	D09
17	noodle	D07
18	beef	D07
19	short	D02
20	delicious	D07

누적 테스트 11일차

____/20

정답 바로 듣기

1	respect	D05
2	pack	D08
3	feed	D07
4	overweight	D02
5	temper	D01
6	lawn	D06
7	club	D10
8	mistake	D10
9	hide	D03
10	be filled with	D07
11	writer	D11
12	on one's own	D01
13	charming	D02
14	clerk	D11
15	optimistic	D01
16	cereal	D07
17	proud	D05
18	costume	D09
19	sandal	D09
20	clock	D06

누적 테스트 12일차

____/20

정답 바로 듣기

1	lift	D03
2	stress	D05
3	approach	D03
4	subject	D10
5	jump	D03
6	stupid	D01
7	foolish	D01
8	fabric	D09
9	refrigerator	D08
10	overalls	D09
11	fur	D09
12	bean	D07
13	stand	D03
14	disappointed	D04
15	lay	D03
16	amusement	D04
17	failure	D12
18	roll	D03
19	satisfied	D04
20	effort	D12

누적 테스트 13일차

정답 바로 듣기

____ /20

1	embarrass	D04	11	short	D02
2	sugar	D07	12	guard	D11
3	wonder	D01	13	staple	D13
4	tool	D06	14	pin	D13
5	award	D10	15	police	D11
6	hide	D03	16	stretch	D03
7	industry	D12	17	project	D10
8	jar	D08	18	character	D01
9	lawyer	D11	19	on time	D13
10	try on	D09	20	enter	D03

누적 테스트 14일차

정답 바로 듣기

____ /20

1	station	D14	11	respect	D05
2	clip	D13	12	success	D10
3	contrast	D05	13	factory	D13
4	sympathy	D04	14	shy	D01
5	smart	D01	15	route	D14
6	beef	D07	16	ingredient	D08
7	behave	D10	17	mess	D04
8	tool	D06	18	skill	D12
9	bulb	D06	19	anger	D04
10	magazine	D13	20	meeting	D13

누적 테스트 15일차

정답 바로 듣기 ____/20

1	fresh	D15	11	hold on (to)	D03
2	wipe	D15	12	bald	D02
3	spicy	D07	13	condition	D15
4	freezer	D15	14	polish	D09
5	active	D01	15	lovely	D02
6	tight	D09	16	burn	D08
7	daily	D06	17	set	D15
8	subject	D10	18	diet	D07
9	sugar	D07	19	button	D09
10	pillow	D06	20	interested	D04

누적 테스트 16일차

정답 바로 듣기 ____/20

1	floor	D06	11	dust	D16
2	blouse	D09	12	accident	D14
3	station	D14	13	pour	D08
4	skinny	D02	14	shorts	D09
5	horror	D04	15	shepherd	D11
6	bakery	D15	16	coat	D09
7	zone	D16	17	sky	D16
8	position	D11	18	tear	D03
9	seafood	D07	19	item	D15
10	subway	D14	20	building	D16

누적 테스트 17일차

정답 바로 듣기

___ /20

1	horror	D04
2	bark	D16
3	printer	D13
4	explain	D05
5	landscape	D16
6	bridge	D16
7	floor	D06
8	nut	D07
9	tear	D03
10	countryside	D16
11	pull	D03
12	turn	D03
13	soldier	D11
14	apply	D12
15	income	D12
16	stupid	D01
17	member	D13
18	partner	D10
19	trouble	D17
20	industry	D12

누적 테스트 18일차

정답 바로 듣기

___ /20

1	beef	D07
2	rude	D01
3	eat	D08
4	rush	D18
5	ahead of	D14
6	cashier	D11
7	wrap	D08
8	contrast	D05
9	mess	D04
10	punch	D13
11	plenty	D06
12	comfortable	D13
13	pour	D08
14	breath	D17
15	tourist	D18
16	request	D12
17	assistant	D11
18	tie	D09
19	elementary	D10
20	analyze	D05

누적 테스트 19일차

정답 바로 듣기

____/20

1	buy	D19	11	colleague	D12
2	stationery	D10	12	subject	D10
3	instead	D08	13	young	D02
4	important	D13	14	customer	D19
5	information	D12	15	handle	D08
6	downtown	D16	16	thought	D05
7	pull	D03	17	get along	D01
8	tag	D19	18	meeting	D13
9	seafood	D07	19	pair	D19
10	bother	D04	20	loose	D09

누적 테스트 20일차

정답 바로 듣기

____/20

1	miss	D04	11	chess	D20
2	interest	D20	12	tap	D06
3	extra	D07	13	roll	D03
4	hammer	D06	14	bundle	D15
5	tailor	D11	15	boss	D12
6	garden	D06	16	lesson	D10
7	stand	D03	17	respect	D05
8	comic	D20	18	scarecrow	D16
9	digest	D17	19	amusement	D04
10	cafeteria	D10	20	lift	D03

21일차 누적 테스트

____ /20

정답 바로 듣기

1 visit	D20	11 fill out	D12
2 factory	D13	12 worried	D04
3 deny	D05	13 weekend	D19
4 bitter	D07	14 bark	D16
5 chess	D20	15 swing	D20
6 scientist	D11	16 tailor	D11
7 poison	D17	17 arrive	D18
8 expensive	D19	18 display	D19
9 daily	D06	19 take place	D21
10 pain	D17	20 consume	D19

22일차 누적 테스트

____ /20

정답 바로 듣기

1 officer	D11	11 consume	D19
2 university	D10	12 stage	D22
3 vegetable	D07	13 seem	D02
4 folder	D13	14 experience	D18
5 admire	D22	15 coin	D19
6 cart	D15	16 walk	D20
7 glass	D08	17 go	D14
8 challenge	D21	18 college	D10
9 laugh at	D22	19 quit	D12
10 wool	D09	20 cheerful	D01

누적 테스트 23일차

정답 바로 듣기

____ /20

1	bike	D21	11	relax	D17
2	counselor	D11	12	slow down	D14
3	hand in	D10	13	junk	D19
4	stain	D09	14	university	D10
5	lonely	D04	15	vacation	D23
6	road	D14	16	arrange	D23
7	effort	D12	17	skinny	D02
8	drive	D14	18	topic	D05
9	turn down	D13	19	rail	D14
10	wash	D06	20	give up	D21

누적 테스트 24일차

정답 바로 듣기

____ /20

1	glue	D13	11	piece	D24
2	success	D10	12	paint	D20
3	tear	D03	13	rail	D14
4	low	D24	14	change	D09
5	editor	D11	15	effort	D12
6	delicious	D07	16	relax	D17
7	give away	D19	17	grow up	D11
8	host	D23	18	flu	D17
9	cart	D15	19	scary	D04
10	fur	D09	20	empty	D24

누적 테스트 25일차

정답 바로 듣기

____ /20

1	lonely	D04
2	tie	D09
3	dramatic	D25
4	police	D11
5	factory	D13
6	fly	D18
7	round	D24
8	orchard	D16
9	terrible	D25
10	fear	D04
11	sugar	D07
12	whisper	D05
13	confuse	D04
14	take	D15
15	be filled with	D07
16	precious	D24
17	average	D10
18	center	D16
19	goods	D19
20	librarian	D10

누적 테스트 26일차

정답 바로 듣기

____ /20

1	counter	D15
2	deal with	D22
3	junk	D19
4	choice	D19
5	sunlight	D26
6	boss	D12
7	comfortable	D13
8	playground	D20
9	wise	D01
10	set	D15
11	romantic	D26
12	scenery	D18
13	new	D24
14	jacket	D09
15	cotton	D09
16	bean	D07
17	print	D12
18	poisonous	D26
19	contain	D08
20	chimney	D16

누적 테스트

정답 바로 듣기

____ /20

1	map	D10
2	watch over	D27
3	stair	D06
4	hometown	D16
5	tailor	D11
6	landscape	D16
7	bother	D04
8	jar	D08
9	hen	D27
10	wide	D24
11	slowly	D24
12	bar	D15
13	window	D13
14	accident	D14
15	come	D14
16	project	D10
17	recommend	D15
18	give up	D21
19	straight	D14
20	survive	D26

누적 테스트

28일차

정답 바로 듣기

____ /20

1	climate	D28
2	praise	D05
3	tell A from B	D02
4	cheer	D21
5	rainbow	D28
6	strange	D25
7	winter	D28
8	travel	D18
9	mist	D28
10	bowl	D08
11	realize	D05
12	tax	D19
13	sick	D17
14	drought	D28
15	dawn	D28
16	member	D13
17	noodle	D07
18	pattern	D28
19	chess	D20
20	fog	D28

누적 테스트 29일차

정답 바로 듣기

____ /20

1	drought	D28	11	field	D29
2	nervous	D04	12	suit	D09
3	ordinary	D25	13	survive	D26
4	folder	D13	14	sweet	D07
5	presentation	D05	15	give a hand	D16
6	pile	D24	16	exercise	D21
7	daytime	D28	17	rare	D15
8	heavy	D24	18	nature	D29
9	bud	D26	19	gift	D19
10	up and down	D24	20	dinosaur	D27

누적 테스트 30일차

정답 바로 듣기

____ /20

1	jeans	D09	11	sharp	D24
2	cause	D30	12	physician	D11
3	health	D17	13	mechanic	D11
4	read	D20	14	rare	D15
5	festival	D23	15	average	D10
6	bump	D14	16	magic	D20
7	site	D18	17	pilot	D11
8	fish	D07	18	duty	D12
9	cattle	D27	19	greenhouse	D30
10	desert	D29	20	chicken	D27

누적 테스트 31일차

____/20

정답 바로 듣기

1	stationery	D10
2	sun	D31
3	whale	D27
4	appearance	D02
5	bottle	D15
6	skill	D12
7	wash	D06
8	rare	D15
9	exhaust	D30
10	cattle	D27
11	rocket	D31
12	flu	D17
13	hurricane	D28
14	harvest	D16
15	waste	D30
16	prepare	D23
17	hatch	D27
18	seed	D26
19	whisper	D05
20	important	D13

누적 테스트 32일차

____/20

정답 바로 듣기

1	efficient	D32
2	festival	D23
3	heavy	D24
4	screw	D06
5	bet	D21
6	mine	D32
7	wash	D06
8	teacher	D10
9	toxic	D30
10	roof	D06
11	overalls	D09
12	subway	D14
13	Mars	D31
14	stop	D14
15	chimney	D16
16	pretty	D02
17	variety	D15
18	worried	D04
19	wish	D23
20	alive	D17

누적 테스트 33일차

정답 바로 듣기

____ /20

1	turn A into B	D32	11	universe	D31
2	pleased	D04	12	alien	D31
3	succeed	D12	13	cart	D15
4	sweet	D07	14	work out	D33
5	in fact	D32	15	invent	D33
6	data	D33	16	opera	D22
7	wipe	D15	17	wool	D09
8	island	D29	18	flashlight	D06
9	get rid of	D26	19	stop by	D19
10	interested	D04	20	stair	D06

누적 테스트 34일차

정답 바로 듣기

____ /20

1	disease	D17	11	birth	D23
2	storm	D28	12	rainbow	D28
3	make fun of	D04	13	raindrop	D28
4	search	D34	14	nut	D07
5	suddenly	D25	15	lawyer	D11
6	sticky	D28	16	puzzle	D20
7	businessman	D11	17	tag	D19
8	whistle	D20	18	sunrise	D29
9	pet	D06	19	famous	D18
10	visible	D33	20	switch	D34

누적 테스트 35일차

정답 바로 듣기

____ /20

1	rainbow	D28
2	website	D34
3	tower	D16
4	embarrass	D04
5	fill in	D15
6	counter	D15
7	weak	D02
8	surprised	D04
9	host	D23
10	industry	D12
11	hammer	D06
12	chimney	D16
13	stress	D05
14	freedom	D35
15	coat	D09
16	spray	D15
17	sufficient	D32
18	curtain	D06
19	common	D35
20	visitor	D18

누적 테스트 36일차

정답 바로 듣기

____ /20

1	muscle	D21
2	junk	D19
3	suddenly	D25
4	promote	D36
5	bicycle	D14
6	deal	D36
7	poor	D36
8	migrate	D16
9	offer	D36
10	polish	D09
11	gentle	D01
12	water	D26
13	upset	D04
14	wealth	D36
15	popular	D22
16	call	D13
17	imagine	D18
18	company	D36
19	tide	D29
20	machine	D33

누적 테스트 37일차

___ /20

정답 바로 듣기

1	flu	D17	11	gentle	D01
2	social	D35	12	profit	D36
3	bar	D15	13	glacier	D29
4	foreign	D18	14	table	D13
5	street	D14	15	shepherd	D11
6	flag	D10	16	theater	D22
7	vary	D29	17	boss	D12
8	capture	D34	18	tennis	D21
9	politics	D37	19	police	D11
10	run out of	D29	20	rapidly	D26

누적 테스트 38일차

___ /20

정답 바로 듣기

1	slim	D02	11	hate	D04
2	bother	D04	12	proof	D38
3	kill	D38	13	mall	D19
4	mystery	D25	14	practical	D12
5	wrap	D08	15	gift	D19
6	pretty	D02	16	Internet	D34
7	bookstore	D19	17	contract	D12
8	salary	D12	18	cost	D36
9	easily	D33	19	stuff	D23
10	hard	D24	20	digest	D17

누적 테스트 39일차

____ /20

정답 바로 듣기

1	pile	D24
2	insurance	D18
3	take care of	D27
4	carpenter	D11
5	paint	D20
6	rose	D26
7	pilot	D11
8	riddle	D23
9	allow	D32
10	combination	D34
11	justice	D37
12	delete	D33
13	giant	D02
14	behave	D10
15	govern	D37
16	frog	D27
17	celebrate	D23
18	address	D16
19	cup	D08
20	according to	D28

누적 테스트 40일차

____ /20

정답 바로 듣기

1	neighbor	D38
2	launch	D23
3	vegetable	D07
4	saving	D36
5	beauty	D02
6	push	D03
7	whale	D27
8	decide	D37
9	presentation	D05
10	cup	D08
11	request	D12
12	pick	D06
13	hatch	D27
14	puzzle	D20
15	area	D13
16	appreciate	D05
17	shoot	D22
18	god	D40
19	realize	D05
20	poison	D17

정답

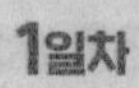

정답 바로 듣기

1	temper	성미, 성질, 침착, 냉정	D01	11	attitude	태도, 마음가짐	D01
2	foolish	어리석은, 바보 같은	D01	12	wise	현명한, 지혜로운	D01
3	clever	영리한, 독창적인, 기발한	D01	13	serious	진지한, (나쁘거나 위험한 정도가) 심각한	D01
4	pretend	~인 척하다, 속이다	D01	14	cheerful	쾌활한, 명랑한	D01
5	modest	겸손한, 적당한, 보통의	D01	15	personality	성격, 개성	D01
6	active	적극적인, 활동적인	D01	16	lively	활발한, 활기 넘치는	D01
7	friendly	다정한, 친절한	D01	17	brave	용감한	D01
8	wonder	궁금해하다, 의아해하다; 놀라움, 경탄	D01	18	rude	버릇없는, 무례한	D01
9	shy	수줍어하는	D01	19	character	인격, 성격, 특징, 문자, 글자	D01
10	creative	창의적인, 창조적인	D01	20	on one's own	혼자 힘으로, 스스로	D01

정답

2일차

정답 바로 듣기

1	tall	키가 큰, 높은, 키가 ~인	D02	11	shy	수줍어하는	D01
2	male	남성의, 수컷의; 남성, 수컷	D02	12	appearance	외모, 겉모습, 출연, 출현	D02
3	wonder	궁금해하다, 의아해하다; 놀라움, 경탄	D01	13	beauty	아름다움, 미	D02
4	old	나이 든, 늙은, 나이가 ~인, 낡은, 오래된	D02	14	kind	친절한; 종류	D01
5	beard	턱수염	D02	15	seem	~처럼 보이다, ~인 것 같다	D02
6	temper	성미, 성질, 침착, 냉정	D01	16	friendly	다정한, 친절한	D01
7	spot	(피부의) 점, 반점, 자리, 지점; 발견하다	D02	17	character	인격, 성격, 특징, 문자, 글자	D01
8	sideburns	구레나룻	D02	18	on one's own	혼자 힘으로, 스스로	D01
9	charming	매력적인, 멋진	D02	19	attitude	태도, 마음가짐	D01
10	pale	(얼굴이) 창백한, (색깔이) 옅은, 연한	D02	20	weak	약한, 힘이 없는, 희미한	D02

정답

3일차

정답 바로 듣기

1	**chew**	씹다; 씹기	D03
2	**spread**	펼치다, 펴다, 퍼지다; 확산	D03
3	**appearance**	외모, 겉모습, 출연, 출현	D02
4	**pass**	지나가다, 통과하다, 건네주다	D03
5	**pretty**	예쁜, 귀여운; 꽤, 아주	D02
6	**lift**	들어올리다	D03
7	**approach**	다가가다, 접근하다; 접근	D03
8	**turn**	돌다, 돌리다, (나이·상태 등이) ~ 되다; 차례	D03
9	**movement**	동작, 움직임, (정치적·사회적) 운동	D03
10	**old**	나이 든, 늙은, 나이가 ~인, 낡은, 오래된	D02
11	**curious**	호기심이 많은, 궁금한	D01
12	**charming**	매력적인, 멋진	D02
13	**sideburns**	구레나룻	D02
14	**step**	(발을) 내딛다, 밟다; 걸음, 단계	D03
15	**friendly**	다정한, 친절한	D01
16	**tell A from B**	A와 B를 구별하다	D02
17	**fat**	뚱뚱한, 살찐; 지방, 비계	D02
18	**lovely**	사랑스러운, 멋진	D02
19	**sit**	앉다	D03
20	**follow**	따라가다, 뒤따르다	D03

정답

4일차

정답 바로 듣기

1	**lonely**	외로운, 쓸쓸한	D04
2	**hold on (to)**	(~을) 꼭 잡다	D03
3	**bend**	구부리다, 구부러지다	D03
4	**male**	남성의, 수컷의; 남성, 수컷	D02
5	**active**	적극적인, 활동적인	D01
6	**mean**	못된, 심술궂은; 의미하다	D01
7	**lovely**	사랑스러운, 멋진	D02
8	**pale**	(얼굴이) 창백한, (색깔이) 옅은, 연한	D02
9	**miss**	그리워하다, 놓치다	D04
10	**overweight**	과체중의, 비만의	D02
11	**worried**	걱정하는, 걱정스러운	D04
12	**modest**	겸손한, 적당한, 보통의	D01
13	**sideburns**	구레나룻	D02
14	**laugh**	(소리 내어) 웃다; 웃음, 웃음 소리	D04
15	**female**	여성, 암컷; 여성의, 암컷의	D02
16	**optimistic**	낙관적인, 낙천적인	D01
17	**step**	(발을) 내딛다, 밟다; 걸음, 단계	D03
18	**movement**	동작, 움직임, (정치적·사회적) 운동	D03
19	**tall**	키가 큰, 높은, 키가 ~인	D02
20	**lie**	누워 있다, 눕다, 거짓말하다	D03

정답

5일차

정답 바로 듣기

No.	Word	Meaning	Day
1	**cheerful**	쾌활한, 명랑한	D01
2	**kind**	친절한; 종류	D01
3	**delight**	기쁨, 즐거움	D04
4	**spin**	회전하다, 회전시키다; 회전	D03
5	**disappointed**	실망한	D04
6	**lay**	놓다, 두다, (알을) 낳다	D03
7	**wise**	현명한, 지혜로운	D01
8	**stand**	서다, 참다, 견디다	D03
9	**satisfied**	만족한, 납득한	D04
10	**short**	짧은, 키가 작은	D02
11	**pull**	당기다, 뽑다, 빼다	D03
12	**frustrate**	좌절시키다, 방해하다	D04
13	**express**	표현하다, 나타내다; 급행의	D05
14	**foolish**	어리석은, 바보 같은	D01
15	**proud**	자랑스러워하는, 자랑스러운, 오만한	D05
16	**lie**	누워 있다, 눕다, 거짓말하다	D03
17	**humor**	유머, 익살	D01
18	**topic**	화제, 주제	D05
19	**explain**	설명하다	D05
20	**sit**	앉다	D03

정답

6일차

정답 바로 듣기

No.	Word	Meaning	Day
1	**respond**	대답하다, 응답하다, 반응하다	D05
2	**pet**	반려동물	D06
3	**jump**	뛰다, 뛰어오르다; 뛰기, 도약	D03
4	**excited**	신이 난, 들뜬	D04
5	**spin**	회전하다, 회전시키다; 회전	D03
6	**roof**	지붕	D06
7	**modest**	겸손한, 적당한, 보통의	D01
8	**express**	표현하다, 나타내다; 급행의	D05
9	**wander**	돌아다니다, 헤매다, 길을 잃다	D03
10	**pass**	지나가다, 통과하다, 건네주다	D03
11	**flashlight**	손전등	D06
12	**ask A for B**	A에게 B를 요청하다, 부탁하다	D06
13	**personality**	성격, 개성	D01
14	**praise**	칭찬하다; 칭찬	D05
15	**hang**	걸다, 걸리다	D03
16	**creative**	창의적인, 창조적인	D01
17	**stretch**	(팔다리를) 뻗다, 펴다, 늘이다, 늘어지다	D03
18	**stress**	스트레스, 압박, 강제; 강조하다	D05
19	**edge**	가장자리, 모서리	D06
20	**tell A from B**	A와 B를 구별하다	D02

정답 7일차

정답 바로 듣기

1	respond	대답하다, 응답하다, 반응하다	D05
2	daily	일상의, 매일의; 매일, 날마다	D06
3	seafood	해산물	D07
4	deny	부인하다, 부정하다, (요구 등을) 거절하다	D05
5	hate	몹시 싫어하다; 증오	D04
6	pale	(얼굴이) 창백한, (색깔이) 옅은, 연한	D02
7	rude	버릇없는, 무례한	D01
8	stupid	어리석은, 둔한	D01
9	bite	물어뜯다, 물다; 물기, 한 입	D03
10	stretch	(팔다리를) 뻗다, 펴다, 늘이다, 늘어지다	D03
11	extra	여분의, 추가의	D07
12	movement	동작, 움직임, (정치적·사회적) 운동	D03
13	disappointed	실망한	D04
14	compare	비교하다, 비유하다	D05
15	reply	대답, 응답; 대답하다, 응답하다	D05
16	surprised	놀란	D04
17	image	이미지, 인상, 모습, 상	D02
18	bread	빵	D07
19	flashlight	손전등	D06
20	male	남성의, 수컷의; 남성, 수컷	D02

정답 8일차

정답 바로 듣기

1	lie	누워 있다, 눕다, 거짓말하다	D03
2	young	젊은, 어린	D02
3	toothbrush	칫솔	D06
4	garden	정원, 뜰	D06
5	melt	녹이다, 녹다	D08
6	amusement	즐거움, 재미, 오락, 놀이	D04
7	set up	설치하다, 준비하다, 마련하다	D08
8	jump	뛰다, 뛰어오르다; 뛰기, 도약	D03
9	smart	똑똑한, 영리한	D01
10	cereal	시리얼, 곡류	D07
11	happiness	행복, 기쁨	D04
12	report	보도하다, 알리다; 보도, 보고	D05
13	trust	신뢰하다; 신뢰, 신임	D05
14	embarrass	당황스럽게 하다, 난처하게 하다	D04
15	optimistic	낙관적인, 낙천적인	D01
16	excited	신이 난, 들뜬	D04
17	slice	(얇게 썬) 조각; 얇게 썰다	D08
18	giant	거인, 거대한 것; 거대한, 위대한	D02
19	fold	접다, 개다	D03
20	hold on (to)	(~을) 꼭 잡다	D03

정답 9일차

정답 바로 듣기

1	egg	계란, 알	D07
2	respond	대답하다, 응답하다, 반응하다	D05
3	lay	놓다, 두다, (알을) 낳다	D03
4	miss	그리워하다, 놓치다	D04
5	spread	펼치다, 펴다, 퍼지다; 확산	D03
6	upset	속상한; 속상하게 만들다	D04
7	try on	~을 입어[써/신어] 보다	D09
8	jewel	보석, 장신구	D09
9	sympathy	연민, 동정, 공감	D04
10	whisper	속삭이다, 귓속말을 하다; 속삭임	D05
11	delicious	아주 맛있는	D07
12	satisfied	만족한, 납득한	D04
13	pet	반려동물	D06
14	blanket	담요	D06
15	explain	설명하다	D05
16	horror	공포, 전율	D04
17	appreciate	감사하다, 가치를 인정하다, 진가를 알다	D05
18	praise	칭찬하다; 칭찬	D05
19	soup	수프, 국	D07
20	surprised	놀란	D04

정답 10일차

정답 바로 듣기

1	soup	수프, 국	D07
2	mess	엉망, 어수선함	D04
3	interested	흥미가 있는, 재미있어 하는	D04
4	fat	뚱뚱한, 살찐; 지방, 비계	D02
5	senior	상급생, 연장자	D10
6	wrap	감싸다, 두르다	D08
7	express	표현하다, 나타내다; 급행의	D05
8	tie	(끈 등으로) 묶다; 넥타이	D09
9	mix	섞다, 섞이다; 혼합물, 혼합	D08
10	burn	(불·열 등에) 태우다, 타다, 데우다, 데다	D08
11	laugh	(소리 내어) 웃다; 웃음, 웃음 소리	D04
12	average	평균; 평균의	D10
13	plenty	많은 양, 풍부함	D06
14	scary	무서운, 겁나는	D04
15	pork	돼지고기	D07
16	uniform	교복, 유니폼; 균일한	D09
17	noodle	국수, 면	D07
18	beef	소고기	D07
19	short	짧은, 키가 작은	D02
20	delicious	아주 맛있는	D07

정답

정답 바로 듣기

No.	Word	Meaning	Day
1	respect	존경하다; 존경	D05
2	pack	싸다, 꾸리다; 짐, 꾸러미	D08
3	feed	(음식을) 먹이다, 먹이를 주다	D07
4	overweight	과체중의, 비만의	D02
5	temper	성미, 성질, 침착, 냉정	D01
6	lawn	잔디, 잔디밭	D06
7	club	동아리, 동호회	D10
8	mistake	실수, 잘못	D10
9	hide	숨다, 숨기다	D03
10	be filled with	~으로 가득 차다	D07
11	writer	작가, 저자	D11
12	on one's own	혼자 힘으로, 스스로	D01
13	charming	매력적인, 멋진	D02
14	clerk	점원, 사무원	D11
15	optimistic	낙관적인, 낙천적인	D01
16	cereal	시리얼, 곡류	D07
17	proud	자랑스러워하는, 자랑스러운, 오만한	D05
18	costume	의상, 복장	D09
19	sandal	샌들	D09
20	clock	시계	D06

정답

12일차

정답 바로 듣기

No.	Word	Meaning	Day
1	lift	들어올리다	D03
2	stress	스트레스, 압박, 강제; 강조하다	D05
3	approach	다가가다, 접근하다; 접근	D03
4	subject	과목, 주제	D10
5	jump	뛰다, 뛰어오르다; 뛰기, 도약	D03
6	stupid	어리석은, 둔한	D01
7	foolish	어리석은, 바보 같은	D01
8	fabric	직물, 천	D09
9	refrigerator	냉장고	D08
10	overalls	작업복, 멜빵바지	D09
11	fur	모피, 털	D09
12	bean	콩	D07
13	stand	서다, 참다, 견디다	D03
14	disappointed	실망한	D04
15	lay	놓다, 두다, (알을) 낳다	D03
16	amusement	즐거움, 재미, 오락, 놀이	D04
17	failure	실패	D12
18	roll	구르다, 굴리다; 롤, 말아서 만든 것	D03
19	satisfied	만족한, 납득한	D04
20	effort	노력, 수고	D12

정답 13일차

정답 바로 듣기

1	embarrass	당황스럽게 하다, 난처하게 하다	D04
2	sugar	설탕, 당, 당분	D07
3	wonder	궁금해하다, 의아해하다; 놀라움, 경탄	D01
4	tool	연장, 도구	D06
5	award	상, 상품; (상·장학금 등을) 수여하다	D10
6	hide	숨다, 숨기다	D03
7	industry	산업, (특정 분야의) 업	D12
8	jar	(입구가 넓은) 병, 단지	D08
9	lawyer	변호사	D11
10	try on	~을 입어[써/신어] 보다	D09
11	short	짧은, 키가 작은	D02
12	guard	경비원, 경호원	D11
13	staple	스테이플러로 고정하다	D13
14	pin	핀; (핀 등으로) 고정시키다	D13
15	police	경찰	D11
16	stretch	(팔다리를) 뻗다, 펴다, 늘이다, 늘어지다	D03
17	project	(연구) 프로젝트, 과제	D10
18	character	인격, 성격, 특징, 문자, 글자	D01
19	on time	제시간에, 정각에	D13
20	enter	들어가다, 참가하다, 입학하다	D03

정답 14일차

정답 바로 듣기

1	station	역, 정거장	D14
2	clip	클립, 짧은 뉴스; 자르다, 깎다	D13
3	contrast	대조, 대비; 대조하다, 대비하다	D05
4	sympathy	연민, 동정, 공감	D04
5	smart	똑똑한, 영리한	D01
6	beef	소고기	D07
7	behave	(예의 바르게) 행동하다	D10
8	tool	연장, 도구	D06
9	bulb	전구	D06
10	magazine	잡지	D13
11	respect	존경하다; 존경	D05
12	success	성공	D10
13	factory	공장	D13
14	shy	수줍어하는	D01
15	route	노선, 경로, 길	D14
16	ingredient	(특히 요리 등의) 재료, 원료	D08
17	mess	엉망, 어수선함	D04
18	skill	역량, 기량, 기술	D12
19	anger	화, 분노; 화나게 하다, 화내다	D04
20	meeting	회의, 모임, 만남	D13

정답 15일차

정답 바로 듣기

No.	Word	Meaning	Day
1	**fresh**	신선한, 싱싱한, 상쾌한, 맑은	D15
2	**wipe**	(먼지·물기 등을) 닦다	D15
3	**spicy**	매운, 매콤한, 양념 맛이 강한	D07
4	**freezer**	냉동고	D15
5	**active**	적극적인, 활동적인	D01
6	**tight**	딱 붙는, 꼭 맞는, 꽉 묶인	D09
7	**daily**	일상의, 매일의; 매일, 날마다	D06
8	**subject**	과목, 주제	D10
9	**sugar**	설탕, 당, 당분	D07
10	**pillow**	베개	D06
11	**hold on (to)**	(~을) 꼭 잡다	D03
12	**bald**	대머리의, 단조로운, 꾸밈 없는	D02
13	**condition**	상태, 환경	D15
14	**polish**	(윤이 나도록) 닦다	D09
15	**lovely**	사랑스러운, 멋진	D02
16	**burn**	(불·열 등에) 태우다, 타다, 데우다, 데다	D08
17	**set**	놓다, 두다, ~하게 하다; 세트, 한 짝	D15
18	**diet**	식사, 음식, 다이어트, 식이요법	D07
19	**button**	단추, 버튼	D09
20	**interested**	흥미가 있는, 재미있어 하는	D04

정답 16일차

정답 바로 듣기

No.	Word	Meaning	Day
1	**floor**	바닥, 층	D06
2	**blouse**	블라우스	D09
3	**station**	역, 정거장	D14
4	**skinny**	깡마른, 여윈	D02
5	**horror**	공포, 전율	D04
6	**bakery**	빵집, 제과점	D15
7	**zone**	구역, 지대, 지역	D16
8	**position**	직위, 위치, 장소, 처지, 상태	D11
9	**seafood**	해산물	D07
10	**subway**	지하철	D14
11	**dust**	먼지, 가루	D16
12	**accident**	사고, 재해, 우연	D14
13	**pour**	붓다, 따르다, 쏟아지다	D08
14	**shorts**	반바지	D09
15	**shepherd**	양치기, 목동	D11
16	**coat**	코트, 외투	D09
17	**sky**	하늘	D16
18	**tear**	찢다, 뜯다; 눈물	D03
19	**item**	물품, 품목, 항목, 조항	D15
20	**building**	건물, 건축	D16

정답

17일차

정답 바로 듣기

1	**horror**	공포, 전율	D04
2	**bark**	짖다; 짖는 소리	D16
3	**printer**	프린터, 인쇄기	D13
4	**explain**	설명하다	D05
5	**landscape**	풍경, 경치	D16
6	**bridge**	다리, 교량	D16
7	**floor**	바닥, 층	D06
8	**nut**	견과류	D07
9	**tear**	찢다, 뜯다; 눈물	D03
10	**countryside**	시골, 지방	D16
11	**pull**	당기다, 뽑다, 빼다	D03
12	**turn**	돌다, 돌리다, (나이·상태 등이) ~ 되다; 차례	D03
13	**soldier**	군인, 병사	D11
14	**apply**	지원하다, 신청하다, 적용하다	D12
15	**income**	수입, 소득	D12
16	**stupid**	어리석은, 둔한	D01
17	**member**	구성원, 회원	D13
18	**partner**	짝, 파트너	D10
19	**trouble**	문제, 어려움, 병, 통증	D17
20	**industry**	산업, (특정 분야의) 업	D12

정답

18일차

정답 바로 듣기

1	**beef**	소고기	D07
2	**rude**	버릇없는, 무례한	D01
3	**eat**	식사하다, 먹다	D08
4	**rush**	서두르다, 급히 움직이다	D18
5	**ahead of**	(시·공간적으로) ~의 앞에	D14
6	**cashier**	계산원	D11
7	**wrap**	감싸다, 두르다	D08
8	**contrast**	대조, 대비; 대조하다, 대비하다	D05
9	**mess**	엉망, 어수선함	D04
10	**punch**	(펀치로) 구멍을 뚫다; 펀치	D13
11	**plenty**	많은 양, 풍부함	D06
12	**comfortable**	편안한, 쾌적한	D13
13	**pour**	붓다, 따르다, 쏟아지다	D08
14	**breath**	숨, 호흡	D17
15	**tourist**	관광객	D18
16	**request**	요청; 요청하다	D12
17	**assistant**	조수, 보조원, (대학의) 조교	D11
18	**tie**	(끈 등으로) 묶다; 넥타이	D09
19	**elementary**	초등의, 기본의	D10
20	**analyze**	분석하다	D05

정답 19일차

1	buy	사다, 구입하다	D19
2	stationery	문구, 문방구	D10
3	instead	대신에	D08
4	important	중요한	D13
5	information	정보, 자료	D12
6	downtown	도심; 도심의; 도심에	D16
7	pull	당기다, 뽑다, 빼다	D03
8	tag	표, 꼬리표	D19
9	seafood	해산물	D07
10	bother	괴롭히다, 귀찮게 하다	D04
11	colleague	(직장의) 동료	D12
12	subject	과목, 주제	D10
13	young	젊은, 어린	D02
14	customer	손님, 고객	D19
15	handle	손잡이, 다루다, 처리하다	D08
16	thought	생각, 의견	D05
17	get along	잘 지내다	D01
18	meeting	회의, 모임, 만남	D13
19	pair	한 켤레, 한 쌍, (분리할 수 없는) 한 벌	D19
20	loose	헐렁한, 느슨한	D09

정답 20일차

1	miss	그리워하다, 놓치다	D04
2	interest	관심, 흥미; 관심을 끌다	D20
3	extra	여분의, 추가의	D07
4	hammer	망치; 망치로 두드리다	D06
5	tailor	재단사, 재봉사	D11
6	garden	정원, 뜰	D06
7	stand	서다, 참다, 견디다	D03
8	comic	웃기는, 희극의; 만화	D20
9	digest	소화하다, 소화되다	D17
10	cafeteria	카페테리아, 급식실	D10
11	chess	체스	D20
12	tap	(가볍게) 치다, 두드리다; 수도꼭지	D06
13	roll	구르다, 굴리다; 롤, 말아서 만든 것	D03
14	bundle	묶음, 다발	D15
15	boss	상사, 고용주, 사장	D12
16	lesson	수업, 교훈	D10
17	respect	존경하다; 존경	D05
18	scarecrow	허수아비	D16
19	amusement	즐거움, 재미, 오락, 놀이	D04
20	lift	들어올리다	D03

21일차

정답

정답 바로 듣기

1	**visit**	방문하다; 방문	D20
2	**factory**	공장	D13
3	**deny**	부인하다, 부정하다, (요구 등을) 거절하다	D05
4	**bitter**	(맛이) 쓴, 씁쓸한	D07
5	**chess**	체스	D20
6	**scientist**	과학자	D11
7	**poison**	독, 독약	D17
8	**expensive**	비싼	D19
9	**daily**	일상의, 매일의; 매일, 날마다	D06
10	**pain**	통증, 아픔	D17
11	**fill out**	작성하다, 기입하다	D12
12	**worried**	걱정하는, 걱정스러운	D04
13	**weekend**	주말	D19
14	**bark**	짖다; 짖는 소리	D16
15	**swing**	그네; 흔들리다, 흔들다	D20
16	**tailor**	재단사, 재봉사	D11
17	**arrive**	도착하다, 이르다	D18
18	**display**	전시, 진열; 전시하다, 진열하다	D19
19	**take place**	(행사·사건 등이) 열리다, 일어나다	D21
20	**consume**	소비하다, 소모하다	D19

22일차

정답

정답 바로 듣기

1	**officer**	장교, 공무원	D11
2	**university**	대학	D10
3	**vegetable**	채소, 야채	D07
4	**folder**	서류철, 폴더	D13
5	**admire**	감탄하다, 존경하다	D22
6	**cart**	카트, 수레	D15
7	**glass**	잔, 유리잔, 유리	D08
8	**challenge**	도전, 과제, 난제; 도전하다	D21
9	**laugh at**	~을 비웃다, 놀리다	D22
10	**wool**	양모, 모직물	D09
11	**consume**	소비하다, 소모하다	D19
12	**stage**	무대, 단계, 시기	D22
13	**seem**	~처럼 보이다, ~인 것 같다	D02
14	**experience**	경험; 경험하다	D18
15	**coin**	동전	D19
16	**walk**	산책; 산책하다, 산책시키다, 걷다	D20
17	**go**	가다, 어울리다	D14
18	**college**	대학	D10
19	**quit**	그만두다	D12
20	**cheerful**	쾌활한, 명랑한	D01

정답

23일차

정답 바로 듣기

1	bike	자전거	D21
2	counselor	상담가	D11
3	hand in	(문서 등을) 제출하다	D10
4	stain	얼룩, 때; 얼룩지게 하다	D09
5	lonely	외로운, 쓸쓸한	D04
6	road	도로, 길	D14
7	effort	노력, 수고	D12
8	drive	운전하다; 운전	D14
9	turn down	거절하다	D13
10	wash	세탁하다, 씻다	D06
11	relax	편히 쉬다, (긴장이) 풀리다	D17
12	slow down	(속도·진행을) 늦추다	D14
13	junk	쓸모없는 물건, 고물; 쓸모없는, 싸구려의	D19
14	university	대학	D10
15	vacation	방학, 휴가	D23
16	arrange	준비하다, 마련하다, 정리하다, 배열하다	D23
17	skinny	깡마른, 여윈	D02
18	topic	화제, 주제	D05
19	rail	레일, 철도, 난간	D14
20	give up	포기하다	D21

정답

24일차

정답 바로 듣기

1	glue	풀, 접착제; 접착하다	D13
2	success	성공	D10
3	tear	찢다, 뜯다; 눈물	D03
4	low	낮은; 낮게	D24
5	editor	편집자	D11
6	delicious	아주 맛있는	D07
7	give away	선물로 주다, 기부하다	D19
8	host	주최하다, 열다; 주인, 주최자	D23
9	cart	카트, 수레	D15
10	fur	모피, 털	D09
11	piece	조각, 부분, 작품	D24
12	paint	(물감·페인트로) 칠하다; 물감, 페인트	D20
13	rail	레일, 철도, 난간	D14
14	change	바꾸다, 변하다; 변화	D09
15	effort	노력, 수고	D12
16	relax	편히 쉬다, (긴장이) 풀리다	D17
17	grow up	자라다, 성장하다	D11
18	flu	독감, 유행성 감기	D17
19	scary	무서운, 겁나는	D04
20	empty	빈, 비어 있는	D24

정답 25일차

정답 바로 듣기

1	lonely	외로운, 쓸쓸한	D04
2	tie	(끈 등으로) 묶다; 넥타이	D09
3	dramatic	극적인	D25
4	police	경찰	D11
5	factory	공장	D13
6	fly	비행하다, 날다; 비행	D18
7	round	둥근, 원형의	D24
8	orchard	과수원	D16
9	terrible	지독한, 심한, 끔찍한	D25
10	fear	두려워하다, 걱정하다; 두려움, 공포	D04
11	sugar	설탕, 당, 당분	D07
12	whisper	속삭이다, 귓속말을 하다; 속삭임	D05
13	confuse	혼란시키다, 혼동하다	D04
14	take	받다, 가져가다, (시간이) 걸리다	D15
15	be filled with	~으로 가득 차다	D07
16	precious	귀중한, 값진	D24
17	average	평균; 평균의	D10
18	center	(사람이 모이는) 센터, 시설, 중심, 중앙	D16
19	goods	상품, 물품	D19
20	librarian	사서	D10

정답 26일차

정답 바로 듣기

1	counter	계산대, 카운터	D15
2	deal with	~을 다루다, 처리하다	D22
3	junk	쓸모없는 물건, 고물; 쓸모없는, 싸구려의	D19
4	choice	선택권, 선택	D19
5	sunlight	햇빛, 햇살	D26
6	boss	상사, 고용주, 사장	D12
7	comfortable	편안한, 쾌적한	D13
8	playground	운동장, 놀이터	D20
9	wise	현명한, 지혜로운	D01
10	set	놓다, 두다, ~하게 하다; 세트, 한 짝	D15
11	romantic	낭만적인, 로맨틱한	D26
12	scenery	풍경, 경치	D18
13	new	새로운, 새	D24
14	jacket	재킷, 윗옷	D09
15	cotton	면직물, 면화; 면으로 된	D09
16	bean	콩	D07
17	print	인쇄하다	D12
18	poisonous	독이 있는, 유해한	D26
19	contain	포함하다, 함유하다	D08
20	chimney	굴뚝	D16

정답

정답 바로 듣기

1	map	지도	D10
2	watch over	지키다, 보살피다	D27
3	stair	계단	D06
4	hometown	고향	D16
5	tailor	재단사, 재봉사	D11
6	landscape	풍경, 경치	D16
7	bother	괴롭히다, 귀찮게 하다	D04
8	jar	(입구가 넓은) 병, 단지	D08
9	hen	암탉	D27
10	wide	(폭이) 넓은; 넓게	D24
11	slowly	천천히, 느리게	D24
12	bar	(특정 음료·음식) 전문점, 바, 막대	D15
13	window	창문	D13
14	accident	사고, 재해, 우연	D14
15	come	오다, (일이) 일어나다	D14
16	project	(연구) 프로젝트, 과제	D10
17	recommend	추천하다, 권하다, 충고하다	D15
18	give up	포기하다	D21
19	straight	일직선으로, 똑바로; 곧은, 똑바른	D14
20	survive	생존하다, 살아남다	D26

정답

28일차

정답 바로 듣기

1	climate	기후	D28
2	praise	칭찬하다; 칭찬	D05
3	tell A from B	A와 B를 구별하다	D02
4	cheer	응원하다, 환호하다; 응원, 환호	D21
5	rainbow	무지개	D28
6	strange	이상한, 낯선, 모르는	D25
7	winter	겨울	D28
8	travel	여행하다, 이동하다; 여행	D18
9	mist	옅은 안개	D28
10	bowl	(우묵한) 그릇, 사발	D08
11	realize	깨닫다, 알아차리다, 실현하다	D05
12	tax	세금	D19
13	sick	아픈, 병든, 싫증난, 지친	D17
14	drought	가뭄	D28
15	dawn	새벽, 동틀 녘	D28
16	member	구성원, 회원	D13
17	noodle	국수, 면	D07
18	pattern	패턴, 양식, 무늬	D28
19	chess	체스	D20
20	fog	안개	D28

정답 29일차

정답 바로 듣기

1	**drought**	가뭄	D28	11	**field**	밭, 들판, 경기장, 분야	D29
2	**nervous**	불안한, 긴장한	D04	12	**suit**	정장	D09
3	**ordinary**	보통의, 평범한	D25	13	**survive**	생존하다, 살아남다	D26
4	**folder**	서류철, 폴더	D13	14	**sweet**	달콤한, 단; 단 것	D07
5	**presentation**	발표	D05	15	**give a hand**	도와주다	D16
6	**pile**	더미, 무더기; 쌓다, 포개다	D24	16	**exercise**	운동하다; 운동, 연습	D21
7	**daytime**	낮, 주간	D28	17	**rare**	희귀한, 드문	D15
8	**heavy**	무거운, (양·정도 등이) 많은	D24	18	**nature**	자연, 성질, 본성	D29
9	**bud**	싹, 꽃봉오리	D26	19	**gift**	선물, (타고난) 재능	D19
10	**up and down**	위아래로, 좋다가 나쁘다가 하는	D24	20	**dinosaur**	공룡	D27

정답 30일차

정답 바로 듣기

1	**jeans**	청바지	D09	11	**sharp**	날카로운, 예리한	D24
2	**cause**	야기하다, 초래하다; 원인, 이유	D30	12	**physician**	의사, 내과 의사	D11
3	**health**	건강, 건강 상태	D17	13	**mechanic**	수리공, 정비사	D11
4	**read**	읽다	D20	14	**rare**	희귀한, 드문	D15
5	**festival**	축제	D23	15	**average**	평균; 평균의	D10
6	**bump**	충돌하다, 부딪치다; 충돌	D14	16	**magic**	마술, 마법; 마술의, 마법의	D20
7	**site**	위치, 현장, 유적	D18	17	**pilot**	비행 조종사, 파일럿	D11
8	**fish**	생선, 물고기; 낚시하다	D07	18	**duty**	직무, 업무, 의무	D12
9	**cattle**	소떼, 소	D27	19	**greenhouse**	온실	D30
10	**desert**	사막	D29	20	**chicken**	닭	D27

정답

31일차

정답 바로 듣기

1	stationery	문구, 문방구	D10
2	sun	태양, 해, 햇빛, 햇볕	D31
3	whale	고래	D27
4	appearance	외모, 겉모습, 출연, 출현	D02
5	bottle	병, 병 모양의 용기	D15
6	skill	역량, 기량, 기술	D12
7	wash	세탁하다, 씻다	D06
8	rare	희귀한, 드문	D15
9	exhaust	고갈시키다, 다 써버리다; 배기가스	D30
10	cattle	소떼, 소	D27
11	rocket	로켓; 로켓을 발사하다, 급증하다	D31
12	flu	독감, 유행성 감기	D17
13	hurricane	허리케인, 태풍	D28
14	harvest	수확, 수확물; 수확하다	D16
15	waste	쓰레기, 낭비; 낭비하다	D30
16	prepare	준비하다, 대비하다	D23
17	hatch	부화시키다, 부화하다	D27
18	seed	씨앗, 종자	D26
19	whisper	속삭이다, 귓속말을 하다; 속삭임	D05
20	important	중요한	D13

정답

32일차

정답 바로 듣기

1	efficient	효율적인, 능률적인	D32
2	festival	축제	D23
3	heavy	무거운, (양·정도 등이) 많은	D24
4	screw	나사, 나사못	D06
5	bet	내기하다, (돈을) 걸다; 내기	D21
6	mine	광산, 탄광; 채굴하다	D32
7	wash	세탁하다, 씻다	D06
8	teacher	선생님, 교사	D10
9	toxic	유독한, 독성의	D30
10	roof	지붕	D06
11	overalls	작업복, 멜빵바지	D09
12	subway	지하철	D14
13	Mars	화성	D31
14	stop	멈추다, 중단하다; 멈춤, 정류장	D14
15	chimney	굴뚝	D16
16	pretty	예쁜, 귀여운; 꽤, 아주	D02
17	variety	다양성, 다양	D15
18	worried	걱정하는, 걱정스러운	D04
19	wish	기원하다, 빌다, 바라다; 바람, 소망	D23
20	alive	살아있는, 생생한	D17

정답 33일차

정답 바로 듣기

1	**turn A into B**	A를 B로 바꾸다	D32
2	**pleased**	기쁜, 만족해하는	D04
3	**succeed**	성공하다	D12
4	**sweet**	달콤한, 단; 단 것	D07
5	**in fact**	사실은, 실제로	D32
6	**data**	자료, 정보	D33
7	**wipe**	(먼지·물기 등을) 닦다	D15
8	**island**	섬	D29
9	**get rid of**	~을 처리하다, 없애다	D26
10	**interested**	흥미가 있는, 재미있어 하는	D04
11	**universe**	우주	D31
12	**alien**	외계인, 외국인; 외계의, 외국의	D31
13	**cart**	카트, 수레	D15
14	**work out**	찾아내다, 해결하다, 운동하다	D33
15	**invent**	발명하다, 창작하다	D33
16	**opera**	오페라, 가극	D22
17	**wool**	양모, 모직물	D09
18	**flashlight**	손전등	D06
19	**stop by**	잠시 들르다	D19
20	**stair**	계단	D06

정답 34일차

정답 바로 듣기

1	**disease**	질환, 질병	D17
2	**storm**	폭풍우, 폭풍	D28
3	**make fun of**	~를 놀리다, 비웃다	D04
4	**search**	찾아보다, 조사하다; 검색, 찾기	D34
5	**suddenly**	갑자기	D25
6	**sticky**	무더운, 끈적거리는, 달라붙는	D28
7	**businessman**	사업가, 경영인	D11
8	**whistle**	호루라기, 호각, 휘파람; 호루라기를 불다	D20
9	**pet**	반려동물	D06
10	**visible**	(눈에) 보이는, 분명한, 명백한	D33
11	**birth**	출생, 탄생, 출산	D23
12	**rainbow**	무지개	D28
13	**raindrop**	빗방울	D28
14	**nut**	견과류	D07
15	**lawyer**	변호사	D11
16	**puzzle**	퍼즐, 수수께끼; 당황하게 하다	D20
17	**tag**	표, 꼬리표	D19
18	**sunrise**	일출, 해돋이	D29
19	**famous**	유명한	D18
20	**switch**	스위치; 바꾸다, 전환하다	D34

정답

정답 바로 듣기

No.	Word	Meaning	Day
1	**rainbow**	무지개	D28
2	**website**	웹사이트	D34
3	**tower**	타워, 탑	D16
4	**embarrass**	당황스럽게 하다, 난처하게 하다	D04
5	**fill in**	(빈칸 등에) 기입하다, 써넣다, ~을 채우다	D15
6	**counter**	계산대, 카운터	D15
7	**weak**	약한, 힘이 없는, 희미한	D02
8	**surprised**	놀란	D04
9	**host**	주최하다, 열다; 주인, 주최자	D23
10	**industry**	산업, (특정 분야의) 업	D12
11	**hammer**	망치; 망치로 두드리다	D06
12	**chimney**	굴뚝	D16
13	**stress**	스트레스, 압박, 강제; 강조하다	D05
14	**freedom**	자유, 해방	D35
15	**coat**	코트, 외투	D09
16	**spray**	스프레이, 분무기; 뿌리다, 분무하다	D15
17	**sufficient**	충분한	D32
18	**curtain**	커튼	D06
19	**common**	흔한, 보통의, 공통의	D35
20	**visitor**	방문객, 손님	D18

정답

36일차

정답 바로 듣기

No.	Word	Meaning	Day
1	**muscle**	근육, 근력	D21
2	**junk**	쓸모없는 물건, 고물; 쓸모없는, 싸구려의	D19
3	**suddenly**	갑자기	D25
4	**promote**	촉진하다, 홍보하다, 승진시키다	D36
5	**bicycle**	자전거	D14
6	**deal**	거래; 거래하다, 다루다, 처리하다	D36
7	**poor**	가난한, 빈곤한, 불쌍한	D36
8	**migrate**	이주하다, 이동하다	D16
9	**offer**	제시하다, 제안하다, 제공하다	D36
10	**polish**	(윤이 나도록) 닦다	D09
11	**gentle**	정중한, 온화한, (날씨·동작 등이) 부드러운	D01
12	**water**	물을 주다; 물	D26
13	**upset**	속상한; 속상하게 만들다	D04
14	**wealth**	부, 재산	D36
15	**popular**	인기 있는, 대중적인	D22
16	**call**	전화하다, (~라고) 부르다; 전화	D13
17	**imagine**	상상하다	D18
18	**company**	회사, 단체, 집단	D36
19	**tide**	조수, 조류	D29
20	**machine**	기계	D33

정답 37일차

정답 바로 듣기

1	flu	독감, 유행성 감기	D17	11	gentle	정중한, 온화한, (날씨·동작 등이) 부드러운	D01
2	social	사회적인, 사회의, 사교적인	D35	12	profit	이익, 수익	D36
3	bar	(특정 음료·음식) 전문점, 바, 막대	D15	13	glacier	빙하	D29
4	foreign	외국의	D18	14	table	탁자, 식탁, 표, 목록	D13
5	street	거리, 차도, 도로	D14	15	shepherd	양치기, 목동	D11
6	flag	깃발, 기	D10	16	theater	극장	D22
7	vary	다양하다, 다르다, 바꾸다, 바뀌다	D29	17	boss	상사, 고용주, 사장	D12
8	capture	캡처하다, 포착하다, 붙잡다, 포획하다	D34	18	tennis	테니스	D21
9	politics	정치, 정치학	D37	19	police	경찰	D11
10	run out of	~이 바닥나다, ~을 다 써버리다	D29	20	rapidly	급속히, 빨리	D26

정답 38일차

정답 바로 듣기

1	slim	날씬한, 얇은, 가느다란	D02	11	hate	몹시 싫어하다; 증오	D04
2	bother	괴롭히다, 귀찮게 하다	D04	12	proof	증거, 증명	D38
3	kill	죽이다, 목숨을 빼앗다	D38	13	mall	쇼핑몰	D19
4	mystery	불가사의, 신비	D25	14	practical	현실적인, 실제적인, 실용적인	D12
5	wrap	감싸다, 두르다	D08	15	gift	선물, (타고난) 재능	D19
6	pretty	예쁜, 귀여운; 꽤, 아주	D02	16	Internet	인터넷	D34
7	bookstore	서점, 책방	D19	17	contract	계약서, 계약; 계약하다	D12
8	salary	급여, 봉급	D12	18	cost	비용, 값; (비용이) 들다	D36
9	easily	쉽게, 용이하게	D33	19	stuff	물건, 것	D23
10	hard	딱딱한, 단단한, 어려운, 힘든	D24	20	digest	소화하다, 소화되다	D17

정답 39일차

정답 바로 듣기

No.	Word	Meaning	Day
1	**pile**	더미, 무더기; 쌓다, 포개다	D24
2	**insurance**	보험	D18
3	**take care of**	~을 돌보다	D27
4	**carpenter**	목수	D11
5	**paint**	(물감·페인트로) 칠하다; 물감, 페인트	D20
6	**rose**	장미	D26
7	**pilot**	비행 조종사, 파일럿	D11
8	**riddle**	수수께끼	D23
9	**allow**	허락하다, 허용하다	D32
10	**combination**	조합, 결합	D34
11	**justice**	정의, 공정성	D37
12	**delete**	삭제하다, 지우다	D33
13	**giant**	거인, 거대한 것; 거대한, 위대한	D02
14	**behave**	(예의 바르게) 행동하다	D10
15	**govern**	통치하다, 다스리다	D37
16	**frog**	개구리	D27
17	**celebrate**	기념하다, 축하하다	D23
18	**address**	주소, 연설; 연설하다	D16
19	**cup**	컵, 잔	D08
20	**according to**	~에 따르면	D28

정답 40일차

정답 바로 듣기

No.	Word	Meaning	Day
1	**neighbor**	이웃; 이웃의, 근처에 사는	D38
2	**launch**	시작하다, 착수하다; 출시, 개시	D23
3	**vegetable**	채소, 야채	D07
4	**saving**	저축, 저금, 절약	D36
5	**beauty**	아름다움, 미	D02
6	**push**	밀다, 누르다	D03
7	**whale**	고래	D27
8	**decide**	결정하다, 결심하다	D37
9	**presentation**	발표	D05
10	**cup**	컵, 잔	D08
11	**request**	요청; 요청하다	D12
12	**pick**	고르다, (과일·꽃 등을) 따다, 꺾다	D06
13	**hatch**	부화시키다, 부화하다	D27
14	**puzzle**	퍼즐, 수수께끼; 당황하게 하다	D20
15	**area**	분야, 영역, 지역, 구역	D13
16	**appreciate**	감사하다, 가치를 인정하다, 진가를 알다	D05
17	**shoot**	촬영하다, 발사하다, 공을 차다	D22
18	**god**	신, 하느님	D40
19	**realize**	깨닫다, 알아차리다, 실현하다	D05
20	**poison**	독, 독약	D17

MEMO

MEMO

누적 테스트북

추가 자료

해커스북(HackersBook.com)에서
본 교재에 대한 다양한
추가 학습 자료를 이용하세요!

| 해커스 중고등 교재 MAP |

나에게 맞는 교재 선택!

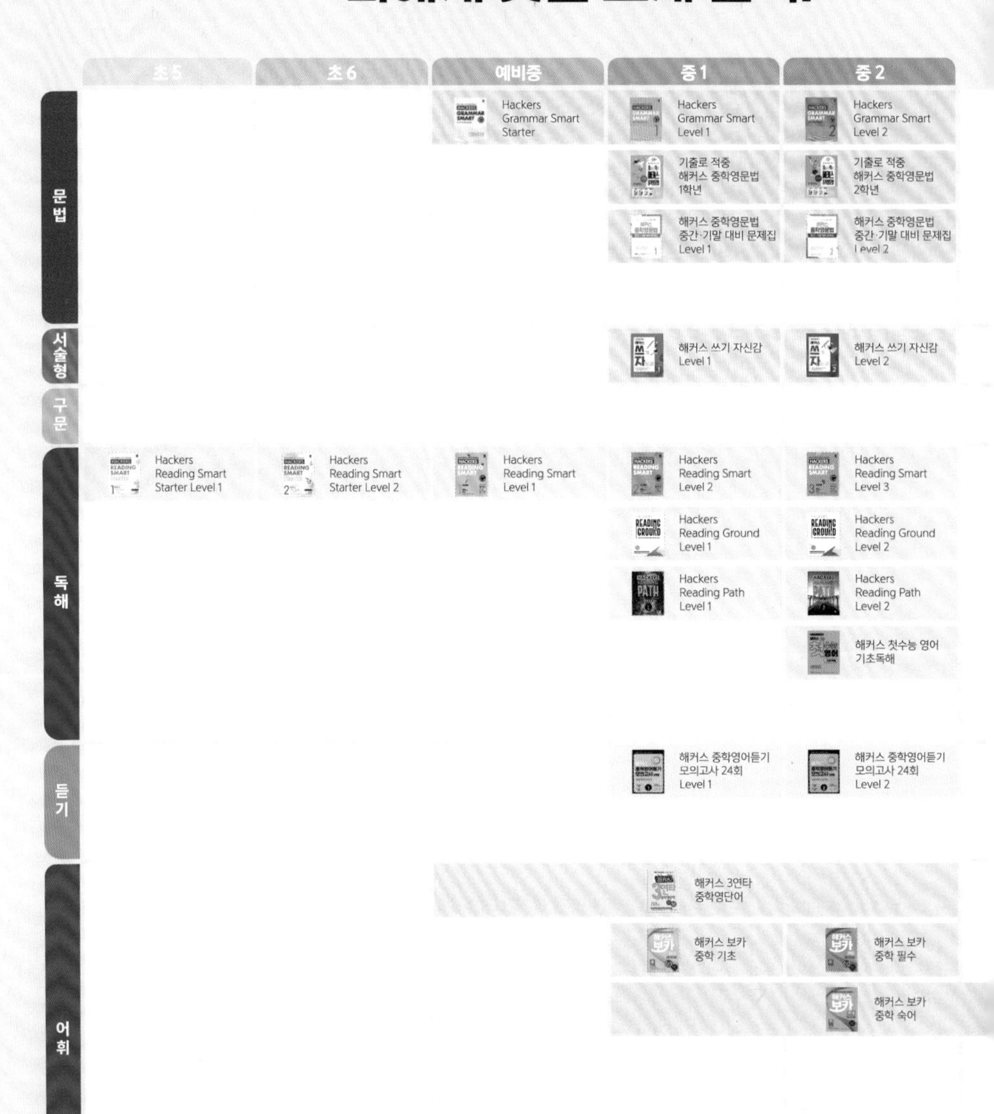